ДАНИЭЛА СТИЛ

ДАНИЭЛА СТИЛ

Игра в свидания

Издательство АСТ
Москва

УДК 821.111-31(73)
ББК 84(7Сое)-44
С80

Серия «Миры Даниэлы»

Danielle Steel
DATING GAME

Перевод с английского *С.Б. Володиной*

Компьютерный дизайн *Г.В. Смирновой*

Печатается с разрешения автора и литературных агентств
Janklow & Nesbit Associates и Prava I Prevodi
International Literary Agency.

Стил, Даниэла.
С80   Игра в свидания : [роман] / Даниэла Стил ; [пер. с
англ. С. Б. Володиной]. — Москва : Издательство АСТ,
2017. — 384 с. — (Миры Даниэлы).

ISBN 978-5-17-100252-7

Еще вчера Пэрис Армстронг чувствовала себя счастливой — у нее была семья и прекрасный дом. И вдруг любимый
муж, с которым прошли ее лучшие годы, сообщил, что уходит от нее к другой, молодой и красивой!.. Как жить дальше?
Можно впасть в депрессию. А можно поступить так, как сделала Пэрис, — махнуть рукой на прошлое! Уехать в другой
город. Найти работу. Завести новых друзей. И начать увлека-
тельнейшую из игр — «игру в свидания». В худшем случае она
поймет, что на муже-изменнике свет клином не сошелся. А
может быть, и встретит того, кто подарит ей новое счастье!..

УДК 821.111-31(73)
ББК 84(7Сое)-44

Глава 1

Майский вечер был исполнен неги. Весна уже окутала Восточное побережье пленительным флером, от зимы остались одни воспоминания. Стояла восхитительная погода, птицы радостно щебетали, солнце грело, но не жгло, и сад коннектикутского поместья Армстронгов утопал в цвету. В этом царящем вокруг раю людям невольно хотелось двигаться медленнее, никуда не торопиться. Это было заметно даже в Нью-Йорке. Парочки неспешно прогуливались, обеденные перерывы удлинялись. На лицах сияли улыбки.

В тот вечер Пэрис Армстронг решила принять гостей на воздухе, в мощеном внутреннем дворике, только что заново обустроенном рядом с бассейном. В этот раз, вопреки обыкновению, они с Питером давали званый ужин в пятницу. Обычно они принимали гостей по субботам, чтобы Питеру не приходилось мчаться очертя голову с работы, преодолевая многочисленные пробки. Но на этот раз с фирмой, обслуживающей приемы, удалось договориться только на пятницу — все субботы до конца июля у них оказались расписаны под свадьбы.

Для Питера это было, конечно, не слишком удобно, но, когда Пэрис сообщила, что гостей придется звать в пятницу, он возражать не стал. Питер всегда потакал ей — ему доставляло удовольствие облегчать ей жизнь. Это было одно из его бесчисленных достоинств, за которые Пэрис его так любила. Они только что отметили двадцать четвертую годовщину свадьбы. Господи, как быстро время летит! И сколько всего у них уже за спиной!.. Старшая дочь Мэган в прошлом году окончила гуманитарный колледж Вассар, ей сейчас двадцать три, она устроилась на работу в Лос-Анджелесе. Ее интересует все, что связано с кино, и она нашла себе место помощника продюсера на одной из студий в Голливуде. Конечно, место не лучшее, Мэган этого не отрицает, но она в восторге от близости к Голливуду и не теряет надежды в один прекрасный день стать продюсером.

Сыну Уильяму только-только исполнилось восемнадцать, в июне он заканчивает школу и уже зачислен в Беркли, осенью переезжает в Калифорнию. Даже не верится, что дети уже взрослые. Кажется, еще вчера Пэрис меняла им подгузники, потом возила Мэг в балетную студию, а Вима — на хоккей. А теперь... каких-то три месяца — и сын вылетит из гнезда. В университет он должен прибыть за неделю до начала учебного года.

Пэрис вышла во дворик проверить, как накрыт стол. Фирма, которую они обычно нанимали для обслуживания гостей, работала надежно и четко. Повара прекрасно ориентировались на ее кухне — Пэрис с Питером частенько принимали гостей и были постоянными клиентами. Армстронги любили общаться с друзьями, которыми за долгие годы супружества обзавелись во множестве.

Пэрис поставила на стол цветы — разноцветные пионы из собственного сада. На белоснежной скатерти сиял хрусталь и столовое серебро. Питер, скорее всего, на эти детали внимания не обратит, особенно если приедет усталый, хотя вообще-то атмосферу домашнего очага, которую усиленно создавала и поддерживала жена, он очень ценил. А Пэрис как раз особое внимание уделяла мелочам, она умела придать дому теплоту и изящество. Гостям это тоже нравилось, однако Пэрис старалась не только для мужа и друзей, но и для себя самой.

Питер тоже был образцом семьянина. Он трудился не покладая рук и сумел обеспечить семье достаток — Питер был партнером в одной процветающей адвокатской конторе, специализирующейся на корпоративных финансах, а недавно стал управляющим.

Десять лет назад Питер купил для семьи красивый и просторный дом — стильный, каменный, в одном из самых престижных районов Гринвича, штат Коннектикут. Сначала хотели пригласить дизайнера по интерьеру, но потом Пэрис решила заняться оформлением дома сама и очень увлеклась этим делом. Питер был в восторге от того, что у нее получилось. И сад у них был один из самых красивых в Гринвиче. Видя успехи Пэрис в оформлении дома, Питер подтрунивал над женой и предлагал пойти в дизайнеры. Друзья с ним соглашались. Однако при всех художественных наклонностях Пэрис обладала аналитическим складом ума, питала глубокое уважение к миру бизнеса и с пониманием относилась к работе мужа.

Они поженились, едва Пэрис закончила колледж. Потом она училась в высшей школе бизнеса и получила диплом мастера делового администрирования. Пэрис мечтала открыть свое дело, но на втором курсе забеременела да так и осталась сидеть дома с детьми. И ни разу не пожалела. Питер в этом решении ее поддержал, сказал, что ей нет необходимости работать. За двадцать четыре года она ни разу не почувствовала себя не реализовавшейся в жизни, хотя все свое время посвящала мужу и детям. Она пекла печенье, устраивала школьные ярмарки, из года в год проводила в школе аукцион, своими руками делала костюмы к Дню Всех Святых, водила детей к ортодонту — словом, делала то, что делают все другие жены и матери.

Для этих дел ее диплом был, конечно, не нужен. Зато навыки корпоративного мышления и живой интерес к бизнесу позволяли ей со знанием дела беседовать с Питером о его работе. Это вечернее общение их очень сближало.

Пэрис всегда была образцовой женой, и к ее принципам воспитания детей Питер тоже относился с большим уважением. Она оправдала все его ожидания. Питер тоже ее не разочаровал. Даже сейчас, по прошествии стольких лет, они продолжали получать удовольствие от общества друг друга. В выходной день оба любили лишние полчаса понежиться в постели, а в будни Пэрис неизменно поднималась вместе с ним ни свет ни заря и отвозила его на станцию. Потом она возвращалась домой и везла детей в школу — так продолжалось до тех пор, пока они сами не получили водительские права.

Теперь ей казалось, что дети выросли слишком быстро. Единственное, что сейчас беспокоило Пэрис, — это чем она станет себя занимать, когда Вим в августе уедет в Беркли. Она не представляла себе лето без подростков, которые заполняли дом в выходные, плескались в бассейне и переворачивали все вверх дном. Двадцать три года из двадцати четырех вся ее жизнь вращалась вокруг детей. И от сознания, что этой жизни вот-вот придет конец, делалось грустно.

Пэрис знала: после отъезда Вима в колледж вся ее жизнь решительно переменится. Сын будет лишь время от времени приезжать домой на выходные или праздники, как делала в студенчестве Мэг, только реже — ведь он будет так далеко, на другом конце Америки. А получив диплом, Вим, наверное, и вовсе перестанет появляться. С тех пор как Мэг перебралась в Калифорнию, Пэрис приходилось довольствоваться общением с дочерью только в День благодарения и на Рождество —

и то если повезет. А что будет, когда Мэг выйдет замуж, одному богу известно. Правда, пока она о замужестве не заговаривала. Так или иначе, Пэрис понимала, что после двадцати четырех лет, проведенных дома, едва ли она устремится в Нью-Йорк на поиски работы. Единственное, что приходило на ум, — это какая-нибудь социальная работа в Стэмфорде — по программе ликвидации неграмотности, которую несколько лет назад затеяла одна ее подруга, или по реабилитации детей, переживших физическое насилие. Ничего другого она пока придумать не могла.

Когда-то давно Питер говорил, что, когда дети подрастут, они смогут вволю попутешествовать вдвоем и осуществить все то, чего не могли себе позволить раньше. Но в последний год у мужа стало так много работы, что ей теперь казалось маловероятным вытащить его куда-нибудь надолго. Он все чаще задерживался допоздна, и Пэрис оказалась в ситуации, когда и дети, и муж живут полной, насыщенной жизнью, а она — нет. С этим надо было что-то делать. Иметь массу свободного времени и не знать, чем его занять, — эта перспектива пугала ее уже сейчас.

Несколько раз она заводила об этом разговор с Питером, но он так ей ничего толком и не посоветовал. Сказал, что рано или поздно она найдет чем заняться. Это она и сама понимала. В сорок шесть еще вполне можно начать карьеру, было бы желание. Проблема заключалась в том, что Пэрис не знала, чего ей хочется. Ей нравилось жить так, как она живет: заботиться о детях и муже, по выходным исполнять все их прихоти, в первую очередь — Питера.

В отличие от многих подруг, у которых после стольких лет супружества брак трещал по швам, а то и вовсе распадался, Пэрис грех было жаловаться. Питер ее по-прежнему любил. По сути дела, с годами он стал добрее, мягче, внимательнее. Он стал более зрелым и даже внешне казался ей интереснее, чем когда они только поженились. То же самое он говорил про нее.

Пэрис и сама знала, что прекрасно сохранилась для своего возраста — была стройной, гибкой и спортивной. С тех пор как дети подросли и у нее появилось побольше времени, она чуть не каждый день играла в теннис и была в отличной форме. Зеленоглазая красавица в духе Грейс Келли с длинными прямыми светлыми волосами, она к тому же обладала превосходным чувством юмора, неизменно радовавшим друзей. Пэрис обожала розыгрыши, чем неизменно приводила в восторг детей.

Питер по натуре был гораздо более спокойным и не раздражался, даже когда сильно уставал. К сожалению, в последний год Питер просто горел на работе — даже в пятницу задерживался допоздна, а иногда и в субботу ненадолго уезжал в город, чтобы разгрести накопившиеся бумаги или провести встречу с кем-нибудь из клиентов.

Пэрис это воспринимала с неизменным терпением и не предъявляла к мужу излишних претензий. Она всегда ценила его преданность делу. Именно это качество позволило ему сделать блестящую карьеру и обеспечило уважение в деловых и юридических кругах. Пэрис считала, что не вправе винить его в чрезмерной добросовестности, хотя, разумеется, ей хотелось бы проводить с ним больше времени. Особенно теперь, когда дочь уже полгода так далеко, а сын живет своей жизнью, стремясь напоследок наобщаться с друзьями перед расставанием.

Мысль о том, как занят Питер все последние месяцы, вновь напомнила Пэрис, что с сентября ей придется найти занятие и себе. Она уже подумывала, не открыть ли фирму по обслуживанию банкетов, но этот вариант означал бы работу по выходным, чего ей бы не хотелось. Пэрис считала, что в свободный день муж должен видеть жену дома.

Обойдя стол, Пэрис наведалась на кухню и проверила, все ли в порядке у поваров. К ужину ожидалось шесть человек, все — близкие друзья. Она с нетерпением ждала вечера и мечтала, чтобы Питеру удалось прийти пораньше и хоть немного расслабиться до прихода гостей.

Пэрис приняла душ и переоделась, когда в дверь спальни просунулась голова Вима. Он пришел доложить ей о своих планах — это правило в семье выполнялось неукоснительно. Пэрис всегда знала, где и с кем проводят время ее дети. Она вообще была образцовой матерью и женой. Все в ее жизни шло строго по плану, все было под контролем. Во всяком случае, по большей части.

— Мы с Мэтом едем к Джонсонам, — сообщил Вим, глядя, как мать застегивает «молнию» на боку белой кружевной юбки. На ней уже был изящный топик и серебристые босоножки на высоких каблуках.

Вим считал, что, когда мама наряжается, она становится неотразимой, и сейчас с удовольствием смотрел, как она забирает волосы в пучок. Он всегда находил ее элегантной без вычурности и гордился мамой не меньше, чем она им. В том, что мама им гордится, Вим не сомневался. Еще бы: ведь он не только был среди первых учеников, но еще и блистал в спорте.

— У вас там вечеринка? — спросила Пэрис. — Или куда-то еще пойдете?

Она с улыбкой смотрела на сына. Красивый мальчик. И как на отца похож! К пятнадцати годам Вим вымахал до ста восьмидесяти сантиметров, а теперь, наверное, в нем все сто девяносто. Волосы как у отца, каштановые, глаза тоже отцовские, ярко-синие. В последний месяц, если не два, выпускники просто с цепи сорвались, а Вим всегда был в гуще событий. Девчонки сходили по нему с ума и вились вокруг него роем, хотя он еще с Рождества гулял с одной и той же девушкой, и Пэрис она очень нравилась. Милая девочка из добропорядочной гринвичской семьи: мама — учительница, папа — врач.

— Да, может, потом съездим в одно место, — небрежно бросил Вим.

Вечно она лезет со своими расспросами! Они с сестрой всегда дружно возмущались, хотя в глубине души им нравился ее интерес к их делам. Во всяком случае, не вызывало сомнения то, что мама их любит.

— К кому пойдете? — Пэрис разобралась с прической и взяла со столика губную помаду.

— К Стейнам, — усмехнулся Вим.

Не может не спросить! Что за манера?! Он заранее знал, какой вопрос сейчас последует.

— Родители будут?

Пэрис до сих пор была не готова пускать куда-то сына без присмотра взрослых. Считала это верной дорогой к беде. Когда Вим был поменьше, она всегда звонила хозяевам, чтобы убедиться, что он не соврал. Но в последний год все-таки сдалась и теперь верила сыну на слово. Временами, конечно, он все же пытался навешать ей лапшу на уши. Как говорила сама Пэрис, его дело — наплести с три короба, ее дело — вывести его на чистую воду. У нее был тонкий нюх, а он в большинстве случаев говорил правду и редко доставлял матери волнения.

— Да, родители будут, — сказал Вим, закатив глаза.

— Хочется верить. — Она многозначительно взглянула на сына и рассмеялась. — Но запомни, Уильям Армстронг: если ты мне наврал, я спущу тебе шины и выброшу ключи от машины в мусорный бак!

— Да уж знаю. Говорю тебе, родители будут.

— Хорошо. Когда тебя ждать?

В их семье комендантский час еще не был отменен, даже для восемнадцатилетних. Пэрис считала, что, пока Вим живет с ними, он должен подчиняться заведенному порядку, и Питер с ней соглашался. Он одобрял ее строгость к детям, в этом между ними царило единство, причем всегда. У них вообще никогда не возникало разногласий по поводу воспитания детей. Как, впрочем, и во всем остальном. Их брак был вполне безоблачен, если не считать легких ссор, возникавших, как правило, из-за какой-нибудь ерунды — типа незапертой двери в гараж, пустого бензобака или не отправленной вовремя в стирку сорочки под смокинг, без которой невозможно пойти на торжественное мероприятие. Однако такие промахи с Пэрис случались нечасто, она была безупречно организованным человеком. Питер всегда мог на нее положиться.

— Ну что, до двух? — осторожно произнес Вим, имея в виду время возвращения домой.

Мать решительно помотала головой:

— Ни в коем случае. Это не выпускной вечер, Вим. Обыкновенная пятница.

Она понимала, что стоит уступить, и он захочет в дни выпускных гуляний возвращаться в четыре, потом в пять... А это уже действительно будет поздно. Пэрис считала, что подростку ездить на машине в такое время опасно.

— До часу. Самое позднее. И то — потому, что я сегодня добрая. Не гони! — предостерегла она.

Сын с облегчением кивнул — переговоры окончены. Он двинулся к выходу, но мать его остановила:

— Не так скоро! Ты забыл меня обнять.

Вим улыбнулся и сразу сделался похож на мальчишку, а не на взрослого мужчину, каковым уже практически являлся. Он удостоил мать объятий, а та приподнялась на цыпочках и поцеловала его в щеку.

— Веселись в свое удовольствие. Только, пожалуйста, осторожнее на дороге!

Вим хорошо водил машину и был дисциплинированным мальчиком, но она все равно беспокоилась.

В тех редких случаях, когда он все же позволял себе немного выпить, он всегда оставлял машину и ехал с кем-нибудь из друзей. И, кроме того, Вим знал, что в случае необходимости всегда может позвонить родителям. Об этом они условились много лет назад. Если переберет — достаточно позвонить домой, чтобы получить индульгенцию. Главное, чтобы он в таком состоянии не садился за руль.

Через несколько минут до Пэрис донесся звук захлопнувшейся двери — Вим отбыл на свою вечеринку. Она спустилась на первый этаж, и в этот момент вошел Питер с портфелем в руке.

Вид у мужа был совершенно измученный, но, глядя на него, Пэрис в который раз поразилась их сходству с сыном. Это было все равно что смотреть на того же самого человека, только через тридцать пять лет. Эта мысль вызвала у Пэрис улыбку.

— Привет, дорогой. — Она подошла к мужу, обняла и поцеловала.

Он был такой усталый, что поцелуй, можно сказать, остался без ответа. Однако Пэрис не стала корить Питера за то, что он себя не бережет, — не хотела портить ему настроение. Пэрис знала, что в последний месяц он прорабатывает какую-то важную сделку и времени остается в обрез. Результат получался не слишком удачным для его клиентов, во всяком случае, на данный момент, и Питер пытался поправить дело.

— Как прошел день?

Пэрис взяла из рук мужа портфель и поставила на кресло в холле. Она вдруг пожалела, что затеяла этот прием. Правда, она договорилась с обслуживающей фирмой еще два месяца назад и не предполагала, что Питер будет так занят на работе.

— Длинный был день. — Питер улыбнулся. — А неделя и вовсе. Что-то я вымотался. Когда гости придут?

— Я звала к семи, так что еще целый час. Может, приляжешь?

— Все в порядке. Если я лягу, боюсь, не проснусь.

Не задавая вопросов, Пэрис прошла в буфетную и налила ему вина. Питер взглянул на нее с благодарностью. Вообще-то он пил мало, но иногда, когда впереди был долгий вечер, это помогало ему снять дневное напряжение. Да, неделя действительно выдалась длинная, это было видно по его лицу.

— Спасибо. — Питер взял бокал, медленно прошел в гостиную и сел на диван.

Все вокруг блистало чистотой. Комнату украшали многочисленные антикварные вещицы, которыми они обзавелись за долгие годы, покупая их то в Лондоне, то в Нью-Йорке. И всегда — вместе. Оба рано лишились родителей, и часть своего скромного наследства Пэрис пустила на обустройство дома. Питер неизменно ей в этом помогал. Со временем накопилось какое-то количество изящных вещиц — предмет всегдашнего восхищения друзей.

Их дом вообще располагал к приему гостей. Большая удобная столовая, просторная гостиная, небольшой кабинет и библиотека, где Питер любил поработать в выходной день. На втором этаже — четыре большие спальни, одна из них — гостевая, хотя изначально предполагалась для третьего ребенка. Но Пэрис так и не удалось в третий раз забеременеть. Супруги, конечно, обсуждали эту проблему, но сошлись на том, что лечение от бесплодия будет слишком большим стрессом и надо радоваться, что двое у них уже есть. Судьба сама определила состав их семьи.

Пэрис присела на диван и подвинулась ближе к мужу. Но от усталости Питер опять не отреагировал, хотя обычно в такой ситуации обнимал ее за плечи. Пэрис с тревогой взглянула на него. Близится срок очередной диспансеризации, надо будет ему напомнить, как только он разделается с этой злополучной сделкой. В последние годы среди их знакомых было несколько случаев скоропостижных смертей, чаще всего от сердечного приступа. Питеру уже пятьдесят один, и хотя на здоровье он не жалуется, так что к группе риска его вряд ли можно отнести, но кто знает? Пэрис хотелось окружить мужа заботой. Хотелось, чтобы он был рядом еще лет сорок-пятьдесят. Те двадцать четыре, что они вместе, вызывали у нее самые нежные чувства.

— Что, это дело тебя совсем доконало? — сочувственно произнесла Пэрис.

Питер кивнул, глотнул вина — и впервые в жизни ничего не рассказал. Пэрис почти физически ощущала его напряжение. Он слишком устал, чтобы вдаваться в подробности, так что нет смысла сейчас допытываться, что его гложет. Потом сам расскажет. И без того очевидно, что виновата затянувшаяся сделка. Пэрис лишь надеялась, что в кругу друзей ему удастся расслабиться и забыть о делах. Раньше это удавалось.

Питер никогда не был инициатором приема гостей, но планы жены всегда уважал, так что Пэрис скоро перестала советоваться с ним на этот счет. Она и так знала, кого он любит, кого — не очень, и подбирала гостей с учетом его симпатий. Ей хотелось, чтобы муж тоже получил удовольствие от общения, а Питера устраивало, что она все берет на себя. Он называл ее «директором по гостям», и она отлично справлялась с этой ролью.

Несколько минут Питер молча сидел на диване, а Пэрис — рядом с ним. Она не говорила ни слова, тихо радуясь, что он наконец дома. «Интересно, — думала она, — неужели ему опять придется в выходные сидеть с бумагами? Или ехать в город на встречу с клиентами?» Так было все последние месяцы. Спрашивать ей не хотелось. Если он будет нужен на работе, значит, она найдет, чем себя занять.

Наконец Питер поднялся, улыбнулся жене и медленно побрел наверх. Пэрис последовала за ним.

— Дорогой, с тобой все в порядке? — встревоженно спросила она, глядя, как он ставит бокал на тумбочку и ложится на кровать.

— Да-да, не беспокойся, — ответил он и закрыл глаза. — Просто решил немного полежать.

«Пусть отдохнет», — подумала Пэрис и вышла. Она спустилась на первый этаж, убедилась, что на кухне все идет своим чередом, и присела на кресло во дворике, улыбаясь своим мыслям. Она любит мужа, детей, дом, друзей. Любит все, что связано с семьей, и ничего не хотела бы изменить. О таком браке можно только мечтать.

Когда Питер спустился, все уже были в сборе. Вечер стоял чудесный — солнце только что зашло, и воздух был такой теплый, какой бывает скорее в Мексике или на Гавайях. «Идеальный вечер для приема гостей в саду», — подумала Пэрис, радуясь, что все в таком приподнятом настроении.

Среди гостей были любимые подруги Пэрис с мужьями, один из которых работал вместе с Питером, благодаря чему они, собственно, и познакомились лет пятнадцать назад. Их сын был ровесником Вима, больше того — они учились в одной школе и вместе должны были скоро получить аттестаты. У другой пары имелась дочь одного возраста с Мэг и мальчики-близнецы годом постарше. Все три мамаши долгие годы ходили беседовать с учителями и на спортивные соревнования в одну и ту же школу, а с Натали они еще и по очереди возили дочек в балетную студию, и длилось это десять лет. У дочери Натали дело пошло успешнее, чем у Мэг, и теперь она выступала на профессиональной сцене в Кливленде. У всех троих дети уже выросли, они были этим опечалены и обсуждали животрепещущую тему, когда к ним присоединился Питер. Натали шепнула

Пэрис, что у него усталый вид, и Вирджиния поддакнула.

— В последнее время они корпят над одной сделкой, она его вконец измотала, — с грустью призналась Пэрис.

Вирджиния понимающе кивнула. Ее муж тоже участвовал в этом проекте, правда, почему-то выглядел свежее. «Но он ведь не управляющий фирмой, — подумала Пэрис, — а Питер еще и этот воз тянет. Но, надо признать, Питер действительно сегодня плох, как никогда».

Стали усаживаться. Все были в прекрасном настроении. Стол выглядел великолепно, горели свечи, и в их мягком свете Питер уже не казался таким изнуренным. Он сидел во главе стола и непринужденно болтал с соседками. Обеих Питер знал как облупленных и общался с ними с удовольствием. И хотя в целом он держался тише обычного, его усталость и подавленность уже не так бросались в глаза.

В полночь гости наконец разъехались. Питер снял блейзер и распустил галстук, всем своим видом демонстрируя расслабленность.

— Ну, как ты? — спросила Пэрис. — Не очень устал от гостей?

Она тревожилась за него. Стол был большой, на восемь человек, и все, что происходило на другом его конце, практически прошло мимо нее. Пэрис с удовольствием говорила о делах с сидящими рядом мужчинами. Бизнес вообще был ее излюбленной темой, и друзья это ценили. Пэрис была умна, в курсе всех событий и, в отличие от большинства женщин ее круга, охотно обсуждала что-то помимо детей. Впрочем, это было характерно и для ее подруг. Натали была художницей, а в последние годы увлеклась скульптурой. А Вирджиния, до того как занялась семьей и забросила карьеру, работала в суде. Сейчас, когда сын заканчивал школу, ее не меньше Пэрис беспокоило, чем занять себя потом.

Мальчик поступил в Принстон, и Пэрис с завистью думала, что он хотя бы географически будет ближе к дому, чем Вим. Но как ни крути, а важная часть жизни была пройдена, отчего обе женщины испытывали тревогу и неуверенность.

Вим еще не вернулся, да и смешно было бы ждать его сейчас — он прибудет за минуту до назначенного часа, не раньше, так что можно спокойно отдохнуть.

Одна из причин, почему Пэрис любила прибегать к услугам обслуживающей фирмы, состояла в том, что после вечеринки не надо было ни о чем хлопотать.

— Ты сегодня какой-то тихий, — заметила Пэрис, поднимаясь вслед за Питером в спальню. Весь вечер она поглядывала на мужа и заметила, что, хотя общество друзей и доставляет ему удовольствие, он больше слушает, чем говорит. Это было для него довольно необычно.

— Я просто устал, — ответил Питер с рассеянным видом.

— Но ты себя нормально чувствуешь? — забеспокоилась Пэрис. У Питера и раньше случались запарки, но он никогда не принимал работу так близко к сердцу. А вдруг сделка сорвется?

— Я...

Питер хотел сказать «в порядке», но посмотрел на жену и только качнул головой. Он не хотел сегодня с ней это обсуждать — собирался посвятить разговору субботнее утро. Не хотелось портить ей этот вечер, да и вообще он не любил обсуждать что-то серьезное перед сном. Но и лгать жене он тоже больше не мог. В конце концов, для подобного разговора никогда не наступит ни подходящий день, ни подходящий момент, ни подходящая ситуация. Питера страшила перспектива еще одну ночь пролежать с ней рядом, ломая голову, как сказать правду.

— Почему ты молчишь? Что-нибудь случилось? — встрепенулась Пэрис.

Ей вдруг пришло в голову, что дело может быть не в проблемах на службе. Что, если у него какой-нибудь страшный диагноз? В прошлом году такое произошло с их друзьями. У мужа ее подруги нашли опухоль мозга, и в считаные месяцы его не стало. Все были в шоке. Они вступили в возраст, когда начинаешь терять друзей. Пэрис молилась, чтобы Питер принес не такое известие. Но он с самым серьезным видом опустился в кресло, где любил посидеть с книжкой, и жестом пригласил ее сесть. Пэрис приготовилась к худшему.

— Присядь.

— С тобой все в порядке? — снова спросила она, сев напротив, и протянула к нему руки, но ответного жеста не дождалась.

Питер откинулся на спинку и на минуту закрыл глаза, прежде чем заговорить. Когда глаза мужа открылись, Пэрис прочла в них небывалое страдание.

— Не знаю, как и сказать... с чего начать... какими словами...

Как бросить бомбу в человека, с которым близок вот уже двадцать пять лет? В какой момент? Питер понимал, что держится за чеку, от которой взлетит на воздух вся их жизнь. Не только ее жизнь, но и его тоже.

— Я... Пэрис, в прошлом году я совершил ужасную вещь... нечто совершенно безумное. Ну, может, не совсем безумное... но что-то такое, чего я сам не ожидал. Я не хотел этого делать. Я не понимаю, как это произошло. Просто появилась возможность, я ею воспользовался. Не должен был. Так вышло...

Он не поднимал на нее глаз, а Пэрис слушала в напряженном молчании. Она чувствовала, что сейчас произойдет что-то ужасное. С ней. С ними. В голове завыли сирены, сердце безудержно застучало. Она ждала продолжения, понимая, что речь идет не о какой-то сделке, а о них.

— Это случилось, когда я был в Бостоне. Помнишь, я ездил на три недели по одному делу, которое мы вели?

Она помнила. И молча кивнула.

Питер наконец поднял глаза. Ему захотелось обнять ее, но он удержался. Он хотел как-то смягчить для нее удар, но понимал, что это невозможно.

— О деталях говорить нет смысла. Когда, как, почему... В общем, я полюбил одну женщину. Я этого не хотел. И не думал, что это может случиться. Я даже не помню, о чем я тогда думал. Помню только, что мне было тоскливо, а она — такая умная, молодая, с ней было интересно. Мне показалось, что я оживаю, делаюсь моложе... Я словно перевел часы назад, а стрелки залипли, и мне вдруг расхотелось возвращаться обратно. Я долго думал об этом, мучился, пытался порвать с ней — и не мог. Я не могу! И не хочу. Я хочу быть с ней. Я люблю тебя, Пэрис. Всегда любил, никогда не переставал. И сейчас люблю. Но жить так больше не могу. Разрываться между двумя женщинами... Я от этого с ума схожу! Я мучаюсь, не знаю, как тебе это сказать — могу представить, что испытываешь ты. Господи, Пэрис, прости меня... Я настоящий...

На глаза ему навернулись слезы, а Пэрис зажала рот руками, как человек, у которого на глазах происходит авария или убийство. Впервые в жизни она почувствовала, что умирает.

Некоторое время Питер молчал, словно собираясь с силами, и наконец негромко произнес:

— Ради нас обоих... ради всех нас... я прошу у тебя развода.

Он обещал Рэчел, что в эти выходные поговорит с женой. И дело даже не в том. Он должен был это сделать, пока двойная жизнь не свела кого-нибудь с ума. Но сейчас, когда он это говорил и видел лицо Пэрис... Питер не предполагал, что будет так тяжело. Она смотрела на него такими глазами, что ему захотелось найти какой-то иной выход. Но он знал, что никакого другого выхода нет. Все эти годы он любил Пэрис, но сейчас влюблен в другую женщину и должен уйти. Остаться с Пэрис — все равно что похоронить себя заживо. Сейчас благодаря Рэчел Питер понял, чего ему не хватало раньше. Господь словно давал ему второй шанс. Независимо от того, был ли в том божий промысел или нет, Питер твердо знал: это то, что он хочет и что должен получить. При всей любви к Пэрис, при всем раскаянии он понимал, что его будущее — с Рэчел. Пэрис осталась в прошлом.

Пэрис долго молчала, не в силах поверить в то, что только что услышала. Но по глазам мужа она видела, что каждое его слово — правда.

— Я не понимаю, — произнесла она наконец.

Из глаз полились слезы. Нет, это происходит не с ней! Такое случается с другими — с теми, у кого брак неудачный, кто все время ссорится, кто никогда друг друга не любил так, как они с Питером... Но это произошло. Ни разу за все двадцать четыре года супружества Пэрис не пришла в голову мысль, что однажды Питер может ее бросить. Отнять его могла только смерть, так ей всегда казалось. Именно такое у нее сейчас и было чувство — что Питер умер.

— Я не понимаю, — повторила она. — Что случилось? Почему ты так с нами поступил? Почему? Почему бросаешь нас, а не ее?

В эти первые мучительные мгновения Пэрис почему-то совсем не интересовало, кто ее соперница. Это было не важно. Важно было только то, что Питер хочет с ней развестись.

— Пэрис, я пытался, — проговорил он с мрачным выражением лица.

Ему было нестерпимо видеть отчаяние в ее глазах, но что поделаешь? Удивительно, но он был сейчас даже рад тому, что наконец отважился. Он знал: как бы тяжело им ни было, он должен получить свободу.

— Я не могу ее бросить. Не могу — и все. Я знаю, с моей стороны это низость, но я хочу быть с ней. Ты была мне хорошей женой, и ты замечательный человек. Ты хорошая мать и всегда ею будешь, я в этом не сомневаюсь. Но теперь мне этого мало. С ней я живу! У меня есть интерес к жизни, я весь устремлен в будущее. Оказывается, все эти годы я был стариком! Пэрис, ты пока не понимаешь, но, может, для нас обоих это благо. Мы с тобой оба жили в клетке...

Его слова глубоко ранили Пэрис.

— Благо? Ты называешь это благом?!

Она вдруг сорвалась на крик. У нее было лицо человека, находящегося на грани истерики, и Питер испугался. Конечно, это огромный шок — все равно что узнать о внезапной кончине любимого человека.

— Это не благо! — кричала она. — Это трагедия. Какое уж тут благо — изменить жене, бросить семью, просить о разводе? Ты сошел с ума? О чем ты думаешь? Кто эта девица? Чем она тебя околдовала?

Ей наконец пришло в голову поинтересоваться, хотя не так уж это и важно. Та, другая, была для нее врагом, безликим противником, одержавшим над ней победу. А ведь Пэрис даже не знала, что идет бой! Она лишилась всего, даже не догадываясь, что на карту поставлена ее жизнь и семья. Она непонимающе смотрела на мужа, у нее было ощущение конца света.

Питер не выдержал взгляда и опустил голову, пригладив рукой волосы. Он не хотел называть имя своей возлюбленной — боялся, что Пэрис в порыве ревности совершит что-нибудь ужасное. Но в то же время он хорошо знал жену, и все равно она рано или поздно узнает. Ведь он собирается жениться на Рэчел, хотя сейчас об этом говорить не хотелось. Хватит с Пэрис и известия о разводе.

— Она адвокат в моей конторе. Вы с ней виделись на Рождество. Хотя... она тогда держалась в сторонке, не хотела тебя травмировать. Ее зовут Рэчел Норман. В том деле, в Бостоне, она была моей ассистенткой. Она очень порядочный человек, в разводе, у нее два мальчика...

Питер старался создать у жены положительное впечатление о своей избраннице, что, конечно, не имело никакого смысла. Но он чувствовал себя в долгу перед Рэчел. Нельзя, чтобы Пэрис сочла ее примитивной распутницей. Но он подозревал, что именно так и будет.

Пэрис не отрывала от него глаз, полных слез. Она была совершенно убита, и Питер знал, что еще не скоро простит себя за то, что сделал. Но другого пути не было. Он должен был это сделать, ради них всех. Он обещал Рэчел. Она целый год ждала и теперь заявила, что с нее хватит. А он был готов на все, лишь бы не потерять Рэчел.

— Сколько же ей лет? — безжизненным голосом спросила Пэрис.

— Тридцать один, — тихо ответил он.

— О господи! На двадцать лет моложе тебя! Ты женишься на ней?

Ее снова охватила паника. Пока еще есть надежда, но если он хочет жениться...

— Не знаю. Сначала надо решить с разводом, это уже достаточно болезненно.

От этих слов Питер вдруг почувствовал себя тысячелетним старцем. Но потом подумал о Рэчел и вновь словно помолодел. Для него она была как фонтан молодости и надежды. Только влюбившись в Рэчел, он понял, сколь многого ему недоставало в прежней жизни. Все в ней приводило его в восторг. Даже просто ужиная с Рэчел, Питер ощущал себя мальчишкой, а в постели с ней он доходил до исступления. С ней он чувствовал то, чего не испытал ни с одной другой женщиной, даже с Пэрис. Питер ценил полноценные сексуальные отношения, которые у него всегда были с женой, но с Рэчел он познал страсть, о существовании которой даже не догадывался. Теперь он знал, что это бывает. Она оказалась волшебницей.

— На пятнадцать лет моложе меня, — проговорила Пэрис и разрыдалась. Но она быстро взяла себя в руки и снова подняла глаза на мужа. Ей хотелось выведать у него все до мельчайших подробностей, чтобы усугубить свои мучения. — А сколько лет ее сыновьям?

— Пять и семь, еще маленькие. Она рано вышла замуж и, даже когда осталась одна, умудрялась управляться и с учебой, и с детьми. Ей досталось.

Как всегда, когда он думал о Рэчел, Питер ощутил прилив нежности. До чего же он ее любит! Как хочет помогать ей во всем и всегда! Несколько раз Питер даже возил мальчишек в субботу в парк, а Пэрис врал, что встречается с клиентами. Его неудержимо тянуло к Рэчел, хотелось разделить с ней жизнь, и она отвечала ему взаимностью.

Правда, иногда Рэчел мучили сомнения — она боялась, что он никогда не оставит жену. Она знала, как много значит для него семья: он всегда говорил, что Пэрис прекрасная жена и мать и что она не заслужила такого удара. Но когда Рэчел в очередной раз пригрозила прекратить их отношения, Питер наконец решился и сделал ей предложение. Теперь у него не оставалось иного выхода, как развестись с женой. Развод был его платой за новую жизнь. А именно новой жизни он и жаждал любой ценой. Питер был вынужден пожертвовать Пэрис ради Рэчел и делал это осознанно.

— Может, сходим в семейную консультацию? — тихо спросила Пэрис.

Питер заколебался. Он не хотел вводить жену в заблуждение, подавать ложную надежду. Потому что надеяться ей было не на что.

— Я не против, — наконец произнес он, — если тебе от этого станет легче. Но я хочу, чтобы ты поняла: я не передумаю. Я долго шел к этому решению, и теперь меня не отговорить.

— Почему же ты мне раньше ничего не сказал? Не дал мне никакого шанса? Я ведь ничего не знала! — жалобно пробормотала Пэрис, чувствуя себя глупой, ничтожной пустышкой. Наверное, нечто подобное ощущают все брошенные женщины.

— Пэрис, в последние девять месяцев я почти не бываю дома! Я изо дня в день задерживаюсь, езжу в город каждые выходные. Я думал, ты догадаешься. Удивляюсь, как ты ничего не поняла.

— Я тебе верила! — Впервые в голосе Пэрис зазвучали сердитые нотки. — Я думала, ты занят на работе. Мне и в голову не приходило, что ты способен на такое!

Она расплакалась, и Питеру снова захотелось обнять ее и утешить. Но вместо этого он поднялся, подошел к окну и стал смотреть в сад, гадая, что теперь будет с Пэрис. Еще не старая, красивая... Найдет себе кого-нибудь. Но в то же время он не мог отделаться от тревожных мыслей. Он с самого начала переживал за нее, хотя и не настолько, чтобы прекратить отношения с Рэчел и остаться. Так или иначе, впервые в жизни Питер думал не о жене или семье, а о себе одном, и это было ему непривычно.

— Что мы скажем детям?

Пэрис наконец нашла в себе силы снова взглянуть на него. Ее только что осенило: это действительно равносильно смерти близкого человека, и ей надо думать о том, как пережить свалившееся на нее горе, как объявить об этом людям, как объяснить детям. Ирония ситуации заключалась в том, что как раз в тот момент, как она готовилась расстаться с ролью матери, ее лишили и роли жены. И что она станет делать всю оставшуюся жизнь? Она не знала. Да и сил не было сейчас об этом думать.

— Не знаю, что мы скажем детям, — негромко ответил Питер. — По-видимому, правду. Я их люблю, как и раньше. В этом смысле ничто не изменилось. Они уже не маленькие, Вим скоро вылетит из гнезда. На них это не слишком отразится, — наивно заключил он, и Пэрис покачала головой, улыбаясь его простодушию.

Он даже не представляет, что могут испытать дети в такой ситуации. Скорее всего, они почувствуют себя преданными. Как и она.

— Я бы не стала заявлять с такой уверенностью, что твой уход на них не отразится. Думаю, для них это будет большой удар. А как же иначе? Их семья внезапно разлетается вдребезги. А ты как думал?

— Все будет зависеть от того, как им это преподнести. В первую очередь — как ты это сделаешь.

Видя, что Питер решил предоставить ей разбираться с детьми, Пэрис пришла в ярость. Ну уж нет, не дождетесь! Она свой супружеский долг выполнила до конца. Ей в мгновение ока дали отставку, и больше она ему ничего не должна. Теперь надо позаботиться о себе, но как? Этого Пэрис пока не знала. Больше половины жизни у нее прошло в заботах о муже и детях.

— Дом я хочу оставить тебе, — вдруг объявил Питер. Такое решение он принял еще в тот момент, как сделал предложение Рэчел. Они условились купить кооперативную квартиру в Нью-Йорке и даже успели посмотреть несколько вариантов.

— А ты где будешь жить? — спросила Пэрис дрогнувшим голосом.

— Пока не знаю, — ответил Питер, отводя глаза. — Будет еще время подумать. Завтра я съеду в отель, сегодня лягу в гостевой спальне.

Только тут до Пэрис вдруг дошло, что это не просто происходит с ней, а происходит именно сейчас, не когда-то в будущем. Завтра Питер уходит. Он направил-

ся в ванную за своими вещами, и Пэрис инстинктивно
схватила его за руку.

— Я не хочу! — громко сказала она. — Если Вим
увидит, он обо всем догадается!

На самом деле эта причина была глубже. Пэрис хотела, чтобы в эту последнюю ночь Питер был рядом с
ней. Готовясь сегодня к приему гостей, она и думать не
могла, что в их семейной жизни это будет последний
день и последняя ночь. Интересно, он уже тогда знал,
что сегодня ей объявит? А она-то, дура, еще переживала
за него, думала, как он, бедняжка, устал!

— Ты уверена, что хочешь, чтобы я спал здесь? —
с тревогой переспросил Питер. Он испугался, что она
совершит какую-нибудь глупость, захочет убить себя
или его. Но, взглянув жене в глаза, успокоился. Она
была убита горем, но держала себя в руках. — Если
хочешь, я могу прямо сейчас уехать в город.

На самом деле он хотел уехать немедленно. К Рэчел.
К новой жизни. Бежать отсюда навсегда. Но Пэрис,
видимо, хотела этого меньше всего. Она посмотрела
на него и покачала головой:

— Нет, останься.

«Пока смерть не разлучит нас», — мелькнуло в ее
голове. Он сам в этом клялся двадцать четыре года
назад! Она невольно спрашивала себя, как Питер смог
перечеркнуть всю их жизнь и забыть об этих клятвах.
Наверное, легко. Ради женщины на пятнадцать лет
моложе, с двумя маленькими сыновьями. Один росчерк
пера — и перечеркнуты все годы совместной жизни...

Питер кивнул и пошел в ванную переодеваться ко
сну. Пэрис сидела в кресле и глядела в пустоту. Он
вернулся, лег в постель, потом погасил лампу. Спустя
какое-то время, не глядя на жену, он заговорил — так
тихо, что она его едва расслышала:

— Пэрис, прости меня. Я никогда не думал, что такое
может случиться. Я все сделаю для того, чтобы тебе было

легче это перенести. Я просто не знаю, что еще сделать. — В его голосе слышались беспомощность и тоска.

— Ты действительно можешь кое-что сделать. Например, отказаться от нее. Может, еще передумаешь?.. — Пэрис чувствовала к нему такую любовь, что не боялась унизиться. Единственное, на что ей оставалось надеяться, — что он опомнится! Поймет, какую чудовищную глупость совершает.

Питер долго молчал.

— Нет, не передумаю, — сказал он наконец. — Слишком поздно. Назад пути нет.

— Она что, беременна? — в ужасе воскликнула Пэрис.

Такая мысль ей и в голову не приходила. Но и в таком случае Пэрис скорее согласилась бы на позор внебрачного ребенка, чем отказалась от мужа совсем. Случалось же такое с другими мужчинами, и ничего, их брак от этого не разваливался. И если бы Питер захотел, они тоже могли бы сохранить семью. Но он этого не хотел. Для Пэрис это было очевидно.

— Нет, она не беременна. Просто я считаю, что поступаю так, как будет лучше для меня, а может, и для нас обоих. Я люблю тебя, но наши отношения уже не те, что раньше. Ты заслуживаешь большего. Тебе нужен человек, который будет любить тебя так, как я любил когда-то.

— Какие гадкие слова ты говоришь! Что, по-твоему, я должна делать? Развесить объявления? Ты вышвыриваешь меня из своей жизни, как ненужную вещь, и говоришь, чтобы я нашла себе другого. Как удобно! Я больше полжизни прожила с тобой. Я люблю тебя. И хочу остаться твоей женой до конца дней. Что мне теперь прикажешь делать?

Одна мысль о том, что теперь она останется одна, повергала Пэрис в отчаяние и ужас. Ни разу в жизни она не испытывала такого страха. Жизнь кончена, будущее исполнено ужаса, опасностей и страданий. Меньше всего ей сейчас хотелось искать себе другого. Ей нужен Питер! Они муж и жена! Для нее это — святое. А для него, по-видимому, нет...

— Пэрис, ты красива, умна, ты хороший человек. Ты замечательная женщина и прекрасная жена. Кому-то очень повезет с тобой. Просто теперь этот человек — не я. Что-то изменилось. Не знаю что, не знаю почему... Знаю только, что изменилось. Я больше не могу здесь жить.

Пэрис долго смотрела на мужа, потом медленно встала, обошла кровать, опустилась на колени и, рыдая, положила голову ему на подушку. Питер не шелохнулся. Он смотрел в потолок, боясь взглянуть на жену, и из его глаз тоже катились слезы. Потом он нежно погладил Пэрис по волосам. Охваченные страданием, заново переживая свои прежние чувства, оба не могли отделаться от мысли, что это происходит между ними в последний раз.

Глава 2

Наступило утро. Ясное, с бесстыдно синим небом и ярким солнцем. Пэрис предпочла бы дождь и мрак.

Проснувшись, она тут же вспомнила, что произошло вчера, и залилась слезами. Питер уже успел встать и сейчас брился в ванной. Нужно было начинать новый день. Пэрис натянула халат и пошла вниз заварить кофе им обоим. У нее было ощущение, будто ее насильно затащили в какую-то сюрреалистическую кинодраму. Может быть, если поговорить с ним сейчас, при свете дня, Питер еще передумает и все изменится?.. Но сначала — кофе.

У Пэрис болело все тело, как если бы ее поколотили. Она не стала ни причесываться, ни чистить зубы, а вечерняя косметика размазалась по лицу, и тушь растеклась под глазами. Когда она вошла на кухню, сын с изумлением поднял глаза. Он уже уминал тост, запивая его апельсиновым соком. Мамин вид заставил его нахмуриться. Такой он видел ее впервые. Перебрала вчера на вечеринке и теперь мучается похмельем? А может, заболела?

— Мам, ты себя нормально чувствуешь?

— Да, все в порядке. Просто устала, — ответила Пэрис и, наверное, в последний раз в жизни налила стакан сока для мужа.

Ее не оставляло чувство ирреальности происходящего. Может, это просто черная полоса? Так уже бывало. Не может быть, чтобы Питер всерьез просил о разводе!

Ей вдруг вспомнилась подруга, у которой муж в прошлом году умер от сердечного приступа прямо на корте. Подруга тогда говорила, что никак не может поверить в его смерть и все ждет, что он войдет в дверь и рассмеется, скажет, что это был розыгрыш.

В душе Пэрис тоже сейчас надеялась, что Питер откажется от всего, что наговорил вчера. Тогда эта Рэчел со своими сыновьями тихо канет в небытие, а они с Питером станут жить дальше, как жили до сих пор. Это было временное помешательство, не более того.

Но стоило ей посмотреть на Питера в полном облачении, на его мрачное лицо, как Пэрис поняла, что это никакая не шутка. Вим тоже обратил внимание, что отец непривычно серьезен.

— Опять на работу, пап? — спросил он.

Пэрис протянула мужу сок, Питер взял его с каменным лицом. Она почувствовала, что он внутренне подобрался, готовясь к тому, что, когда Вим уйдет, последует некрасивая сцена. И был недалек от истины. Пэрис решила умолять его отказаться от Рэчел и остаться в семье. Не страшно лишний раз унизиться, когда на карту поставлена вся жизнь.

Вим сразу понял, что с родителями что-то не так, решил, что они поссорились (хотя, вообще-то, это случалось редко), и поспешил к себе, прихватив с собой тост.

Питер молча допил свой сок, встал и отправился наверх за вещами. Он решил пока обойтись одной сумкой, а на неделе заехать и забрать остальное. Сейчас надо уйти как можно быстрее, пока Пэрис снова не расклеилась или пока он сам не наговорил лишнего. Уйти, главное — уйти.

— Мы можем немного поговорить? — спросила Пэрис, входя вслед за мужем в спальню.

Он уже взялся за сумку и теперь повернулся к ней с недовольным видом.

— Мы уже обо всем поговорили. Вчера. Мне нужно идти.

— Ничего тебе не нужно! Хотя бы выслушай меня! Ты можешь еще раз все обдумать? Что, если ты совершаешь ужасную ошибку? Я уверена, что это именно так, и дети со мной согласятся. Давай сходим к психологу, попробуем все исправить... Ты не можешь взять и перечеркнуть двадцать четыре года жизни ради какой-то чужой женщины!

Но он уже это сделал, и он хотел этого. Он цеплялся за свой роман с Рэчел, как за спасательный круг, призванный помочь ему выбраться из омута, в который превратилась его жизнь с Пэрис. А в данный момент он хотел как можно дальше убежать отсюда. Убежать от Пэрис. Только она сейчас стояла между ним и новой жизнью, которой он страстно жаждал. Жизнью с другой женщиной.

— Я не хочу идти с тобой ни к какому психологу, — резко бросил Питер. — Я хочу с тобой развестись. Даже если я перестану видеться с Рэчел, я все равно не захочу быть с тобой, теперь я это ясно понял. Мне нужно гораздо больше, чем я имею сейчас. Намного больше. И тебе тоже. Мы уже давно чужие друг другу. Наша совместная жизнь мертва, как засохшее дерево, которое надо срубить, пока оно окончательно не рухнуло и кого-нибудь не убило. А в данный момент оно грозит убить меня. Пэрис, я больше не могу здесь находиться!

На сей раз Питер не плакал. Речь шла о его жизни и смерти, и он не мог позволить Пэрис решать за него, что бы она там ни говорила. Он знал, что она его любит, и по-своему тоже любил ее. Но он был влюблен в Рэчел и хотел разделить с ней жизнь. И никакими словами и поступками жене его не остановить.

Пэрис прочла все это на его лице. Для Питера их совместная жизнь уже была в прошлом, для него их брак был лишен будущего. И от Пэрис сейчас требовалось только одно: согласиться с этим и жить дальше. Легко сказать...

— Когда это все началось? Когда ты с ней познакомился? Она, наверное, в постели творит чудеса, раз сумела тебя так околдовать. — Пэрис ненавидела себя за эти слова, но ничего не могла с собой поделать.

Питер молча поднял сумку, вышел из комнаты и стал спускаться по лестнице. Пэрис провожала его взглядом. Он напоследок взглянул на нее снизу, и все у нее внутри оборвалось, словно она получила удар в солнечное сплетение.

— Я позвоню, — сказал Питер. — Думаю, тебе лучше будет воспользоваться услугами кого-то из наших адвокатов. Если нет, могу подыскать тебе другую фирму. Ты поговоришь с детьми?

Он говорил о разводе, как о какой-нибудь сделке! Пэрис никогда еще не видела его таким безучастным. Ничего общего с тем виноватым и нежным Питером, каким он был вчера. Дверь в волшебное царство закрывалась навсегда.

Она смотрела на него и понимала, что в ее памяти навечно запечатлеется этот миг. Питер в летних брюках и сверкающей чистотой голубой рубашке, и на лицо его падает луч солнца. Это равносильно тому, как запоминается лицо родного человека на смертном одре или в гробу...

Ей хотелось слететь с лестницы и броситься к нему на шею, но она сдержалась. Только смотрела и кивала головой. Не говоря больше ни слова, Питер развернулся и вышел. А Пэрис продолжала стоять, чувствуя, что у нее подкашиваются колени.

Так и застал ее Вим, выйдя из комнаты в шортах, майке и бейсбольной кепке. Он посмотрел на мать и удивленно вскинул брови.

— Мам, с тобой все в порядке?

Пэрис кивнула, не в силах произнести ни слова. Она не хотела, чтобы сын видел ее слезы, она боялась впасть в истерику: ведь тогда придется рассказать ему обо всем. А к этому она еще не была готова. Она вообще не могла себе представить, как это сделает. А ведь еще и Мэг надо будет оповестить...

— Папа на работу поехал?

Она снова кивнула, выдавила из себя улыбку, потрепала его по руке и ушла к себе.

В спальне Пэрис сразу легла на кровать. Подушка еще хранила запах одеколона. Подруга, у которой умер муж, говорила, что она несколько месяцев не меняла его постельное белье, и Пэрис подумала, не последовать ли ее примеру... Она не представляла себе жизни без Питера. И не понимала, почему не злится на него. Сейчас она не чувствовала ничего, кроме ужаса. У нее было ощущение, что произошло нечто ужасное, но она никак не вспомнит, что именно. Но она знала. В глубине души она знала. Знала, что потеряла единственного мужчину, которого любила.

За Вимом хлопнула дверь, Пэрис зарылась лицом в подушку и безутешно зарыдала. Она только что потеряла тот мир, в котором жила последние двадцать четыре года. И ей сейчас хотелось только одного: умереть вместе с этим миром.

Глава 3

В выходные телефон звонил несколько раз, но Пэрис не подходила. Автоответчик был включен, и позже она узнала, что звонили Вирджиния, Натали и Мэг. Она еще надеялась, что позвонит Питер и скажет, что у него было временное помешательство, а теперь он возвращается, но этого не произошло. Несколько раз к ней в комнату заглядывал Вим, чтобы поставить в известность о своих планах. Пэрис лежала в постели, а сыну сказала, что подхватила грипп.

Вечером в воскресенье ей все же пришлось встать, чтобы приготовить сыну ужин. Он весь день просидел за уроками и спустился, только когда услышал, как она гремит кастрюлями и сковородками. Пэрис стояла в кухне, лицо у нее было растерянное. Она плохо соображала, что делает, не понимала, что́ лучше приготовить на ужин, и, когда сын вошел, повернулась к нему со страдальческим выражением лица.

— Все еще нездоровится? Выглядишь ты ужасно. Если хочешь, давай я что-нибудь приготовлю.

Сын за нее беспокоился. Господи, она всегда знала, что Вим добрый мальчик. Он, конечно, видел ее подавленное состояние, но причины не понимал. И тут вдруг его осенило, и он с удивлением произнес:

— А где папа? — Прошлой ночью Вим приехал со свидания только в час, и отцовской машины в гараже не было. — Что-то он заработался.

Пэрис молча посмотрела на сына и потом села к столу. Она была в пижаме. Вопреки своим привычкам, она уже два дня как не брала в руки расческу и не вставала под душ. Обычно она за собой следила и, даже когда болела, старалась не спускаться, не приведя себя в порядок. В таком потерянном состоянии Вим ее никогда не видел.

— Мам? — еще больше встревожился он. — Что-то случилось?

Пэрис сумела лишь кивнуть. Их глаза встретились, и она поняла, что должна прямо сейчас рассказать сыну обо всем. Но как это сделать?..

— У нас с папой в пятницу был серьезный разговор, — наконец вымолвила она.

Вим сел напротив, приготовившись слушать. Пэрис взяла его за руки и крепко сжала. Она снова боролась со слезами, сознавая, что перед сыном надо держаться. Ради него. Ведь этот момент он запомнит на всю оставшуюся жизнь.

— Оказывается, папа уже давно очень несчастлив. А я ни о чем не догадывалась, вела себя как дура... В общем, ему эта жизнь перестала нравиться. Может быть, она для него была слишком удобная, слишком скучная. Наверное, когда вы с Мэг подросли, мне следовало пойти работать. Разговоры о том, кто кого куда отвез и как растут цветы в саду, быстро надоедают. Как бы то ни было, отец принял решение... — Тут Пэрис сделала глубокий вдох. Ей не хотелось выгораживать Питера, но она чувствовала, что должна сделать это ради Вима. — Он пришел к выводу, что больше не хочет быть моим мужем. Я знаю, для тебя это большая неожиданность. Для меня тоже. Но дом останется нашим, точнее, моим, а вы с Мэг сможете приезжать и жить здесь, когда захотите. Единственным отличием станет то, что папочки здесь не будет...

Пэрис не заметила, что называет Питера «папочкой», впервые за много лет. Вим тоже не обратил на это внимания — он был слишком потрясен.

— Ты это серьезно? Он нас бросает? Да что случилось-то? Вы что, поссорились?

Пэрис тяжело вздохнула. Конечно, Вим не помнил, чтобы родители серьезно ссорились, да этого и не было. За все годы совместной жизни они ни разу не разругались. Случались, конечно, мелкие размолвки, но даже до резкостей никогда не доходило. Ясно, что мальчик ошарашен. Так же, как и сама Пэрис, когда Питер огорошил ее своим заявлением.

— Нет, вас он не бросает, — поправила она. — Он бросает меня. Он считает, что должен так поступить.

Тут ее губы задрожали, и Пэрис расплакалась. Вим подошел и обнял мать. Она подняла глаза и увидела, что сын тоже плачет.

— Мам, какой ужас! Этого просто не может быть! Он что, разозлился на что-то? Может, он передумает?

Пэрис молчала. Как объяснить ему, что Питер не вернется, если только не произойдет чуда?

— Мне бы хотелось, чтобы он передумал, — честно призналась она, — но это маловероятно. Мне кажется, он уже принял решение.

— Будет развод? — сквозь слезы спросил Вим. Он опять стал похож на маленького мальчика.

— Он именно этого хочет, — выдавила Пэрис, а Вим вытер слезы и поднялся.

— Но это же подло! Почему он так поступает?

Ему не приходило в голову, что у отца может быть другая женщина, а Пэрис не хотела первой поднимать эту тему. Если Рэчел не исчезнет в ближайшем будущем — а она полагала, что не исчезнет, — то рано или поздно Вим сам все узнает. Пусть тогда Питер с ним объясняется. Интересно, как ему это удастся, чтобы не предстать перед детьми полным негодяем?

— Наверное, люди меняются. Отдаляются друг от друга, не отдавая себе отчета. Мне следовало заметить это раньше, но я была слепа.

— Когда он тебе сказал?

Пэрис видела, как ему тяжело, но он все-таки хотел разобраться в том, что произошло. Самое худшее — то, что все случилось так неожиданно.

— В пятницу вечером, после гостей.

— Вот почему вы в субботу так странно себя вели. А я подумал, это с похмелья. — Он усмехнулся, а Пэрис оскорбилась:

— Ты нас когда-нибудь видел в похмелье?

— Нет, но я решил, все когда-нибудь случается в первый раз. Ты выглядела ужасно. А потом сказала, что у тебя грипп... — Он нахмурился. — А Мэг знает?

Мать покачала головой. Это ей еще предстоит. Она была в ужасе от неизбежного разговора с дочерью. Мэг не собиралась в ближайшее время приезжать домой. Значит, ей придется сказать все по телефону.

— Я собираюсь ей позвонить. — Она всю ночь об этом думала, а сейчас, признавшись сыну, решила, что это надо будет сделать непременно. — Немного погодя.

— Хочешь, я сам ей скажу? — великодушно вызвался Вим.

Пэрис с благодарностью посмотрела на сына. Ей было ясно, что Питер просто не смог найти в себе силы, чтобы поговорить с детьми, и охотно взвалил на жену эту прискорбную обязанность. К тому же он знал, что у нее это получится лучше. Питер привык к тому, что она берет на себя всю ответственность за детей, и неважно, что в этот раз ей будет очень тяжело.

— В этом нет необходимости, — сказала она, улыбнувшись сквозь слезы. — Это моя забота. Такую новость я должна сообщить ей сама.

— Ладно. А я тогда приготовлю ужин.

Виму вдруг показалось, что о матери теперь некому позаботиться, а когда он уедет учиться, она и вовсе останется одна в целом мире. Он все не мог поверить, что отец так обошелся с мамой, — это было совсем на него не похоже.

— Мам, хочешь, я не поеду в Беркли?

Его соглашались принять несколько университетов Восточного побережья. Вим лишь недавно сделал выбор в пользу Беркли и даже еще не всем успел ответить.

Как раз в эти выходные он собирался этим заняться, но руки не дошли. В конце концов, какая разница, где учиться? В это трудное время он хотел быть поближе к маме.

Однако Пэрис покачала головой:

— Я не хочу, чтобы ты менял свои планы. То, что случилось, никак не должно отразиться на тебе. Если папа действительно будет добиваться развода, мне остается только подчиниться. Не можешь же ты всю жизнь сидеть здесь и присматривать за мной.

На самом деле в том-то и был весь ужас. Пэрис понимала, что, когда Вим уедет, она останется одна. Навсегда. Никто больше не заглянет к ней в спальню, чтобы сообщить о своих передвижениях. Некому будет подать ей стакан воды, если она заболеет. Никто даже не узнает, что она нездорова... С кем она станет ходить в кино, с кем смеяться? Что, если ее больше никто и никогда не поцелует?..

Перспектива была настолько страшная, что мозг отказывался ее воспринять. Сама мысль об этом повергала Пэрис в глубокое отчаяние. Даже Вим, похоже, это понял. А Питер — нет. Почему?..

Пока Вим готовил ужин, Пэрис сидела на кухне и пыталась отвлекать его разговорами на другие темы. Но когда он торжественно водрузил на стол тарелки с курицей и салатом, оказалось, что ни один из них не может ничего проглотить.

— Извини, солнышко, — виновато произнесла Пэрис. — Что-то не хочется.

— Ничего, мам. Ты сейчас будешь Мэг звонить?

Вим ждал утвердительного ответа, поскольку тоже хотел поговорить с сестрой. Они всегда были близки, и сейчас ему хотелось знать, что думает Мэг по поводу случившегося. Может, все-таки существует шанс, что отец одумается? Вим отказывался понимать происшедшее и надеялся, что Мэг ему что-то прояснит.

Он никогда не видел мать в таком состоянии, и ему было страшно. Она была похожа на смертельно больного человека.

Пэрис хорошо понимала, что происходит с сыном. Усилием воли она заставила себя подняться в свою комнату и набрать номер, пока Вим загружал посудомоечную машину. Она не хотела говорить с дочерью в его присутствии. Не потому, что собиралась представить ей какую-то иную версию, а просто боялась, что при нем будет чувствовать себя скованно.

Мэг взяла трубку на втором гудке; судя по голосу, она была в прекрасном настроении. Она поведала матери, что вчера приехала из Санта-Барбары, где провела выходные, и что у нее новый ухажер. Актер.

— Ты одна, солнышко, или мне потом позвонить? — спросила Пэрис, заставляя себя говорить бодрым голосом, чтобы не выдать своего подавленного состояния.

— Да, мам, я одна. А что такое? Ты что-нибудь хочешь мне сообщить?

Мэг приготовилась услышать что-то радостное и, когда мать сказала ей о предстоящем разводе, опешила так, что долго не могла произнести ни слова. У нее было ощущение человека, у которого всех родных расстреляли какие-то подонки из проезжавшей мимо автомашины.

— Ты шутишь? — воскликнула она наконец. — Он что, с ума сошел? Почему он это делает, мам? Ты думаешь, это серьезно?

Пэрис почувствовала, что дочка не столько напугана или опечалена, сколько разгневана. Но если бы она видела лицо матери, то, наверное, пришла бы в не меньший ужас, чем брат. Пэрис знала, что производит жуткое впечатление с нечесаными волосами и черными кругами вокруг глаз.

— Да, думаю, он не шутит, — откровенно призналась она.

— Но почему?! — Снова последовала долгая пауза. — У него есть другая женщина? — Мэг была старше брата и смотрела на жизнь более трезво. За то время, что она провела в Голливуде, к ней уже успели подкатить несколько женатиков, да и раньше такое случалось. Хотя... трудно было представить, что отец изменяет маме. Грозящий развод родителей казался невероятным. Какое-то безумие!

Пэрис знала, что может сказать дочери многое. И все-таки на вопрос о другой женщине ей отвечать не хотелось.

— У папы наверняка есть причины. Он сказал, что здесь чувствует себя заживо похороненным. И хочет получать от жизни больше радости, чем могу дать я. Думаю, ему просто надоело изо дня в день возвращаться с работы и слушать о том, как мне поработалось в саду.

Пэрис чувствовала себя униженной и растоптанной и отчасти возлагала на себя вину за то, что мужу с ней стало неинтересно. Теперь она понимала: надо было давно найти работу, наполнить свою жизнь чем-то более увлекательным. Ведь Рэчел отбила у нее мужа потому, что с ней оказалось интереснее. А еще потому, что она моложе. Намного моложе. Эта мысль больно резанула Пэрис, она почувствовала себя старухой, некрасивой и занудной.

— Мам, не говори глупостей! С тобой всегда было куда веселей, чем с отцом. Не могу понять, что с ним случилось. И никаких намеков не делал?

Мэг пыталась разобраться, но разбираться было не в чем. Просто Питер так хочет — и все. Он хочет быть с Рэчел, а не с ней.

— Он впервые заговорил об этом в пятницу, — ответила Пэрис, испытывая облегчение оттого, что говорит с дочерью. Сейчас, получив поддержку от детей, она немного воспрянула духом. По крайней мере, никто из них ее не винил. Этого она боялась больше всего. Ведь они могли решить, что она делала что-то неправильно, обращалась с их отцом не так, как следует. Но Мэг очень ясно выразила свое отношение к случившемуся и расставила акценты. Она страшно разозлилась на отца.

— Он просто спятил! Он не хочет сходить с тобой к психотерапевту?

— Может, и пошел бы, но не для того, чтобы сохранить наш брак. Он говорит, что готов сходить со мной на консультацию, если это поможет мне легче пережить развод. А не для того, чтобы спасти семью.

— Безумец! — Мэг очень жалела, что находится далеко от матери и брата в такую тяжелую минуту. — А где он сейчас? Он тебе не сказал?

— Сказал, что поживет в отеле. Завтра обещал позвонить, обсудить кое-какие детали. Хочет, чтобы я воспользовалась услугами адвоката из их конторы. — Виму она об этом не сказала, но Мэг старше, она лучше понимает мать. Как ни странно, оттого, что дочь разозлилась, Пэрис почувствовала себя лучше. — Думаю, он в «Риджэнси». Обычно он там снимает номер, когда ночует в городе, поскольку это рядом с офисом.

— Я хочу ему позвонить. Он вообще собирался мне сказать? Или предоставил это тебе?

Пэрис чувствовала, что бушующая в дочери ярость заглушает остальные эмоции. Она еще не осмыслила всего трагизма происходящего и не воспринимала его как утрату. Вим был больше напуган — возможно, потому, что он моложе и более эмоционален, а к тому же видел мамино состояние.

— Он знает, что я тебе сообщу. Думаю, ему так легче, — грустно произнесла Пэрис.

— А как там Вим? — вдруг забеспокоилась Мэг.

— Ужин сегодня готовил. Бедный мальчик, я все выходные пролежала в постели.

— Мам, ты не должна допустить, чтобы это тебя подкосило, — строго заявила дочь. — Я понимаю, это очень горько и шок сильнейший. Но в жизни всякое случается. Бывает, и умирают люди. Я, конечно, рада, что отец не умер. А бывает, сходят с ума. Думаю, это как раз тот случай. Не может же человек ни с того ни с сего так перемениться! Я была уверена, что вы будете вместе до конца дней.

— Я тоже так думала, — проговорила Пэрис, и у нее снова защипало глаза. Ей казалось, что она так и плачет с пятницы не переставая. — Что теперь делать, не знаю. Что я без него буду делать?

Пэрис расплакалась, и Мэг, наверное, полчаса ее успокаивала. Потом она еще целый час говорила с братом; в итоге они пришли к заключению, что у отца, судя по всему, временное умопомрачение и это пройдет. Вим смутно надеялся, что отец образумится. У Мэг такой уверенности не было: она считала, что, если здесь замешана другая женщина, дело плохо.

Поговорив с родными, Мэг позвонила в отель «Риджженси», но отца среди постояльцев не оказалось. Она обзвонила еще несколько отелей — с тем же результатом. Это подтверждало ее худшие опасения: очевидно, Питер был у своей возлюбленной. На другое утро Мэг решила позвонить ему в офис, чтобы застать наверняка.

— Пап, что происходит? — с места в карьер набросилась она на отца, но тут же одернула себя и постаралась говорить рассудительно и сдержанно, чтобы не спугнуть. — Не знала, что у вас с мамой проблемы.

— У нас и не было никаких проблем, — вздохнул Питер. — Это у меня проблемы. Как она там? Ты с ней говорила? — Он знал, что говорила, иначе с чего бы дочь стала спрашивать о каких-то «проблемах».

— Судя по голосу, ужасно. — Мэг не хотела приукрашивать действительность: пусть отец осознает степень своей вины. Он это заслужил. — Что на тебя нашло? Нервы сдали?

Питер снова вздохнул.

— Мэг, я очень долго думал. Наверное, я не прав, что не сказал ей раньше. Я думал, может, все еще переменится, но нет. Я просто должен это сделать. Чтобы спастись. В Гринвиче у меня такое чувство, будто меня уже похоронили и жизнь моя кончена.

— Так купите квартиру в Нью-Йорке и переезжайте! Оба. Разводиться-то зачем?

У Мэг появился проблеск надежды. Может, не все еще потеряно и можно еще все исправить? Она чувствовала, что должна помочь маме найти выход. Может, хоть отец ее послушает?

— Мэг, я не могу жить с твоей мамой. Я ее больше не люблю. Я понимаю, это звучит ужасно, но это правда. — Одним росчерком пера все надежды оказались перечеркнуты.

— И ты ей это сказал? — Мэг затаив дыхание ждала ответа. Можно себе представить, какой силы удар достался маме. Невообразимо!

— Я постарался быть тактичным. Но я не мог ей врать. Я не собираюсь склеивать то, что распалось. И я хотел, чтобы она это поняла.

— О-о... И что теперь? Куда вы оба денетесь? — Она прощупывала почву, но спросить напрямую смелости не хватало. Как жалко маму! После двадцати четырех лет брака — разве она это заслужила?

— Не знаю, Мэг. Надеюсь, в конце концов она найдет себе достойного человека. Она красивая женщина... Думаю, это произойдет достаточно быстро.

Господи, какое бессердечие! И бесстыдство. Мэг захотелось убить отца на месте.

— Пап, но она ведь тебя любит! — воскликнула она.

— Я знаю, детка. Я бы и сам хотел ее любить. Но не могу.

«И причина тому — Рэчел, — добавил Питер про себя. — Навсегда». Но Мэг он этого не сказал.

— Пап, у тебя есть другая женщина?

Дочь была взрослая, с ней можно было говорить начистоту. Но Питер засомневался.

— Не знаю, — сказал он наконец. — Может, и будет. Не все сразу. Сначала надо разобраться с разводом.

Ответ прозвучал уклончиво, и Мэг все поняла.

— Это подло по отношению к маме, — отрезала она. — Мама этого не заслужила.

Мэг была целиком на стороне матери. Отец все разрушил, а исправлять не собирается. Весь удар пришелся на маму. И на них. Как он может заявлять, что мама себе кого-нибудь найдет?! Это же не платье и не шляпка! Она вообще может никого никогда не встретить. И неизвестно еще, захочет ли. Может, она любит отца и никого не желает знать! Мэг, как и мать, воспринимала случившееся как абсолютную трагедию.

— Я знаю, что она этого не заслужила, — печально согласился Питер. Все выходные его мучило раскаяние, но страсть к Рэчел от этого не угасла. Больше того, теперь, когда он освободился от оков, эта страсть вспыхнула еще сильнее. — Поверь, она мне далеко не безразлична, и так будет всегда. Я постараюсь, чтобы она пережила это как можно легче, — сказал он, желая успокоить совесть.

— Легче?! Как ты себе это представляешь? Как можно облегчить человеку потерю всего, что ему дорого? Когда Вим уедет в колледж, мама с ума сойдет от одиночества! Что она станет делать? Ты об этом подумал? — В голосе Мэг слышались слезы. Она страшно переживала за мать.

— Не знаю. Она сама должна это решить. Такое случается. В жизни все может измениться. Люди расстаются. Умирают, разводятся, теряют любовь. Это и есть жизнь. То же самое могло произойти и с ней, а не со мной...

— Но произошло с тобой! — не унималась Мэг. — Она бы тебя ни за что не бросила. Она бы так с тобой не поступила!

Отца Мэг тоже любила, но сейчас сердце у нее болело за мать. Она отказывалась понимать отца. Он говорил как чужой. Эгоистичный, несерьезный, избалованный чужой человек. Раньше он никогда не считал себя центром вселенной.

— Наверное, ты права, — вздохнул Питер. — Она очень преданный человек. И глубоко порядочный. Я ее недостоин.

— Похоже на то, — безжалостно подтвердила Мэг. — И как скоро ты предполагаешь это сделать? — Она еще надеялась, что он не захочет торопиться и, если повезет, передумает.

— Это нужно сделать как можно скорее. Чего тянуть? Только порождать неоправданные надежды, а в результате станет еще больнее. Коротко и ясно — так будет проще.

Питер не стал говорить дочери, что уже утром звонил адвокату и просил подготовить бумаги. К Рождеству развод должен стать свершившимся фактом. Он обещал Рэчел, что до Нового года они поженятся, и сам этого хотел. Кроме того, он знал, что Рэчел хочет родить ему ребенка, пока мальчишки не совсем выросли.

— Ну, что ж, могу тебе сказать только одно: я очень расстроена. Все это ужасно, и я не представляю себе, как мы все теперь будем жить.

Повесив трубку, Мэг не выдержала и расплакалась. У нее было такое ощущение, словно за одну ночь она лишилась не только семьи, но и всех иллюзий. Отец оказался совсем не тем человеком, каким она его считала, а мать теперь, скорее всего, впадет в депрессию, и Мэг заранее делалось страшно. Ей ведь ничем не поможешь. Работы у нее нет, а скоро и дом совсем опустеет. Муж уйдет, дети разъедутся, с Пэрис останутся только друзья-соседи. Но этого же мало! Она не выдержит, ее начнут преследовать мрачные мысли...

Весь день Мэг только об этом и думала, а вечером позвонила брату, чтобы рассказать о разговоре с отцом.

— Он не вернется, — угрюмо объявила она. — Неважно, почему он уходит, но возвращаться он не намерен. — Поразмыслив, она добавила: — Мне кажется, у него есть другая женщина.

Вим был в шоке. Такое ему и в голову не приходило. Отец всегда был таким правильным, щепетильным, это совсем не в его духе! Как, впрочем, и сам развод. В одну секунду он стал чужой и жене, и детям.

— Он сам тебе сказал?

— Нет, но у меня сложилось такое впечатление. Поживем — увидим. Если у отца есть какая-то постоянная пассия, то рано или поздно она появится на горизонте. Тогда станет ясно, почему он так внезапно ушел от мамы.

— Думаешь, мама знает? — с горечью спросил Вим.

— Понятия не имею. Я с ней об этом не говорила: не хочу ее лишний раз расстраивать. И без другой женщины все ужасно. Нам с тобой нужно сделать все возможное, чтобы ей помочь. Наверное, мне стоит приехать в следующие выходные. — Мэг вздохнула, вспомнив о планах, которые будет сложно отменить. — Посмотрим, как она. В любом случае на твой выпускной я приеду. Чем собираешься летом заняться?

— Мы впятером собрались в Европу, — не слишком весело сообщил Вим. Он не хотел бы отказаться от поездки, которую ждал весь год, но оставлять маму одну тоже будет нехорошо.

— Может, к тому времени она немного придет в себя. Пока ничего не отменяй. Я приглашу ее погостить у меня. Сейчас, конечно, она никуда не поедет.

Утром Мэг звонила матери с работы, но та была слишком подавлена, чтобы долго разговаривать. Мэг посоветовала вызвать врача, но Пэрис отказалась. Было ясно, что всем им придется нелегко, за исключением разве что отца. Вот и у брата последний школьный год завершается не слишком красиво. От такого потрясения не скоро оправишься.

— Мне кажется, она сегодня тоже весь день в постели провалялась, — сообщил Вим.

— Я с ней завтра поговорю, — пообещала Мэг, и тут позвонили в дверь. Пришел ее новый приятель, и она быстро попрощалась с братом. Если что-то срочное, у него есть номер ее мобильника. Но что еще может случиться? Все, что могло, уже рухнуло.

Глава 4

Только в четверг Вирджиния и Натали дозвонились до Пэрис. Они пытались это сделать всю неделю, и вот впервые за столько дней Пэрис сняла трубку. Голос у нее был хриплый и невнятный, словно звонок ее разбудил.

Вирджиния узнала новость от мужа еще вечером понедельника, когда он пришел с работы. Питер по секрету сообщил ему, что они с Пэрис разводятся и выходные провели врозь. Джим сразу понял, что Питер хочет поскорее сделать эту новость достоянием гласности, чтобы они с Рэчел начали встречаться в открытую. Правда, мало для кого их отношения являлись тайной, это была его иллюзия. В тот же день за ужином муж рассказал Вирджинии про Питера и Рэчел, Вирджиния сообщила Натали, и в считаные дни Пэрис превратилась в объект всеобщей жалости, чего она больше всего боялась. Обе лучшие подруги были в ужасе от известия. Обе восприняли это как напоминание, что от удара молнии никто не застрахован, особенно когда его не ждешь. И никто не может знать, что будет завтра. Как раз когда тебе кажется, что ты нашла свою тихую гавань и навсегда обеспечена каменной стеной, вдруг обнаруживаешь, что это не так.

— Привет, дорогая. Как ты? — сочувственно поинтересовалась Вирджиния, и Пэрис по голосу поняла, что ей все известно.

У самой Пэрис недостало духу позвонить и поделиться своим несчастьем. Она просто не могла этого сделать, это было выше ее сил. Она вообще большую часть времени проводила в спальне и вставала только тогда, когда из школы возвращался Вим. Ужином теперь заведовал сын, Пэрис после ухода мужа забросила все дела. Каждый день она говорила Виму, что скоро придет в себя, но он уже начал в этом сомневаться.

— Это тебе Джим рассказал? — спросила Пэрис, откинувшись на подушку.

— Да. — Вирджиния не была уверена, что Пэрис известно о существовании соперницы, и решила об этом не упоминать. Хватит с нее и того, что муж ушел. — Можно, мы с Нэт приедем? Мы очень о тебе беспокоимся.

— Я никого не хочу видеть, — откровенно призналась Пэрис. — Я жутко выгляжу.

— Это неважно. Лучше скажи, как ты себя чувствуешь.

— Так, словно в пятницу моя жизнь кончилась. Во всяком случае, в ее прежнем виде. Уж лучше б он меня убил, и то легче было бы!

— Слава богу, что он этого не сделал. Ты Мэг уже сказала?

— Дети у меня на высоте. Бедный Вим! У него, наверное, такое впечатление, будто он обслуживает дурдом. Я каждый день обещаю ему, что сегодня встану, и честно собираюсь это сделать, но не могу.

— Так. Мы едем! — решительным тоном объявила Вирджиния и многозначительно посмотрела на Натали, сокрушенно качая головой. С Пэрис, судя по всему, дело было неважно.

— Не надо. Мне нужно время, чтобы прийти в себя, тогда я смогу видеться с людьми.

Она чувствовала такое унижение! Даже лучшие подруги тут не помогут. Никто тут не может помочь. Во вторник у нее на автоответчике появилась запись от адвоката, которого ей нанял Питер. После того как она ему перезвонила и обсудила кое-какие вопросы, ее стошнило. Будущее не предвещало ничего хорошего. Адвокат сказал, что Питер хочет побыстрее покончить с разводом и просил его безотлагательно подготовить все бумаги. При этих словах Пэрис охватила паника, как если бы она выпала из самолета без парашюта. Наверное, только тогда можно испытать такое чувство ужаса.

— Я вам потом позвоню, когда мне станет получше, — пробормотала Пэрис и повесила трубку.

В конечном счете подруги привезли ей букетик цветов, записку и несколько журналов и оставили все это у двери. Войти они не решились, понимая, что сейчас не надо беспокоить Пэрис.

Все друзья Армстронгов пережили настоящий шок. Никто не мог предположить, что такой прочный с виду брак может распасться. Хотя, разумеется, все понимали, что такое случается. Это как смерть — иногда она наступает после продолжительной болезни, а иногда — как гром среди ясного неба. Но всякий раз неотвратимо. Все были единодушны: Питер поступил подло, и никто не рвался познакомиться с этой Рэчел. Вирджинии иногда даже становилось жалко Питера: ведь он был обречен на изгнание из компании, с которой дружил много лет. Однако Джим заверил жену, что самого Питера это мало трогает. У него теперь молодая подруга, он начинает новую жизнь. Джим подозревал, что Питер не станет оглядываться назад и не переменит своего решения. Отныне его интересовала только Рэчел.

Пэрис нарушила свое затворничество лишь спустя месяц — Вирджиния увидела ее на выпускном вечере Вима и чуть не расплакалась. Как всегда элегантно одетая, в белом льняном платье с жакетом и с изящно забранными в пучок волосами, Пэрис была страшно бледная, худая. Черные очки скрывали синяки под глазами и скорбное выражение лица.

Самым тяжким для Пэрис оказалось присутствие Питера, с которым она не виделась с того самого дня, как он ушел. Три недели назад он прислал ей пакет документов, связанных с разводом. Пэрис тогда читала их и плакала, но сейчас, увидев мужа, она постаралась не подать виду, что убита горем. Она держала спину прямо, вежливо с ним поздоровалась и отошла в сторонку, присоединившись к группе других родителей. Питер же направился к сыну, чтобы поздравить с аттестатом. Он был в поразительно хорошем расположении духа, и единственной, кого это мало удивило, оказалась Пэрис. За прошедший месяц она осознала, что потерпела полное и окончательное поражение. Что же удивительного, что Питер так весел? Ведь он — победитель...

Подруги были предельно деликатны, и худо-бедно Пэрис удалось высидеть торжественный ужин, который Вим устроил для приятелей в ресторане. По этому случаю из Лос-Анджелеса даже прилетела Мэг. Дочь согласилась поужинать в городе с отцом, и у Питера хватило такта не пойти на торжество к сыну. Потом Вим с дружками отправился куда-то продолжать праздник, а Мэг поехала домой, чтобы побыть с мамой.

Когда Пэрис вечером добралась наконец до дома, она была совершенно разбита и сразу улеглась в постель. Мэг с тревогой следила за матерью. Пэрис невероятно похудела и осунулась и казалась страшно беззащитной. Мэг вспомнила, как Натали сегодня назвала ее «хрупкой», словно Пэрис могла в любой момент разлететься на кусочки.

— Мам, с тобой все в порядке? — осторожно спросила Мэган, присев к матери на кровать.

— Да, солнышко, все в порядке, просто устала.

Первый выход на люди дался ей нелегко. Само присутствие на выпускном вечере потребовало напряжения всех сил. Пэрис даже не получила никакого удовольствия. Видеть Питера, такого чужого и безучастного, ей было невыносимо. Они перекинулись только парой слов; он был вежлив, но отстранен. Отныне их даже друзьями не назовешь...

Весь вечер Пэрис казалась себе собственной тенью, призраком, вернувшимся, чтобы преследовать людей, которых она когда-то знала. Она чувствовала себя другим человеком, чужим даже для себя самой. Она уже не жена, во всяком случае, скоро перестанет ею быть, а ведь супружество всегда было важнейшим элементом ее самосознания. Все, что у нее когда-то было в жизни, она отдала за возможность быть женой Питера Армстронга и теперь чувствовала себя никем. Безликое существо, не ведающее любви, никому не нужная, покинутая женщина. Такое могло случиться только в кошмарном сне.

— Как тебе папа? — спросила Мэг.

— Да вроде нормально. Мы почти не говорили. Поздоровались, а потом я пошла к Натали с Вирджинией. Я решила, так будет проще. Не думаю, что он рвется со мной общаться.

— Мам, какой кошмар, — грустно произнесла Мэг.

Пэрис понимала, что дочь, приехав, пришла в ужас от того, как она выглядит. Правда, Мэг старалась шутить, говорила, что виной всему стряпня Вима. Но хотя бы теперь парень получил передышку. Зная, что сестра здесь, он может на какое-то время быть спокойным за маму и отмечать окончание школы. В ближайшие выходные он летит в Европу. Пэрис настояла на том, чтобы он не ломал своих планов. Она сказала, что ей надо привыкать жить одной, и это действительно было так. В последнее время она все больше чувствовала себя пациенткой психиатрической больницы, и с этим надо было что-то делать, пока она в самом деле не свихнулась.

— Не переживай так, — сказала Пэрис, стараясь успокоить дочь. — Может, сходишь куда-нибудь? С подругами повидаешься? Я все равно лягу спать. — Теперь это было ее основное занятие.

— Ты уверена, что я тебе не нужна?

Пэрис благодарно улыбнулась. Дочка боялась оставлять ее одну. Но хочешь не хочешь, а в воскресенье это так или иначе произойдет. Мэг надо возвращаться в Лос-Анджелес, а Вим уже будет в Англии. Он собирается колесить по Европе аж до августа, потом на пару недель появится дома, после чего отбудет в колледж. Это последние дни, когда дети вместе с ней дома, под одной крышей. Их семейная жизнь осталась в прошлом...

В субботу Пэрис отвезла сына в аэропорт, и, когда они простились, ей показалось, будто повторно перерезали пуповину. Она взяла с него слово, что в Европе он сразу купит себе мобильный телефон, чтобы она могла следить за его передвижениями и связываться с ним при первой необходимости. Оставалось утешаться тем, что он уже взрослый парень и сумеет о себе позаботиться. Пэрис ехала домой и чувствовала, что лишилась еще одной важной части своей жизни. А на другое утро уехала Мэг, и Пэрис осталась совсем одна.

Она бесцельно бродила по дому и чуть не подпрыгнула от неожиданности, когда позвонили в дверь. Это оказалась Вирджиния, которая накануне тоже проводила сына в Европу. Она была немного смущена, поскольку явилась без приглашения.

— Решила на всякий случай к тебе заглянуть. Наверное, так же волнуешься за ребят, как и я. Вим не звонил?

— Нет, — ответила Пэрис и улыбнулась.

Она была при параде — с прической и макияжем, — привела себя в порядок перед тем, как проводить дочь. Но все равно у нее был вид только-только начавшего выздоравливать туберкулезника.

— Думаю, звонка следует ждать не раньше чем через несколько дней. Я велела Виму купить себе мобильник.

— Я своему тоже, — рассмеялась Вирджиния. — А где Мэг?

— Полчаса как уехала. Торопилась к своему новому дружку. Говорит, какой-то актер. Снялся в двух фильмах ужасов и в нескольких рекламных роликах.

— Хорошо, хоть работает, — подхватила Вирджиния, радуясь, что подруга, по крайней мере, стала следить за собой. Хотя следы предательства близкого человека разве скроешь? В глазах у Пэрис стояло отчаяние. Как будто она потеряла веру во всех и вся. Горько было это видеть.

Они немного поболтали за чашкой кофе, потом Вирджиния внимательно посмотрела на подругу, порылась в сумочке и протянула ей клочок бумаги. На нем было записано имя, номер телефона и адрес.

— Это что? — удивилась Пэрис. Имя было ей незнакомо. Какая-то Анна Смайт.

— Это мой психотерапевт. Без нее я бы пропала.

Пэрис знала, что у Вирджинии с Джимом тоже не всегда все гладко. Джим был сложный человек, одно время впал в глубокую депрессию, от которой излечился только благодаря лекарствам. Но его болезнь тяжело сказалась на Вирджинии и на их отношениях. Пэрис знала, что подруга ходит на консультации, но никогда не придавала этому серьезного значения и ни о чем не спрашивала.

— Думаешь, я схожу с ума? — горестно произнесла она, сложила листок и сунула в карман. — Впрочем, иногда мне и самой так кажется. — Признавшись в своих опасениях вслух, она почувствовала облегчение.

— Нет, я так не считаю, — возразила Вирджиния. — Если бы считала, то привезла бы сюда санитаров со смирительной рубашкой. Но я боюсь, что ты этим кончишь, если не выберешься из дома и не поговоришь с кем-нибудь о том, что произошло. Ты испытала сильнейший шок. То, что с тобой сделал Питер, сопоставимо с внезапной смертью мужа в разгар ужина. Думаю даже, что смерть легче пережить. Сегодня ты замужем, считаешь себя счастливой женщиной, у тебя нежный муж, ты уже двадцать четыре года живешь той жизнью, которая тебе нравится, — а назавтра он уходит, подает на развод, и ты даже не можешь понять, чем провинилась. Хуже того, он живет в каком-то часе езды и встречается с женщиной на двадцать лет моложе. Разве это могло не отразиться на твоей психике? Черт возьми, Пэрис, на твоем месте многие женщины сейчас сидели бы в углу и пускали слюни.

— Я об этом тоже думала, — усмехнулась Пэрис, — но уж больно некрасиво...

— Вот видишь! Ты справилась, не свихнулась. Но тебе необходима помощь.

Вирджиния искренне восхищалась подругой. Даже Джим признался, что вряд ли пережил бы такой удар. Друзья понимали, что Пэрис в любой момент может сорваться. Единственное, что у нее осталось, — это думать о том, что дети устроены. А так... ей незачем было жить.

Пэрис обязательно нужно было с кем-то проконсультироваться, и Вирджиния решила предложить ей своего консультанта. Анна Смайт дружелюбна, реально смотрит на вещи, рассудительна. А главное, она относится к клиентам с сочувствием, а не только тараторит безучастным голосом: «Так, хорошо, и что мы будем с этим делать?» — как это принято в их кругах. После депрессии мужа именно она поставила Вирджинию на ноги и вернула ей интерес к жизни. А она тогда тоже была на грани депрессии. Непонятно даже почему. Наверное, слишком привыкла всю себя посвящать мужу, а когда он перестал нуждаться в таком пристальном внимании, Вирджиния вдруг почувствовала себя ненужной.

— Она меня вытащила. И еще нескольких моих подруг, которых я к ней отправляла. По-моему, она классный специалист.

— Не уверена, что меня стоит вытаскивать, — вздохнула Пэрис.

Вирджиния покачала головой:

— Именно об этом я и говорю. Ты думаешь, что с тобой что-то не так, раз Питер от тебя ушел, а в действительности все дело в нем, а не в тебе. Это он должен рвать на себе волосы, а не ты. Он ведь тебя бросил, а не ты его.

Вирджиния хотела, чтобы Пэрис разозлилась и возненавидела Питера, но этого не случилось. Всякому мало-мальски знакомому человеку было ясно, что Пэрис все еще его любит. «Она так предана мужу, что не скоро его разлюбит, — подумала Вирджиния. — Это потребует гораздо больше времени, чем весь бракоразводный процесс. Развод — это конец браку, но не чувствам».

— Так что, позвонишь ей?

— Не знаю, — честно ответила Пэрис. — Не уверена, что мне хочется это с кем-то обсуждать, тем более с незнакомым человеком. Я из дома-то не хочу выходить, потому что мне противно, что меня все жалеют. Черт побери, Вирджиния, как это все ужасно!

— Это ужасно, если ты будешь так себя настраивать. Ты понятия не имеешь, что тебя ждет в будущем. Может, еще встретишь хорошего человека и заживешь с ним в сто раз лучше!

— Мне никто не был нужен, кроме Питера. Я даже не смотрела на других мужчин. Для меня он всегда был лучше всех, мне так повезло, что я его встретила...

— Ну вот, а что из этого вышло? Он поступил с тобой подло, его за это убить мало! Да черт с ним, забудь. Я только хочу, чтобы ты была счастлива.

Пэрис не сомневалась, что подруга говорит искренне.

— Боюсь, я больше никогда не буду счастлива. Что, если мне предназначено любить один раз за всю жизнь?

— Тогда я тебя убью, — улыбнулась Вирджиния. — Но сначала попробуй обратиться к Анне. А если это не поможет, я найду тебе священника, чтобы изгнал беса. Но ты должна освободиться от этого наваждения, иначе ты себя угробишь. Ты же не хочешь до конца дней оставаться больной и жалкой?

— Нет, не хочу, — задумчиво ответила Пэрис. — Только не вижу, как твоя Анна может мне помочь. Сколько бы мы с ней ни говорили, Питера все равно не вернуть, развод все равно состоится, дети останутся взрослыми, а он будет жить с женщиной на пятнадцать лет моложе меня. Невеселая перспектива, правда?

— Да. Но другие выживали. Я тебе серьезно говорю: ты еще полюбишь человека в сто раз симпатичнее твоего Питера. Сплошь и рядом женщины остаются без мужей, они умирают, изменяют, бросают... А потом находится другой, женщина снова выходит замуж и прекрасно живет. Тебе всего сорок шесть, разве можно ставить крест на своей жизни? Это просто глупо. И несправедливо по отношению к тебе и детям. И ко всем, кто вас любит. Не доставляй Питеру этой радости. У него началась новая жизнь. Ты заслуживаешь того же.

— Но мне не нужна новая жизнь!

— Позвони Анне. Или я тебя свяжу и доставлю в ее кабинет силой. Обещай, что сходишь к ней хотя бы один раз. Один раз! Обещаешь? Если не понравится — можешь не продолжать. Но хотя бы попробуй.

— Хорошо. Я попробую. Один раз. Только это ничего не изменит, — твердила Пэрис.

— Ладно, посмотрим, — сказала Вирджиния и налила себе еще кофе.

Она пробыла у подруги до четырех, а когда уходила, с удовлетворением отметила, что Пэрис несколько ожила. Она снова пообещала, что утром позвонит Анне Смайт. Пэрис не верила, что это как-то ей поможет, но, чтобы отвязаться от Вирджинии, пообещала это сделать.

Глава 5

Приемная была похожа на библиотеку, столько здесь было книг. Удобные кожаные кресла, в углу — камин, так что здесь, наверное, и в зимние вечера тепло и уютно. Но сейчас, в теплый июньский день, окна были открыты, и из них открывался вид на ухоженный сад.

Когда Пэрис приехала по указанному Вирджинией адресу и увидела симпатичный деревянный домик, белый с желтой окантовкой и затейливыми голубыми ставнями, на ум сразу пришло слово «уютный».

Она несколько минут просидела в приемной, листая журналы, потом к ней вышла женщина, поразившая ее своим видом. Пэрис почему-то ожидала увидеть кого-то вроде Анны Фрейд, холодную и суровую интеллектуалку. Доктор же, напротив, оказалась милой, хорошо одетой и воспитанной дамой лет пятидесяти. У нее была аккуратная стрижка и безупречный брючный костюм защитного цвета, судя по виду — довольно дорогой. Она производила впечатление супруги какого-нибудь весьма обеспеченного или высокопоставленного человека. Такие женщины встречаются на официальных приемах, психотерапевта Пэрис представляла себе совершенно иначе.

— Что-нибудь не так? — с улыбкой спросила она, приглашая Пэрис в свое святилище — изысканно обставленную светлую комнату с красивыми окнами и современной живописью на стенах. — У вас удивленный вид.

— Я представляла себе это несколько иначе, — призналась Пэрис.

— В каком смысле? — Врач была заинтригована. Она доброжелательно смотрела на Пэрис.

— Более строго, что ли, — честно ответила та. — А здесь так мило!

— Благодарю, — рассмеялась хозяйка и объяснила: — Когда я училась в университете, то подрабатывала в студии дизайна. Я всегда считала: если с медициной у меня не сложится — пойду опять в дизайнеры. Мне это нравилось.

Пэрис невольно прониклась к ней симпатией. Прямодушие, честность и никакой претенциозности — все это очень притягивало. С такой женщиной она могла бы подружиться, если бы не пришла по делу.

— Итак, чем могу помочь?

— Мой сын только что уехал в Европу... — Такое начало и самой Пэрис показалось странным, учитывая все остальное. Но это было первое, что пришло ей на ум. Слова вырвались сами, помимо ее воли.

— Насовсем? А сколько ему лет?

Доктор с первой минуты мысленно оценивала посетительницу и уже поняла, что ей слегка за сорок и выглядит она, вопреки переживаниям, не старше своих лет. Перед ней сидела красивая женщина, несмотря на потухший взгляд, в котором доктор безошибочно распознала депрессию.

— Ему восемнадцать. Нет, он не насовсем уехал, на два месяца. Но я по нему очень скучаю...

Глаза снова защипало от слез, и Пэрис с облегчением увидела рядом коробку салфеток. «Наверное, здесь часто плачут, — подумала она. — Да и неудивительно».

— Он ваш единственный ребенок?

— Нет, есть еще дочь. Она живет в Калифорнии, в Лос-Анджелесе. Работает в кино. Ассистент продюсера. Ей двадцать три.

— Ваш сын студент? — мягко допытывалась доктор, пытаясь сложить воедино обрывки картины, которые ей скупо давала Пэрис. Анна Смайт делала это привычно и уверенно, это была ее работа.

— Вим в конце августа едет в Беркли.

— И вы остаетесь в доме... одна? Вы замужем?

— Да. То есть нет... Была. Но месяц назад... муж ушел от меня к другой женщине.

Ага. Анна Смайт молчала, сочувственно глядя на Пэрис, потом придвинула ей салфетки.

— Грустно это слышать. А раньше вы знали о существовании другой женщины?

— Нет, не знала.

— Тогда это сильный шок. У вас с мужем бывали трения?

— Никогда! Мы очень дружно жили. Или мне так казалось... Уходя, он сказал, что со мной чувствует себя заживо похороненным. Была пятница, мы принимали гостей, а когда все ушли, он мне объявил, что уходит. А мне казалось, что у нас все в порядке, вплоть до этого момента.

Пэрис замолчала, вытерла глаза, потом, к своему удивлению, слово в слово воспроизвела доктору все, что сказал ей Питер в тот вечер. Потом рассказала, что Вим уезжает учиться, а ей так и не пригодился ее собственный диплом, что она в панике, поскольку остается совсем одна. Что она станет делать всю оставшуюся жизнь? И даже то немногое, что ей было известно про Рэчел, она тоже рассказала.

Пэрис просидела у врача два часа. Анна Смайт всегда делала первый сеанс таким длинным — так ей было легче понять, в каком направлении должны вестись консультации. Когда доктор заговорила о следующем сеансе, Пэрис удивилась, что время пролетело так быстро.

— Даже не знаю... А нужно? Что это изменит? Что сделано, то сделано.

За эти два часа она пролила много слез, но почему-то не чувствовала ни опустошенности, ни изнеможения. Наоборот, разговор с этой женщиной принес ей облегчение. Анна Смайт, казалось, не сказала ей ничего существенного, но нарыв удалось вскрыть, и теперь он медленно опадал.

— Вы правы: того, что случилось, уже не изменишь. Но со временем, надеюсь, изменится ваше отношение к происшедшему. И для вас это может сыграть очень большую роль. Вам необходимо принять некоторые решения, касающиеся дальнейшей жизни. И вместе у нас это может получиться лучше.

Пэрис не совсем поняла, о каких решениях говорит доктор. Пока что все решения за нее принял Питер. А ей лишь оставалось жить в соответствии с ними.

— Хорошо, может быть, я и вправду приду. Когда вы предполагаете?

— Как насчет вторника?

До вторника оставалось всего четыре дня. Но Пэрис обрадовалась возможности увидеться с Анной Смайт поскорее. Может, с этими «решениями» удастся разобраться быстро, и тогда ей больше не придется ходить на эти сеансы.

Доктор записала ей время на карточке, добавила номер своего мобильного телефона и сказала:

— Пэрис, если в выходные станет худо — позвоните мне.

Пэрис смутилась:

— Мне не хотелось бы вас беспокоить...

— Видите ли, поскольку я пока зарабатываю психоанализом, а не дизайном, то прошу вас звонить, не стесняясь, как только возникнет нужда.

Она улыбнулась, и Пэрис ответила благодарной улыбкой.

— Спасибо.

Домой она ехала в куда лучшем настроении, хотя сама не понимала, из-за чего. Ни одну ее проблему врач не решила. Но на душе стало легче, и депрессия, в какую она впала после ухода Питера, отчасти отступила.

Приехав домой, Пэрис позвонила Вирджинии и поблагодарила за удачную рекомендацию.

— Я очень рада, что она тебе понравилась. — Вирджиния вздохнула с облегчением. Впрочем, она бы удивилась, если бы это оказалось не так: Анна была потрясающей женщиной. — Еще раз пойдешь?

— Да. Хотя, признаться, сама этому удивляюсь. Мы договорились на вторник.

Вирджиния улыбнулась. Именно так было и в ее случае. А сейчас она ездила к Анне, как только возникала какая-нибудь проблема. Несколько сеансов — и все проходит. Хорошо, когда есть непредвзятый человек, с кем можно просто поговорить или поплакаться в жилетку в трудную минуту.

Во вторник Пэрис поехала к консультанту снова. И поразилась вопросу, который Анна задала ей посреди сеанса.

— Вы не думали о том, чтобы перебраться в Калифорнию? — спросила она с таким видом, будто это самая обыденная вещь.

— Нет. С чего бы?

Пэрис пришла в некоторое замешательство. Ей такая мысль и в голову не приходила. В Гринвиче они жили с самого рождения дочери, пустили здесь корни, и она никогда не думала уезжать. Наоборот, была очень рада, что Питер оставил ей дом.

— Ну, там теперь будут жить ваши дети. Может быть, вам лучше быть к ним поближе? Сможете чаще видеться. Я просто подумала, не планировали ли вы чего-нибудь в этом роде.

Пэрис лишь покачала головой. Она не представляла себе, как это воспримут дети. Но когда вечером она сказала об этом дочери по телефону, Мэг обрадовалась:

— Мам, может, прямо в Лос-Анджелесе и поселишься?

— Не знаю. Я вообще не думала куда-то переезжать. А сегодня врач, к которой я хожу, мне вдруг посоветовала.

— Какой еще врач? Ты заболела? — Мэг встревожилась.

— Ну... психотерапевт.

Пэрис вздохнула. Ей было неловко, но не хотелось ничего скрывать от Мэг. Они уже много лет поверяли друг другу все тайны, и доверием дочери Пэрис очень дорожила. С Мэг ей было легче общаться, чем с Вимом: ведь она была девочка, и к тому же намного старше.

— Мне его порекомендовала Вирджиния. Пока только два сеанса было. На днях снова пойду.

— Думаю, это очень мудро.

Мэг пожалела, что к психотерапевту не пошел отец. Испортил всем жизнь без всякого предупреждения. Она так до конца и не поняла, чем это было спровоцировано. Во всяком случае, ни о какой другой женщине он ей не говорил. Может, просто хотел, чтобы все малость улеглось?

— Может быть, но ведь от этих консультаций ничего не изменится, — вздохнула Пэрис и снова про себя удивилась, зачем она связалась с психотерапевтом. Развод продвигается своим чередом, Питер влюблен в другую женщину. Анна Смайт никак не может изменить ход вещей и уж тем более — вернуть ей Питера.

— Это верно, но ты сама можешь все изменить, мама, — тихонько возразила Мэг. — Папа поступил ужасно, но теперь все зависит от тебя. Думаю, будет здорово, если ты переедешь сюда. Тебе здесь понравит-ся, вот увидишь.

— А как ты думаешь, что Вим на это скажет? Я не хочу, чтобы он думал, что я продолжаю над ним кудах-тать.

— Скорее всего, он будет доволен. Тем более — если ты поселишься поблизости и он сможет время от времени заходить к тебе пообедать и приводить друж-ков. Когда я училась в колледже, я обожала приезжать домой. — Она вспомнила, какие узлы стирки привозила матери, когда была студенткой, и рассмеялась. — Осо-бенно если ты будешь ему стирать. Спроси его сама, когда будете общаться.

— Не могу представить свою жизнь без Гринвича. Я ведь там никого не знаю!

— Познакомишься. В этом смысле, пожалуй, луч-ше будет Сан-Франциско. Тогда Вим сможет навещать тебя при каждом удобном случае. А на выходные и я буду приезжать. Думаю, для тебя будет лучше уехать из Гринвича, хотя бы на год-другой. А здесь чудесный климат, зимы теплые, мы сможем чаще видеться... Ну что, мам?

— Но как же я могу бросить наш дом?

Пэрис еще внутренне сопротивлялась. Однако на следующем сеансе психоанализа эта тема возникла сно-ва, и Пэрис рассказала доктору Смайт, как отнеслась к такой идее дочь.

— Невероятно, но Мэг эта мысль так понравилась! Только... что я стану там делать? Я же там никого не знаю. Все мои знакомые живут здесь.

— За исключением сына и дочери, — негромко уточнила Анна Смайт.

Посеяв зерно сомнения, она теперь ждала, когда оно даст всходы. Поближе познакомившись с Пэрис Арм-стронг, она поняла, что рассчитывать следует прежде всего на детей. И если Пэрис хотя бы подсознательно сочтет эту идею для себя приемлемой, то и сама ухватится. Если же нет — есть другие способы выкарабкаться из той пропасти, в которой она оказалась после ухода Питера. Анна как раз и собиралась помочь ей отыскать все возможные варианты.

Они о многом говорили — о детстве Пэрис, о юности, о первых годах супружества, когда дети были маленькие, о ее подругах, об учебе в школе бизнеса, в которой она так блистала и которая не имела продолжения. В конце июля они подошли к обсуждению возможного трудоустройства. Теперь Пэрис уже чувствовала себя с Анной как с близким человеком и получала удовольствие от общения с нею. После очередного сеанса у нее всякий раз появлялась тема для размышлений. Однако людей Пэрис по-прежнему избегала. Она считала, что еще не готова возобновить общение.

Лето выдалось тоскливое. Вим был в Европе, Мэг — у себя в Лос-Анджелесе. С Питером они пришли к соглашению: она получала дом, как он и обещал, а также солидную финансовую поддержку. Питер не стал жадничать — по-видимому, желая деньгами загладить вину, — и Пэрис не было необходимости устраиваться на работу. Но она хотела себя чем-нибудь занять. Ей не улыбалась перспектива всю оставшуюся жизнь сидеть дома, особенно если она останется одна, а она полагала, что так и будет.

Время от времени Анна Смайт заговаривала о том, что Пэрис стоит попробовать начать встречаться с другими мужчинами, но та и слышать об этом не хотела. Сейчас ее меньше всего интересовали свидания. Она не хотела открывать эту дверь. И даже заглядывать в нее. Анна же не настаивала, просто иногда, как бы ненароком, вспоминала об этом.

Ни на какие приемы и мероприятия она не ходила — ей не хотелось появляться на людях. Единственные, с кем Пэрис общалась в это лето, были Вирджиния и Натали. Но так или иначе к августу Пэрис немного ожила. Она усиленно трудилась в саду, много читала, стала реже прикладываться к подушке в течение дня, зато крепче спала ночью. Она загорела и совсем неплохо выглядела, только по-прежнему была очень худая. К возвращению сына из Европы Пэрис уже снова была похожа на себя, и, когда она обнимала Вима в аэропорту, он с радостью заметил у нее в глазах знакомые смешинки.

Все это время Вим регулярно ей звонил. Поездка была потрясающая — ребята объездили Францию, Италию, Англию и Испанию, и Вим только о том и говорил, как снова поедет туда на следующий год.

— Только тогда я поеду с тобой! — предупредила мать с озорным блеском в глазах, чему Вим очень обрадовался. Ведь, когда он уезжал, мама была похожа на живой труп. — Господи, как долго тебя не было! Не знаю даже, что я стану делать, когда ты уедешь совсем. — И она рассказала ему об идее Анны Смайт насчет того, чтобы перебраться в Калифорнию. Пэрис не терпелось узнать его мнение.

— Ты вправду переедешь?

Сын изумился и был отнюдь не в таком восторге, как предсказывала Мэг. Пэрис поняла: для Вима отъезд в колледж был синонимом независимости, и сейчас он представил себе, как мама станет приходить к нему в общежитие с завтраком в такой же коробочке, как была у него в первом классе.

— А как же дом? Продашь? — Это был единственный дом, который он знал, и ему не хотелось его терять. Ему нравилось представлять маму в родовом гнезде, как она его ждет и встречает, — именно так он вспоминал о ней в своей поездке.

— Нет. Если что и надумаю делать с домом, так только сдать в аренду, да и в этом я не очень уверена. И вообще, это всего лишь предположение.

Пэрис говорила совершенно искренне: она и сама еще по-настоящему не прониклась идеей переезда.

— А как это тебе пришло в голову? — поинтересовался сын. Он был явно заинтригован.

— Психотерапевт посоветовала, — беспечно сказала Пэрис, и Вим выпучил глаза.

— Психотерапевт?! Мам, с тобой все в порядке?

— Конечно. Мне сейчас намного лучше, чем было, когда ты уезжал, — невозмутимо ответила мать и улыбнулась. — Кажется, помогает.

— Это самое главное! — бодро ответил Вим, а вечером поделился своим недоумением с сестрой: — Ты знала, что мама ходит к психотерапевту?

— Конечно. И думаю, это пошло ей на пользу. Во всяком случае, в последние два месяца мама стала казаться мне чуточку веселей. Значит, эта Анна Смайт ей помогла.

— Так у нашей мамы не все в порядке с головой? — забеспокоился Вим, и Мэг рассмеялась:

— Нет, хотя этого вполне можно было бы ожидать, учитывая, как с ней обошелся отец. После такого шока у кого угодно крыша поедет. Ты из Европы отцу не звонил?

— Звонил, только нам с ним как-то не о чем разговаривать. Так ты думаешь, она и впрямь переедет в Калифорнию? — Вим еще не оправился от удивления, но постепенно начинал находить в этой затее и положительные стороны. Если, конечно, она не будет по делу и без дела являться в Беркли. Этот вопрос его по-прежнему беспокоил.

— Не исключено. Ей будет очень полезно переменить обстановку. Но, по-моему, пока она говорит об этом не всерьез. А ты что об этом думаешь?

— Да я вообще-то не против...

— Во всяком случае, это лучше, чем сидеть одной в пустом доме в Гринвиче. Не могу себе представить, что она станет делать, когда ты уедешь.

— Да, я тоже. — Вим и раньше задумывался о том, что будет с матерью после его отъезда, и всякий раз ему становилось не по себе. — Может, ей пойти работать? Хотя бы с людьми будет общаться...

— Она так и хочет. Только пока не знает, куда податься. Она ведь, по сути, никогда не работала. Но ничего, со временем решит что-нибудь. Эта докторша ей поможет.

— Будем надеяться.

Вим тяжело вздохнул. Он никогда не думал, что матери понадобится посторонний человек, чтобы решить ее проблемы. Но — что правда, то правда — за последние три месяца ей досталось. Ему и то понадобилось время, чтобы свыкнуться. И все равно как-то странно — приходишь домой, а папы нет.

Через два дня после своего возвращения Вим съездил к отцу в город, они вместе пообедали. Папа познакомил его с несколькими своими коллегами, в частности, с одной девушкой ненамного старше Мэган. Она была очень приветлива и любезна. Когда Вим рассказал об этом знакомстве матери, та почему-то вся сжалась. Вим решил, что ей просто неприятно говорить об отце, и побыстрее закруглил разговор.

Питер пообещал сыну, что приедет в Сан-Франциско помочь ему обустроиться. Эта новость очень не понравилась Пэрис, хотя сыну она ничего не сказала. Она тоже собиралась слетать в Сан-Франциско, чтобы помочь ему устроиться в общежитии, а с Питером встречаться ей вовсе не хотелось. Но главное, она не собиралась устраивать из этого проблему для сына. Попросить Питера не ездить было бы несправедливо по отношению и к нему, и к мальчику.

Придя на следующий сеанс к Анне, Пэрис тут же поделилась с ней своими сомнениями.

— А вы думаете, что сможете находиться там вместе с ним? — сочувственно спросила Анна.

Пэрис подняла на доктора глаза, полные боли. Одна мысль о встрече с бывшим мужем причиняла ей страдания.

— Если честно, не знаю. Думаю, будет довольно странно общаться с Питером. Как вы считаете, может, мне не следует ездить?

— А как к этому отнесется ваш сын?

— Думаю, огорчится. И я — тоже.

— А если попросить Питера не ездить? — осторожно предложила врач, но Пэрис помотала головой. Эта идея ей тоже не нравилась.

— Мне кажется, если отец не приедет, Вим расстроится.

— Ладно. Номер моего мобильника у вас есть. Если туго придется — звоните. В конце концов, вы всегда сможете удалиться, если станет невмоготу. Договоритесь с Питером навещать сына по очереди.

О такой возможности Пэрис не подумала, и теперь ей показалось, что это — выход.

— Вы думаете, мне может стать невмоготу? — с сомнением спросила она, пытаясь себя приободрить.

— Это будет зависеть от вас, — невозмутимо ответила Анна, и Пэрис впервые поняла, что она права. — Если захотите уйти, никто вас не упрекнет. И даже если вовсе не поедете. Уверена, сын вас поймет, если решите, что вам это не по силам. Он ведь не захочет видеть вас несчастной.

Пэрис кивнула. Она действительно была очень несчастна, и Вим это знал. С того самого дня, когда ушел отец.

— Ничего, как-нибудь справлюсь. — Пэрис заставила себя улыбнуться. — Может быть, пока я там буду, успею и дом присмотреть.

— Что ж, тоже развлечение, — поддакнула Анна.

Пока Пэрис еще не решила, будет ли переезжать. Просто время от времени эта тема как-то сама собой возникала, хотя ей еще по-прежнему казалось, что лучше остаться в Гринвиче. Здесь все было родным, здесь она чувствовала себя в безопасности. Пэрис еще не была готова к решительным переменам. Но как вариант...

С работой тоже все было неясно. Пока она записалась добровольным помощником в детский приют и с сентября должна была начать туда ходить. Но это не было окончательным решением. Она все еще находилась в поиске и не знала, где сможет вновь обрести себя.

Три месяца назад Питер выбросил ее из самолета, забыв снабдить парашютом. Анна считала, что, с учетом всех обстоятельств, Пэрис держится молодцом. Она действительно каждое утро вставала, причесывалась, одевалась, иногда обедала с ближайшими подругами и готовилась к тому, что Вим уедет в колледж. Но больше она пока ни на что не была способна.

Когда Пэрис пришла на последнюю перед отъездом консультацию, она уже приготовилась к встрече с Питером и твердо сказала себе, что это ей по плечу. А после того, как она устроит Вима в его новом жилище, она поедет к дочери в Лос-Анджелес. И все-таки ее продолжали мучить сомнения. Уже уходя, она обернулась к Анне и спросила голосом испуганного ребенка:

— Думаете, я справлюсь?

Доктор улыбнулась.

— У вас все хорошо. Позвоните, если возникнут проблемы, — снова напомнила Анна.

Всю дорогу Пэрис повторяла себе эту фразу: «У вас все хорошо... У вас все хорошо...» Слова эхом отдавались у нее в мозгу. Сейчас надо только не сбавлять, держаться изо всех сил и верить, что в один прекрасный день все уладится. Другого выхода Питер ей не оставил. И когда-нибудь, если ей повезет, если фортуна ей улыбнется, спасительный парашют раскроется. Пока она даже не знала, есть ли он у нее, и могла лишь об этом молиться.

Глава 6

Пэрис с Вимом вместе летели в Сан-Франциско со всеми его пожитками. Питер должен был прилететь чуть позже. В самолете Вим все время смотрел фильм, потом прикорнул, а Пэрис не переставая думала о том, как они встретятся с Питером.

После двадцати четырех лет совместной жизни он вдруг стал для нее чужим, но самое худшее было то, что ей страшно хотелось с ним увидеться. Это было как укол, без которого она погибнет. После трех месяцев разлуки, после всего, что он сделал, она продолжала его любить и надеяться, что случится чудо и он вернется! Единственный человек, которому она в этом призналась, была Анна Смайт. Странно, но доктор сказала, что это вполне нормально и что настанет день, когда она освободится от наваждения. Однако сейчас, по-видимому, этот день еще не наступил.

После четырехчасового перелета они взяли в аэропорту такси и отправились в «Риц-Карлтон», где Пэрис заранее забронировала два номера, себе и сыну. Вечером она повела Вима ужинать в Чайна-таун, они чудесно провели время, а вернувшись в отель, позвонили Мэг. Через пару дней Пэрис планировала ее навестить, но сначала надо было устроить Вима в общежитие. Она считала, что на это надо выделить два дня — куда спешить? А больше всего ее сейчас страшило возвращение домой.

Чтобы перевезти вещи Вима в Беркли, расположенный на другом берегу залива, Пэрис взяла напрокат небольшой универсал. Виму предстояло еще завершить кое-какие формальности. Поэтому утром он сунул матери бумажку с координатами общежития, назначил ей встречу через два часа и умчался в университет.

Пэрис целых полчаса искала эту несчастную общагу, немало поплутав по бескрайнему студгородку Беркли. Отыскав нужный корпус, она поставила машину у входа, немного прогулялась, потом села на большой камень перед входом и стала ждать Вима.

Место она выбрала удачное. Был погожий день, солнце пригревало: Пэрис показалось, что температура градусов на пятнадцать выше, чем была в Сан-Франциско час назад. Нежась на солнышке, она еще издали заметила знакомую неспешную походку, которую узнала бы и с закрытыми глазами, по одному биению своего сердца. Питер шел прямо к ней, и вид у него был весьма решительный. Он остановился, не дойдя всего пары метров.

— Здравствуй, Пэрис, — сухо поздоровался он, как с едва знакомым человеком. На его лице не было и намека на теплоту. Да, он подготовился к встрече. Но и она тоже. — А где Вим?

— Пошел записаться на лекции и взять ключ от комнаты. Примерно через час будет здесь.

Питер кивнул и неуверенно огляделся по сторонам, не зная, как поступить — остаться ждать вместе с Пэрис или уйти, а потом вернуться. Но заняться ему все равно было нечем, и он решил тоже посидеть и подождать, хотя находиться рядом с Пэрис ему было неловко. Он и ехать-то не рвался, но согласился ради сына.

Они немного помолчали, каждый погруженный в свои мысли. Питер старался сосредоточиться на Рэчел. Пэрис вспоминала свои разговоры с Анной Смайт о том, как она встретится с бывшим мужем. Первым заговорил Питер.

— Хорошо выглядишь, — холодно произнес он, хотя сразу заметил, что Пэрис изрядно исхудала.

— Благодарю. Ты тоже.

Она не стала расспрашивать о сопернице, о том, как ему живется в Нью-Йорке в новой семье. Пэрис давно подозревала, что Питер держит за собой номер в отеле для отвода глаз — только ради детей, чтобы не надо было ничего объяснять, пока не оформлен развод.

Пэрис не спрашивала и о том, доволен ли Питер, что развод вот-вот будет оформлен. Окончательно все должно было завершиться где-то в декабре, к Рождеству, что грозило основательно испортить ей праздники.

— Молодец, что приехал, — вежливо произнесла она. От одной его близости у нее ныло сердце, а этот ничего не значащий разговор казался до боли нелепым. — Вим придает этому большое значение.

— Я так и думал, потому и приехал. Надеюсь, ты не против, что я здесь?

Пэрис подняла на него глаза, что потребовало от нее немалых душевных усилий. Ей по-прежнему казалось невероятным, что он так внезапно и так окончательно ее отверг. Более страшного удара она не получала за всю жизнь. Ей все еще не верилось, что она сможет от него оправиться. Ей казалось, что она всегда будет любить Питера и переживать его предательство до конца своих дней.

— Думаю, нам обоим надо привыкать к новому порядку вещей, — рассудительно проговорила Пэрис, стараясь, чтобы голос звучал бодро. — У детей впереди масса важных событий, и нам поневоле придется в них участвовать.

В данный момент именно такое событие свело их вместе, да еще в чужом городе, что было особенно тяжело. Здесь не поедешь домой зализывать раны, номер в отеле — это совсем другое дело.

Питер молча кивнул, а Пэрис с удвоенной остротой ощутила неопределенность своего будущего. У Питера есть Рэчел, а у нее...

Некоторое время они не произносили ни слова, чувствуя одинаковую неловкость, и оба молились, чтобы Вим пришел скорее.

— Как у тебя дела? — спросил наконец Питер, и у Пэрис округлились глаза. Как можно быть таким бесчувственным? Как можно, прожив с человеком полжизни, в одно прекрасное утро проснуться и уйти? Пэрис по-прежнему отказывалась это понимать.

— У меня все в порядке, — негромко ответила она, не вполне понимая, что его конкретно интересует — «дела» в узком смысле или душевное состояние. Уточнять не хотелось.

— Я о тебе беспокоюсь, — неожиданно выдавил Питер, разглядывая носки своих туфель.

Ему было больно смотреть на жену. В ее глазах застыло отчаяние человека, с которым обошлись очень подло, и виной тому был он. Это были не глаза, а два озерца битого зеленого стекла.

— Нам сейчас обоим нелегко, — добавил он, но Пэрис ему не поверила.

— Ты ведь сам этого хотел, правда? — прошептала она, молясь, чтобы он ответил: «Нет». Ей казалось, другого шанса задать этот вопрос может не представиться.

— Да. — Он не сказал, а выплюнул это слово, будто оно торчало у него в горле. — Но из этого не следует, что мне очень легко. Могу себе представить, что чувствуешь ты.

Пэрис покачала головой:

— Нет, этого ты себе представить не можешь. Я бы тоже не могла, если бы такое не случилось со мной. Это равносильно смерти близкого человека, даже хуже. Иногда я говорю себе, что ты умер, и тогда мне легче: не нужно думать, где ты, с кем ты и почему меня бросил. — Она была с ним предельно честна. Но почему бы и нет? Терять ей теперь было нечего.

— Это пройдет. Со временем все перемелется, — мягко произнес Питер, не зная, что еще добавить.

И тут они увидели сына, который вприпрыжку несся к ним. В первый момент Пэрис пожалела, что разговор прервался, но в следующий миг испытала облегчение. Все, что хотела, она уже услышала. Питер тверд в своем решении, и ему ее не более чем жаль. А она хотела от него не жалости, а любви! Неизвестно, куда завел бы их этот разговор. Хорошо, что Вим появился: куда легче было заняться проблемами сына.

Оба с радостью подхватили пожитки новоиспеченного студента и понесли наверх. Войдя в комнату, Пэрис принялась распаковывать сумки, а мужчины снова спустились к машине забрать тяжелые чемоданы и коробки. Микроволновку и маленький холодильник Вим взял напрокат у коменданта общежития. Теперь у него было все необходимое.

Обустройство на новом месте продолжалось до четырех часов. К этому времени прибыли трое соседей Вима — двое из Калифорнии, третий — из Гонконга. Все ребята были крепкие, молодые и, казалось, положительные. Вим заранее обещал отцу, что поужинает в этот вечер с ним, и они оба отправились провожать Пэрис.

День выдался длинный и нервный во всех отношениях, все порядком устали. Пэрис не только наблюдала, как вылетает из гнезда ее младший птенец, но и фактически отпускала на волю Питера. В один день она понесла две утраты. Те, кого она любила и на кого опиралась, отныне ушли из ее повседневной жизни, а Питер — и того хуже. Питер ушел совсем.

Они вышли в главный холл, где стояла гигантская доска объявлений, обклеенная всевозможными записками и афишами — средоточие студенческой жизни. Питер повернулся к Пэрис.

— Не хочешь к нам вечером присоединиться? — великодушно предложил он.

Пэрис покачала головой, машинально поправила волосы, и Питер с трудом удержался, чтобы не обнять ее. В джинсах, футболке и сандалиях, растерянная и беспомощная, она была похожа на молоденькую девушку ненамного старше студенток, сновавших в корпус и обратно. При взгляде на бывшую жену в Питере всколыхнулась волна воспоминаний.

— Спасибо, я слишком устала. Лучше пойду в отель и закажу массаж.

Пэрис и для этого была чересчур утомлена, но уж сидеть за одним столом с Питером, любоваться на то, чего она лишилась навсегда, было выше ее сил. В таком состоянии она не удержится от слез, а рыдания им совсем ни к чему.

— Я с Вимом завтра еще увижусь, — добавила она. — Ты когда летишь?

— Завтра вечером мне надо быть в Чикаго. Утром полечу, ни свет ни заря. Но мне кажется, ребенок прекрасно устроился, и завтра мы ему уже оба будем не нужны. Он вышел в плавание, — с улыбкой подытожил Питер.

Было видно, что он гордится сыном. Те же чувства испытывала и Пэрис.

— Да, это уж точно, — грустно улыбнулась она. — Все равно больно расставаться. У меня вся душа изболелась. Спасибо, что помог с вещами. Когда собирались, казалось, их не так много...

— Обычное дело, — улыбнулся Питер. — Помнишь, как мы Мэг отвозили в колледж? В жизни не видел такого количества шмоток! Она ведь тогда даже обои и занавески с собой везла. А потом заставила меня эти обои лепить на стену. Она переняла у тебя талант наводить уют. Хорошо, что ее соседке результат понравился. Кстати, что потом стало со всем этим барахлом? Не припомню, чтобы она что-то привозила назад. Или она все в Нью-Йорк притащила?

Пэрис вздохнула. Это были те самые мелочи, из которых и складывается жизнь. Раньше она была у них одна на двоих, а теперь будет идти врозь.

— Уезжая, она все оставила какой-то первокурснице.

Питер кивнул, и они долго молча смотрели друг на друга. Все, что их когда-то объединяло, лишилось всякого смысла. Как старые вещи, оставшиеся пылиться на чердаке. На чердаке их сердец. И разрушенного Питером брака. У Пэрис было такое чувство, словно вся ее жизнь пущена в расход. Выброшена на свалку за ненадобностью. Все, чем они оба дорожили когда-то, теперь оказалось никому не нужно. И сама Пэрис тоже. Ее бросили, забыли, лишили любви. От одной этой мысли можно было снова впасть в депрессию.

— Береги себя, — угрюмо произнес Питер и добавил, решившись наконец вслух сказать о том, что мучило его весь день: — Я это серьезно говорю, ты очень похудела. И спасибо, что позволила мне сегодня поучаствовать.

Не зная, что ответить, Пэрис только кивнула и отвернулась, не желая показывать слез.

— Я рада, что ты был с нами, — великодушно сказала она.

Когда Пэрис села в машину и, не оглядываясь, выехала со стоянки, Питер еще долго смотрел ей вслед. Он не сомневался в своем решении, с Рэчел у него бывали мгновения такого счастья, о каком он даже не мечтал. Но были и другие минуты, когда он понимал, что всю жизнь будет скучать без Пэрис. Он всегда считал ее замечательной женщиной и надеялся, что когда-нибудь она перестанет страдать из-за его ухода. Он восхищался ее чувством собственного достоинства и волей. Ему ли не знать, что она человек огромного милосердия. Он такого не заслуживает.

Глава 7

Когда на другой день Пэрис приехала в общежитие повидать Вима, тот уже собирался куда-то уходить с приятелями. Ему надо было с кем-то повидаться, что-то узнать и сделать, и Пэрис быстро поняла, что, если останется, будет сыну мешать. Она сделала свое дело. Надо уходить.

— Хочешь, сегодня поужинаем вместе? — неуверенно спросила она.

Но сын смущенно помотал головой:

— Прости, мам, я не смогу. Сегодня вечером общее организационное собрание спортивных секций.

Пэрис знала, что Вим хочет записаться в секцию плавания — он всегда выступал за школьную сборную.

— Ну ладно, раз так. Тогда я, пожалуй, двинусь в Лос-Анджелес, к Мэг. Справишься тут?

В глубине души Пэрис надеялась, что сын сейчас бросится ей на шею и попросит не уезжать — в родительские дни в летнем лагере всегда так и бывало. Но теперь он был взрослый парень, готовый к самостоятельному плаванию. Она крепко его обняла, а Вим одарил ее незабываемой улыбкой.

— Мамочка, я тебя люблю, — шепнул он и оглянулся на приятелей. — Береги себя. И спасибо за все.

Ему хотелось поблагодарить ее за вчерашнее, за то, что, несмотря ни на что, она согласилась повидаться с отцом, но нужные слова на ум не шли. Вечером отец говорил о маме очень уважительно, и Вим чуть было не спросил, почему же он в таком случае ушел от нее. Это было выше его понимания. Но главное — Вим хотел, чтобы родители были счастливы. Особенно — мама. Она порой казалась такой беззащитной.

— Я тебе буду звонить, — пообещал он.

— Я тебя люблю... Хорошо тебе повеселиться! — ответила Пэрис, и они вышли из комнаты.

Вим помахал, вприпрыжку понесся по лестнице и быстро исчез из виду, а Пэрис медленно побрела вниз, размышляя о том, что стала бы делать, если бы вернулась молодость и все можно было начать сначала. И пришла к выводу, что, даже зная заранее, чем это закончится, все равно вышла бы замуж за Питера. И родила бы ему Мэг и Вима. Если не считать трех последних месяцев, она нисколько не жалела о своем браке.

Пэрис ехала назад в Сан-Франциско, радуясь дивному солнечному деньку, а войдя в номер, тут же принялась за сборы. Она собиралась поискать себе дом — вдруг все-таки дойдет до переезда, — но сейчас была не в настроении заниматься этим. Оставив младшего птенца в Беркли, она хотела как можно скорее увидеться с дочерью.

Заказав билет на трехчасовой рейс, Пэрис вызвала такси, поручила портье вернуть за нее универсал и в половине второго уже ехала в аэропорт. Самолет прибывал в Лос-Анджелес в начале пятого, и она пообещала дочери, что заедет за ней на работу. Эту ночь она собиралась провести у Мэг и очень радовалась такой перспективе. Во всяком случае, это веселее, чем в отеле.

В самолете Пэрис снова вернулась мыслями к Питеру — вспоминала, что он говорил, как выглядел. Все-таки она справилась, сумела не опуститься до унижений и не поставить сына в неловкое положение. В общем и целом она держалась молодцом. Будет что обсудить с Анной Смайт. Порешив на этом, Пэрис закрыла глаза и проспала до самой посадки.

С первой же секунды Пэрис ощутила себя в гигантском муравейнике. Это был огромный и оживленный город, совсем непохожий на провинциальный Сан-Франциско и на богемно-интеллектуальный пригород вроде Беркли. Атмосфера Лос-Анджелеса напоминала Нью-Йорк, только одежда была свободнее и погода лучше. Неудивительно, что Мэг так нравится жить здесь.

Однако, добравшись до студии, Пэрис быстро поняла, что работа у ее дочки просто сумасшедшая. Приходилось одновременно делать миллион разных дел. По площадке сновали актеры, и каждому что-то было нужно. Суетились техники — со штативом для света в руках или мотком провода на шее. Операторы шумно отдавали какие-то указания. А между тем режиссер только что объявил съемочный день оконченным, значит, Мэг уже освободилась.

— Ого! И что, так каждый день? — удивилась Пэрис. Киношная суматоха произвела на нее большое впечатление.

Мэг улыбнулась, вид у нее был спокойный и невозмутимый.

— Нет, обычно у нас шума больше. Сегодня занята только половина актеров.

— Вот это да!

Пэрис видела, как счастлива ее дочь, как она хороша собой, и не могла этому не радоваться.

Мэг была очень похожа на мать — такие же правильные черты лица, те же длинные светлые волосы. Они были как две сестры, тем более что Пэрис исхудала и от этого помолодела еще больше. Это подметил и один из осветителей.

— Ты называешь ее мамой? — удивился он, проходя мимо в разгар их беседы. — Вы скорее на сестер похожи.

Пэрис улыбнулась. Атмосфера кино казалась ей праздничной, жизнь здесь била ключом.

Квартира Мэг в Малибу ей тоже очень понравилась. Небольшая и симпатичная, с видом на океан. Чудесная квартирка. Мэг только месяц назад переехала сюда с Винис-бич. Весьма кстати пришлась прибавка в заработке, да и родители помогли. Они не хотели, чтобы дочь жила в районе с сомнительной репутацией. А здесь Пэрис и сама бы с удовольствием поселилась. Она снова подумала о переезде в Калифорнию, поближе к детям.

— В Сан-Франциско дом не присмотрела? — спросила Мэг, наливая им обеим холодного чая — у нее в холодильнике всегда стоял кувшин, в точности как у мамы. Они расположились на балконе и нежились под ласковыми лучами предзакатного солнца.

— Да нет, времени не было, — уклончиво ответила Пэрис, хотя в действительности дело было не во времени, а в ее настроении. Распрощавшись с Вимом, она загрустила, и ей захотелось поскорее увидеть дочь, чтобы чуточку взбодриться.

— Как прошла встреча с папой? — с беспокойством спросила Мэг.

Она распустила волосы, давая им отдохнуть от стягивавшей их весь день резинки. Волосы у нее были длиннее, чем у матери, и в таком виде она стала похожа на маленькую девочку. Очень красивую девочку, ничуть не уступающую в красоте актрисам на студии. Но к актерской карьере Мэг никогда не проявляла интереса. На ней была та же одежда, что на работе, — джинсы и топик.

— Папа себя достойно вел? — По лицу девушки снова пробежала тревожная тень. Она понимала, что для мамы это было серьезное испытание, хотя Вим и сказал ей по телефону, что все прошло нормально. Но ему еще только восемнадцать, он иногда пропускает детали.

— Да-да, все в порядке, — сказала Пэрис и глотнула чаю. Вид у нее был усталый. — Он был очень мил. И с Вимом тоже.

— А с тобой?

Пэрис вздохнула. Ей не хотелось огорчать дочку, но она привыкла быть с ней откровенной. Они были не просто мать и дочь, они были подруги. Даже в переходном возрасте Мэг не доставляла матери неприятностей. В отличие от многих сверстниц, Мэг всегда проявляла рассудительность и охотно делилась с матерью своими секретами. Подруги твердили Пэрис, что она не представляет, как ей повезло, но она это и сама понимала, а сейчас — как никогда. После ухода Питера дочь стала ей главной опорой, они будто поменялись ролями. Но Мэг и в самом деле уже не ребенок. Она взрослая женщина, и к ее мнению можно прислушиваться.

— Сказать по правде, было тяжело. Он ничуть не изменился. Смотрю на него — и в глубине души мне чудится, что мы по-прежнему женаты. Да, собственно, формально говоря, так и есть. Как странно... В голове не укладывается, что он больше не является частью моей жизни! Ему, наверное, тоже нелегко пришлось. Но он сам этого захотел, о чем так прямо мне и сказал. Не могу понять, что все-таки произошло. А жаль. Если бы я знала, где совершила ошибку, что я сделала не так или, наоборот, не сделала... Должна же быть какая-то причина! Так не бывает: утром человек проснулся и говорит: «До свидания, я пошел». А может, бывает... Не знаю. Мне кажется, я никогда этого не пойму. И не прощу, — грустно добавила она, и солнце сверкнуло в ее золотистых волосах.

— Ты молодец, что позволила ему приехать в Беркли.

Мэг искренне восхищалась матерью. Конечно, выбора у Пэрис все равно не было, но она переживала развод с редким достоинством. Никакой ненависти к Питеру она не испытывала, даже теперь, хотя ситуация требовала от нее максимального мужества.

— Я сочла справедливым, чтобы он там был. Вим так радовался! — Пэрис рассказала Мэг о студгородке Беркли, о соседях Вима по комнате, о самом общежитии. — Жутко не хотелось его оставлять. Представляю, что я буду чувствовать, когда вернусь в Гринвич... Ну, ничего. В сентябре начну работать в детском приюте.

— А мне все-таки кажется, твоя докторша права: надо тебе оттуда уезжать.

— Возможно, — проговорила Пэрис задумчиво, но не слишком уверенно. — Как твои-то дела? Как новый парень? Умный?

В ответ Мэг рассмеялась:

— Мне кажется, да. А ты, может, по-другому воспримешь. По натуре он вольная пташка. Родился в Сан-Франциско в коммуне хиппи, а вырос на Гавайях. Мы очень хорошо ладим. Он, кстати, сегодня придет, но попозже, после ужина. Я ему сказала, что мне надо сначала пообщаться с тобой без посторонних.

— А как его зовут? Ты мне, кажется, не говорила.

За последнее время столько всего произошло, что им было не до разговоров о мальчиках, и Мэг улыбнулась.

— Его зовут Пирс. Пирс Джонс. Для актера имя удачное. Запоминающееся. Он мечтает о серьезном, но пока нарасхват в фильмах ужасов. Внешность у него потрясающая. Мать у него наполовину азиатка, а отец был черный. Невероятная смесь! Он немного похож на мексиканца — у него такие большие, чуть раскосые глаза.

— Ты меня заинтриговала.

Пэрис старалась избежать скоропалительных суждений. И все же, когда Пирс Джонс наконец явился, она была поражена. Мэг описала его довольно точно. По-восточному красивый, атлетического телосложения, которое подчеркивали майка без рукавов и джинсы в обтяжку, он был чрезвычайно эффектен. Рев его мотоцикла был слышен за версту, а своими сапожищами «Харлей-Дэвидсон» он тут же наследил на бежевом ковре в гостиной. Мэг, впрочем, не придала этому никакого значения. Она была влюблена.

Пообщавшись с молодым человеком с полчаса, Пэрис впала в панику. Он свободно рассуждал о многочисленных наркотиках, которые перепробовал еще на Гавайях, будучи подростком. О половине Пэрис слышала впервые в жизни. При этом он оставлял без внимания отчаянные попытки Мэг переменить тему. Правда, потом Пирс добавил, что, увлекшись боевыми искусствами, он о наркотиках и думать забыл. У него был черный пояс по карате, и он по четыре, а то и пять часов в день проводил на тренировках.

Пэрис попыталась осторожно прощупать почву, но вопрос о колледже остался без ответа. Парень сообщил, что увлекается натурфилософией и в данный момент, для очищения духа и тела, сидит на диете по системе макробиотики. На здоровье он был просто помешан, что Пэрис восприняла с облегчением — главное, что благодаря этому он отказался от наркотиков и алкоголя. Но было такое впечатление, что ни о чем другом, кроме своего организма, он говорить не может. Нет, не так. Еще он пел дифирамбы Мэг, а это уже кое-что. Он явно был по уши влюблен — даже Пэрис видела, сколь сильно их взаимное влечение. Он с такой страстью поцеловал Мэг на прощание, что Пэрис показалось, будто он испепелил все живое в комнате.

Когда, проводив его, Мэг вернулась в комнату, Пэрис так красноречиво молчала, что дочка расхохоталась.

— Мам, не паникуй.

— А ты меня успокой. — Пэрис как-то притихла. Они были слишком близки, чтобы что-то друг от друга скрывать.

— Во-первых, замуж за него я не собираюсь. Нам просто хорошо вместе.

— Но о чем вы с ним говорите? Помимо его диеты и комплекса упражнений? Конечно, я готова признать, что это весьма интересная тема...

Мэг чуть не лопнула от смеха.

— Мамочка, Пирс просто симпатичный парень. Он со мной очень нежен. А разговариваем мы о кинематографе. Он цельная натура, не употребляет наркотиков, не пьет — в отличие от большинства ребят, с которыми я раньше встречалась. Мам, ты же не знаешь, как трудно в наши дни найти нормального человека. Куда ни кинь — сплошь чудики или неудачники.

— Звучит невесело. Особенно если твоего приятеля ты к чудикам не относишь. Хотя... вел он себя вежливо и к тебе, кажется, хорошо относится. Но, дорогая моя, только вообрази, как ты представишь его папе!

— Об этом даже не думай. Все не настолько серьезно. А может, это вообще скоро кончится. Мне приходится часто бывать на людях, а он все время на диете. Всякие клубы, бары и рестораны он на дух не выносит. И в половине девятого ложится спать.

— Да, не разгуляешься, — согласилась Пэрис. Она впервые встречала такого человека и очень тревожилась за дочь. Конечно, хорошо, что парень не пьет и не колется, но, по ее мнению, одного этого было недостаточно.

— Кроме того, Пирс очень религиозен. — Мэг явно хотелось реабилитировать приятеля в глазах мамы. — Он буддист.

— Из-за матери?

— Нет, она у него иудейка. Но перешла в буддизм после того, как познакомилась с одним каратистом из Нью-Йорка.

— Мэг, я как-то с трудом это воспринимаю. Если у вас тут все такие, я лучше останусь в Гринвиче.

— Сан-Франциско намного более консервативный город. А кроме того, там все «голубые».

Она дразнила мать, но отчасти так оно и было: город действительно славился своими сексуальными меньшинствами. Тамошние девушки — знакомые Мэг — без конца жаловались, что с кем ни познакомишься — непременно окажется «голубым» и куда более симпатичным внешне, чем внутри.

— Это утешает. И ты хочешь, чтобы я туда переехала жить? В Гринвиче мне хотя бы гарантирован благопристойный парикмахер, если я вдруг надумаю подстричься.

Мэг погрозила матери пальцем.

— Мам, как тебе не стыдно? Мой парикмахер самый настоящий натурал. А «голубые», чтоб ты знала, правят миром. Думаю, тебе в Сан-Франциско понравится. — Теперь она говорила серьезно. — Можно, например, поселиться в Марин-каунти, это вроде Гринвича, только климат получше.

— Даже не знаю, солнышко. У меня все друзья в Коннектикуте. Я там живу всю жизнь...

Ей было страшно срываться с места и ехать за тысячи миль только потому, что ее бросил Питер. Калифорния ей казалась какой-то другой планетой. В свои сорок с небольшим Пэрис боялась, что не сумеет адаптироваться, хотя для Мэг, скажем, это было идеальное место.

— И часто ты теперь видишься с этими друзьями? — напирала Мэг.

— Не очень часто, — призналась мать. — Хорошо-хорошо, совсем не вижусь. В данный момент. Но когда все образуется и я привыкну к своему новому статусу, я снова начну выходить. Просто мне этого пока не хочется.

— А среди твоих друзей есть неженатые? — продолжала Мэг свой допрос.

Пэрис призадумалась:

— Кажется, нет. Те, у кого жена умерла или кто развелся, обычно перебираются в город. Гринвич — это семейное местечко; во всяком случае, все люди из нашего круга живут там с семьями.

— Вот именно! И как ты там собираешься начать новую жизнь? Среди семейных людей, с которыми сто лет знакома? С кем ты будешь встречаться, мама?

Вопрос был резонный, но Пэрис не хотела об этом даже слышать.

— Ни с кем. И вообще, я еще пока что замужем.

— Ну да, на ближайшие три месяца. А что потом? Ты ведь не можешь до конца дней куковать одна. — Мэг была настроена решительно, и Пэрис отвела взгляд.

— Почему же, могу, — упорствовала она. — Если здесь меня ждут одни Пирсы Джонсы, только старше, то я уж лучше останусь куковать одна, как ты выражаешься. Я последний раз ходила на свидание в двадцать лет. И не собираюсь начинать снова. В моем-то возрасте! От этого я только верней впаду в депрессию.

— Мам, жизнь не кончается в сорок шесть лет! Это просто безумие!

Но Пэрис считала безумием остаться одной после двадцати четырех лет брака. Все, что с ней произошло, — безумие. А если нормальным считается роман с каким-нибудь престарелым Пирсом Джонсом, то Пэрис предпочла бы сожжение у позорного столба на виду всего города. Она так дочери и сказала.

— Дался тебе этот Пирс Джонс! Что ты к нему прицепилась? Это не оправдание. Он не такой, как все, сама прекрасно видишь. Здесь полно зрелых, солидных мужчин, разведенных или вдовцов, и они охотно познакомятся с красивой женщиной. Им так же одиноко, как тебе.

Пэрис подумала, что ей не просто одиноко. У нее разбито сердце, вот в чем проблема. Она еще не переболела Питером и не думала, что ей это когда-нибудь удастся.

— Мам, хотя бы подумай об этом. На будущее. Я бы очень хотела, чтобы ты переехала жить в Калифорнию.

— Я бы тоже, радость моя. — Пэрис растрогалась, видя, как дочь о ней тревожится и старается помочь. — Но я ведь могу вас навещать, и довольно часто. Скажем, раз в месяц я могла бы прилетать сюда на выходные.

Мэг вздохнула. Маме заняться было нечем, но сама-то она по выходным дома не сидела. У нее своя жизнь, и, в конечном счете, своя жизнь будет нужна и Пэрис. Просто пока она к ней не готова.

Вечером они вместе стряпали ужин. А потом легли спать в одну постель.

На другой день Пэрис немного погуляла по Беверли-Хиллз, поглазела на витрины, а потом вернулась и стала дожидаться Мэг. Она сидела на балконе и думала над тем, что вчера сказала дочь. Что ей с собой делать? Она не могла даже вообразить, как станет жить дальше, и не была уверена, что ее это волнует. Она в самом деле не стремилась найти себе другого мужчину. Если не жить с Питером, то лучше уж одной. А общаться можно с детьми и друзьями. Заводить роман, спать с малознакомым мужчиной... Это же так страшно, даже в плане здоровья! Куда проще остаться одной.

В тот вечер у Мэг на съемочной площадке были какие-то сложности, и домой она вернулась только в десять. Пэрис приготовила дочери ужин, а потом опять легла с ней в одну постель. Хорошо было чувствовать рядом с собой тепло другого человека. Она уже давно так сладко не спала. Утром они вместе позавтракали на балконе. К девяти Мэг надо было на работу, а Пэрис в полдень вылетала в Нью-Йорк.

— Мам, я буду по тебе скучать, — печально сказала Мэг на прощание.

Ей так было хорошо эти два дня, пока мама была с ней! И Пирс сказал, что ее мама ему очень понравилась, о чем Мэг немедленно доложила матери. Пэрис посмеялась и закатила глаза. «Будем надеяться, что этот парень безобиден, — подумала она. — Но боже мой, какой странный! Хотелось бы верить, что это у Мэг ненадолго».

— Обещай, что ты скоро опять приедешь, даже если не захочешь докучать Виму. — Обе понимали, что мальчику хочется расправить крылья и почувствовать себя взрослым.

Мэг ушла на работу, и Пэрис охватила тоска. При всей нежности и теплоте, с которой к ней относилась дочь, она уже взрослая женщина, у нее своя жизнь и работа, требующая самоотдачи. В этой жизни нет места для Пэрис, разве что иногда, на пару дней. Теперь ей нужно идти своей дорогой, приспосабливаться к новой действительности. А действительность эта заключалась в том, что она одна и таковой останется.

Прощальную записку дочери Пэрис писала со слезами на глазах. Всю дорогу в аэропорт она была подавлена, и в полете ее настроение тоже не улучшилось. Когда же Пэрис вошла в свой дом в Гринвиче, его пустота поразила ее как громом. Ни души. Ни Вима. Ни Мэг. Ни Питера. И от этого никуда не деться. Она совершенно одна.

Вечером Пэрис лежала в постели и думала о Питере. Она вспоминала, каким родным он показался ей на мгновение в Калифорнии, и у нее разрывалось сердце. Надежды нет. Она лежала в кровати, на которой они всю жизнь спали с Питером, и ее охватывало такое отчаяние, что было странно, как она до сих пор не умерла. Пэрис не покидало чувство, будто ее оставили все близкие люди. Оставили навсегда.

Глава 8

После возвращения Пэрис из Калифорнии сеансы с Анной Смайт пошли труднее. Доктор теперь нажимала на нее сильнее, заставляла глубже копаться в себе и обсуждать множество болезненных тем. Так что в результате Пэрис плакала на каждом сеансе. Работа с обездоленными детьми в Стэмфорде тоже не приносила радости, а никакой личной жизни у нее по-прежнему не было. Она никуда не выходила, ни с кем не общалась, за исключением редких встреч с Натали и Вирджинией. Но обе ее подруги были замужем, жили полной жизнью, у них было с кем делить горе и радости и о ком заботиться. У Пэрис не было никого. Остались только телефонные разговоры с сыном и дочерью. И при этом она продолжала твердить Анне, что ни за что не уедет из Гринвича. Пэрис казалось, ее место здесь, и переезжать на Запад ей совсем не хотелось.

— А что, если вам найти себе там работу? — опять подняла эту тему Анна, и Пэрис беспомощно взглянула на нее.

— А что я умею делать? Составлять букеты? Устраивать банкеты? Развозить чужих людей по их делам? Я ничего не умею!

— У вас диплом по деловому администрированию, — упрямо твердила Анна. Она с завидным постоянством давила Пэрис на больную мозоль, и порой Пэрис готова была ее убить. Но при этом, как ни странно, с каждой новой встречей между ними крепла дружба и взаимное уважение.

— Если бы мне сказали, что я должна зарабатывать на хлеб бизнесом, думаю, я бы растерялась, — призналась Пэрис. — Я ведь никогда этим не занималась. В колледже я изучала только теорию. Практики — никакой. И с тех пор я всегда была лишь женой и матерью.

— Вполне уважаемая профессия. А теперь пора заняться чем-то другим.

— Да не хочу я ничего другого!

— Пэрис, вы довольны жизнью? — невозмутимо поинтересовалась Анна.

— Нет, недовольна. Мне она ненавистна. — Пэрис не сомневалась, что теперь так будет всегда.

— Даю вам задание к нашей следующей встрече: подумайте, какой бы вы хотели видеть свою жизнь. Неважно, что это будет. Вы должны мне сказать, чем вам действительно хотелось бы заниматься, даже если раньше вы никогда этого не делали или делали, но очень давно. Вязание, плетение кружев, фигурное катание, фотография, кукольный театр, рисование — все, что угодно. И не думайте сейчас о работе. Давайте просто выясним, к чему у вас лежит душа.

— Даже не знаю... — неуверенно проговорила Пэрис. — Я двадцать четыре года обслуживала семью, на себя у меня времени не оставалось.

— Именно об этом я и говорю. Пора подумать о себе. О том, как доставить себе радость. Вспомните хотя бы одну вещь, которой вам действительно хотелось бы заняться. Даже если это будет казаться чем-то глупым.

Пэрис была в недоумении. А когда пришла домой и села за стол, достав бумагу, растерялась еще больше. Ничего такого, о чем бы она мечтала, на ум не приходило. Что-то прозвучало в кабинете у Анны Смайт, что тронуло какие-то струны в ее душе, но сейчас Пэрис не могла припомнить. Она уже лежала в постели, с погашенным светом, как вдруг вспомнила. Фигурное катание! Его Анна назвала для примера. В детстве Пэрис его обожала, всегда смотрела чемпионаты по телевизору. Вот Анна посмеется!

Пэрис по-прежнему посещала сеансы дважды в неделю и пока не была готова переходить на один раз.

— Я кое-что придумала, — произнесла она с робкой улыбкой, явившись через три дня на очередной сеанс. — Коньки. В детстве я очень любила кататься. И детей на каток возила, когда они маленькие были.

Но Анна и не думала смеяться.

— Отлично, — спокойно сказала она. — Теперь вам задание — как можно скорее поехать на каток. К следующему разу я хочу услышать, что вы побывали на катке и немного развлеклись.

Пэрис чувствовала себя крайне нелепо, но в ближайшие выходные отправилась на гринвичский каток и долго каталась по кругу, держась поближе к бортику. Было раннее воскресное утро, на льду почти никого не было, если не считать нескольких мальчишек в хоккейных коньках и пары старушек, которые катались на удивление прилично — по-видимому, делали это всю жизнь.

Уже через полчаса неловкость прошла, и Пэрис была в полном восторге.

В четверг она опять поехала кататься и на сей раз удивила сама себя тем, что наняла инструктора, чтобы научиться делать вращения. Со временем это стало ее любимым времяпрепровождением, и, когда на День благодарения прилетели дети, Пэрис уже довольно многому научилась. На следующее утро она уговорила Вима и Мэг поехать с ней кататься и была очень довольна, когда Вим вслух выразил ей свое восхищение.

— Мам, ты как Пегги Флеминг, — подхватила Мэг.

— Это вряд ли. Но все равно спасибо.

Они пробыли на катке почти до полудня, а потом отправились домой поедать индейку, которую Пэрис, уходя, поставила в духовку. Но, несмотря на насыщенное утро и радость от встречи с детьми, этот день дался ей нелегко. Праздник словно высветил все перемены, происшедшие за последний год. Пэрис было больно об этом думать, тем более что назавтра дети должны были ужинать в городе с отцом. Питер тоже жаждал с ними пообщаться, но с пониманием отнесся к тому, что День благодарения они хотели провести с мамой, и смиренно ждал своей очереди.

В пятницу, в пять часов вечера, нарядные брат с сестрой сели в поезд, идущий в Нью-Йорк, — в снегопад никто не захотел вести машину. Отец расщедрился и пригласил их на ужин в «Ле Сирк». Мэг такого не ожидала, и ей пришлось надеть мамино черное платье, а Вим решил пойти в костюме, который ему купили на выпускные торжества. Он сразу стал выглядеть старше своих лет, да и вообще за три месяца в колледже сильно повзрослел; Пэрис отметила это с материнской гордостью.

Питер дожидался их у входа в ресторан. На нем был костюм в узкую полоску, и Мэг нашла его очень привлекательным, о чем тут же ему сообщила. Отец просиял — он был счастлив повидаться с детьми и на ночь забронировал им номера в отеле. В Калифорнию оба летели только в воскресенье, и субботний вечер был отдан друзьям.

Пэрис довольствовалась тем, что дети хоть немного побудут дома — она не собиралась монополизировать их время. Как, впрочем, и Питер. А Вим и Мэг были рады побывать в Нью-Йорке. Повсюду уже установили елки, и снегопад усиливал атмосферу праздника, делая город похожим на рождественскую открытку.

Поначалу Мэг показалось, что отец несколько напряжен и с трудом подыскивает слова. Впрочем, он никогда не отличался общительностью, разговор обычно поддерживала мама. Кроме того, после его ухода из дома они несколько отвыкли друг от друга. Как бы то ни было, Мэг удивилась и растрогалась, когда отец заказал на десерт шампанское.

— Мы что-то празднуем? — спросила она, решив его подразнить.

— Вообще-то, да, — ответил отец и смущенно обвел детей взглядом. — Я должен вам кое-что объявить.

Мэг предположила, что речь идет о новой квартире. Или — что маловероятно, хотя и хотелось бы, — о намерении вернуться к маме. «Но в таком случае, — решила она, — мама бы тоже была здесь».

Они напряженно ждали, а Питер все никак не решался заговорить. То, что он задумал, на деле оказалось сложнее, чем можно было ожидать, и сейчас он очень нервничал.

До сих пор Питер ни словом не упоминал о Рэчел, считая, что дает детям время свыкнуться с разрывом родителей. Одновременно он хотел оградить Рэчел от неизбежной критики со стороны своего семейства. И совсем не задумывался над тем, как повлияет на его отношения с детьми известие о новой женщине в его — а значит, и их — жизни.

— Я женюсь, — наконец выпалил он, и сын с дочерью уставились на него с изумлением.

— Пап, ты шутишь? — воскликнула Мэг, побледнев, как полотно. — Нет, этого не может быть!

Вим сразу подумал о матери. Это ее добьет.

— А мама знает?

— Нет, не знает. — Питер не выдержал и опустил глаза. — Вам первым говорю. Я решил, так будет лучше.

Мэг сама не ожидала, что это известие так подействует на нее — ведь она с самого начала допускала такой вариант. И все-таки она отказывалась понимать, как отец мог так поступить. Ясно, что именно ради этой женщины он и бросил маму. Но ведь они еще даже не развелись! Как он может думать о новом браке? Мама ни с кем не встречается, из дома почти не выходит, а он...

— И давно ты с ней знаком?

Мэг старалась говорить спокойно, хотя на самом деле в голове у нее все шло кувырком. Ей хотелось одного — вскочить, залепить ему пощечину и с криком броситься из этого ресторана, но она понимала, что это будет ребячество. Надо хотя бы выслушать. Но даже если причиной всему эта женщина, все равно жениться так скоро — просто безумие. А может, отец и впрямь свихнулся?

— Она уже два года работает у меня в конторе. Очень симпатичная, умная молодая женщина. Окончила Стэнфорд. — Можно подумать, это что-то меняет! — У нее двое сыновей, Джейсон и Томас, пяти и семи лет. Я надеюсь, вы их полюбите...

«Господи, — подумала Мэг, — только этого не хватало!» По глазам отца было видно, что он не шутит. Единственное, за что она была ему сейчас благодарна, — это что у него хватило такта не приводить эту особу на ужин.

— Сколько же ей лет? — продолжала Мэг, заранее предвидя ответ. Она чувствовала, что наступил один из самых тяжелых моментов в ее жизни — лишь немногим легче того, когда мать позвонила и сообщила о предстоящем разводе.

— Ей тридцать два.

— Боже мой, папа! Она же на двадцать лет тебя моложе!

— И всего на восемь лет старше тебя, Мэг, — добавил мрачно Вим. Ему тоже было не по себе. Хотелось побыстрее вернуться домой, к маме. Он чувствовал себя, как ребенок перед лицом опасности.

— Но почему тебе с ней просто не встречаться? Зачем сразу жениться? Вы же с мамой еще даже не развелись! — Мэг была готова разрыдаться.

Отец строго посмотрел на нее и ничего не ответил. Нет, оправдываться перед детьми он не станет, это было видно. Мэг не могла отделаться от мысли, что у него с головой не все в порядке.

— Мы поженимся на Новый год, и я хочу, чтобы вы оба были у нас на свадьбе.

За столом воцарилось долгое молчание. Официант принес счет, а Вим и Мэг продолжали упорно смотреть в свои тарелки. До Нового года всего месяц с небольшим, и они только сейчас узнают о свадьбе как об уже решенном деле!

— Я собирался провести Новый год с друзьями, — заявил Вим, как будто это могло послужить отговоркой. Но он уже видел по выражению отца, что увильнуть не удастся — на этом мероприятии он все равно обязан быть, как ни крути.

Удивительно, но в этот момент Питеру не хватило сообразительности не разыгрывать из себя непреклонного отца.

— Думаю, Вим, на сей раз тебе придется обойтись без приятелей. Это для меня очень важный день. И я хочу, чтобы ты взял на себя роль моего свидетеля.

Вим со слезами на глазах замотал головой:

— Пап, я не могу так поступить с мамой. Это ее убьет. Ты можешь принудить меня прийти, но твоим свидетелем я ни за что не буду!

Питер долго молчал, потом кивнул и повернулся к Мэг, у которой был такой же убитый, как у брата, вид.

— Надеюсь, ты тоже придешь?

— Конечно, — произнесла она сдавленным голосом. — Пап, а ты нас хоть до свадьбы-то познакомишь?

Питер сразу оживился:

— Разумеется. Завтра мы с Рэчел приглашаем вас на завтрак. Она хочет, чтобы вы заодно познакомились с Джейсоном и Томми. Очень симпатичные!

У него уже была новая семья... Мэг вдруг пришло в голову, что невеста еще достаточно молода и вполне может думать о новых детях. От одной этой мысли ей стало нехорошо. Но по крайней мере в этой драме и им нашлось место. Было бы куда хуже, если бы отец вовсе оставил их за бортом. Или поставил бы их в известность задним числом.

— И где будет свадьба?

— В клубе «Метрополитен». Довольно скромно, не больше сотни гостей. Мы не хотели ничего пышного. Рэчел еврейка, так что венчания тоже не будет. Нас зарегистрирует ее знакомый судья.

Что-то немыслимое! Мэг представила себе, как отец сочетается браком с чужой женщиной, и чуть не впала в истерику. Неважно, хорошая ли она женщина, умная ли, красивая ли. Как и брата, ее не оставляла мысль о матери. Как она это перенесет? Хорошо еще, если руки на себя не наложит! Слава богу, что они с Вимом сейчас здесь и маму есть кому утешить.

— Когда ты собираешься сказать маме? — осторожно спросила Мэг. Вим уже давно не говорил ни слова и лишь теребил салфетку у себя на коленях.

— Пока не решил, — уклончиво произнес отец. — Я хотел, чтобы сначала вы об этом узнали.

И тут Мэг поняла, чего он хочет. Он хочет, чтобы матери сказали они! Они должны принести ей эту убийственную новость...

В отель они ехали в молчании. Проводив детей в смежные номера, Питер попрощался и удалился. Едва за ним закрылась дверь, Мэг бросилась брату на шею, и оба заплакали, как дети, заблудившиеся в ночи.

— И как мы скажем об этом маме? — бормотал Вим, уткнувшись в плечо сестры.

Мэг первой взяла себя в руки, усадила брата на диван и села рядом.

— Придумаем что-нибудь. Думаю, лучше всего так прямо и сказать.

— Боюсь, она снова перестанет есть, — угрюмо произнес Вим.

— Может, обойдется. Она все-таки ходит к психотерапевту. Но как он может быть таким идиотом?! Она же почти моего возраста, к тому же с двумя детьми! Наверное, из-за нее он от мамы и ушел.

— Думаешь? — Вим был озадачен, он как-то не связал эти два обстоятельства.

— Ну конечно! Иначе он бы не стал так спешить со свадьбой. Ведь развод будет оформлен только через полмесяца. Да, отец времени зря не теряет. Может, она беременна? — в панике предположила Мэг, а Вим упал на кровать и закрыл глаза.

Потом они позвонили маме — просто чтобы сообщить, что живы-здоровы, но ни словом не обмолвились о папиной новости. Сказали, что чудесно поужинали в ресторане, а теперь ложатся спать.

Впервые за многие годы они снова спали в одной постели, в целомудренном отчаянии прижимаясь друг к другу, как делали когда-то в далеком детстве. В последний раз нечто похожее было с ними, когда умерла их собака. С тех пор Мэг никогда не чувствовала себя такой несчастной. Это было очень-очень давно.

Утром отец позвонил убедиться, что дети встали, и напомнил, что в десять часов они встречаются в ресторане отеля с Рэчел и ее сыновьями.

— Жду не дождусь! — пробурчала Мэг, повесив трубку. Она чувствовала нечто похожее на похмелье.

Виму было еще хуже — у него было ощущение, что он заболел.

— Нам обязательно это делать? — пробормотал он, заранее зная ответ.

Мэг надела замшевые брюки и мамин свитер, а Вим оделся нарочито просто — в джинсы и джемпер с эмблемой университета. Собственно, другой одежды он с собой не взял и сейчас втайне надеялся, что его в таком виде в ресторан не пустят. Но этого не произошло.

Отец уже сидел за столом в обществе очаровательной молодой женщины и двух ерзающих на стульях мальчишек. Мэг сразу бросилось в глаза, что Рэчел похожа на их мать, только выше ростом, моложе и сексуальнее. Сходство было поразительное. Как будто отец перевел часы назад, пытаясь обмануть время с женщиной намного моложе своей бывшей жены. В каком-то смысле это было признанием достоинств Пэрис, но от этого ситуация казалась еще более трагичной. Почему он не захотел спокойно стариться рядом с Пэрис, оставить все как есть?..

Глядя на Рэчел, Вим понял, что это с ней отец знакомил его у себя в конторе несколько месяцев назад. Теперь Вим гадал, давно ли тянутся у отца отношения с этой женщиной, был ли у них роман тогда, когда он видел ее в тот раз.

На протяжении всего завтрака Рэчел изо всех сил старалась поддерживать беседу. Она была против того, чтобы ставить Вима и Мэг в известность так поздно, и прекрасно понимала, как им будет тяжело. Но и откладывать со свадьбой ей тоже не хотелось — она и так уже долго ждала. Просто она считала, что Питер должен был давно им сказать. Ей с самого начала казалась неразумной его идея дать улечься страстям. Ведь Питер уже купил им прекрасную квартиру на Пятой авеню, с роскошным видом на парк и двумя большими гостевыми спальнями, специально для его детей. А у малышей и их няни были свои комнаты. Рэчел считала, что, если они заведут еще ребенка, мальчиков можно будет поселить в одну комнату... А теперь, перед этим судьбоносным завтраком, ей пришлось строго-настрого предупредить своих детей, чтобы не говорили, что Питер давно живет с ними. Наконец, под занавес, Рэчел осторожно заговорила о свадьбе.

— Я знаю, как вам тяжело слышать, что мы женимся, — негромко произнесла она. — Для вас это большая неожиданность, вы, наверное, в шоке. Но я действительно люблю вашего отца и хочу, чтобы он был счастлив. А еще я хочу, чтоб вы знали, что вы всегда желанные гости в нашем доме. Это и ваш дом тоже.

— Благодарю, — пробормотала Мэг сдавленным голосом.

После этого разговор пошел о свадьбе. В половине двенадцатого Вим, за весь завтрак не проронивший ни слова, поднял глаза на сестру и объявил, что они опаздывают на поезд. Питер напомнил Виму, что на свадьбе надо быть в смокинге; Мэг с братом торопливо попрощались с будущей мачехой и ее детьми и поспешно удалились.

Всю дорогу в такси Вим молча смотрел в окно, а Мэг держала его за руку. Оба знали, что это будет самый ужасный Новый год в их жизни. И в жизни их матери. А им ведь еще предстоит ей обо всем сказать! Впрочем, Мэг считала, что это лучше, чем если она снова услышит пакость от отца. С нее довольно.

— Что скажешь? — спросил Питер, расплатившись по счету.

Рэчел помогала сыновьям застегивать куртки. Дети вели себя прекрасно, хотя ни дочь, ни сын Питера за все утро не удостоили их ни единым словом.

— У меня такое впечатление, что они оба в шоке. Слишком много сразу на них свалилось. Я, мальчики, свадьба... Я бы тоже была шокирована.

Рэчел прекрасно помнила, как уходил из семьи ее собственный отец. В тот год, когда она заканчивала Стэнфорд, отец женился на ее однокурснице. После этого Рэчел три года с ним не разговаривала, да и потом общалась лишь изредка. Между ними образовалась пропасть, особенно после того, как спустя пять лет мать умерла от рака. Рэчел считала, что от горя. Эта ситуация была ей знакома, однако не изменила ее решения выйти замуж за Питера. Слишком сильно она его любила.

— Когда ты думаешь сказать Пэрис? — спросила она уже на улице, пока они ждали такси, чтобы ехать домой.

— Это обещала сделать Мэг. Думаю, так будет лучше, — ответил Питер, не скрывая своего малодушия. Рэчел мельком взглянула на него.

— Да, пожалуй, — согласилась она.

Когда машина тронулась, Питер обнял Рэчел за плечи и потрепал мальчишек по волосам. Вид у него был умиротворенный. Утро выдалось тяжелое, но, кажется, все обошлось. Теперь ему оставалось только выбросить из головы Пэрис. Он в который раз сказал себе, что поступает правильно. И для себя, и для всех. Это была иллюзия, за которую ему теперь предстояло держаться, как за спасительную соломинку, до конца дней...

Глава 9

Когда в понедельник Пэрис вошла в кабинет, Анна Смайт насторожилась. Такой она ее уже давно не видела. Пожалуй, с самого первого сеанса в июне. Словно лунатик, плохо ориентирующийся в пространстве, Пэрис прошла по комнате и опустилась в кресло. Вид у нее был как у человека, накачанного успокоительными.

Она не плакала, не кричала, ни о чем не рассказывала. Сидела совершенно неживая.

— Как с катком? — осторожно спросила Анна.

— Никак, — отсутствующим голосом ответила Пэрис.

— Почему? Болели?

Они виделись всего четыре дня назад, но за это время многое могло произойти. И, видимо, произошло.

— На Новый год Питер устраивает свадьбу.

Наступило долгое молчание.

— Понятно. Это тяжело.

— Да уж, — вздохнула Пэрис.

У нее было ощущение, будто последняя соломинка, за которую она держалась, обломилась. Он не образумился и не изменил своего решения. Через месяц с небольшим он женится.

В субботу дети сообщили ей об этом, едва вернулись из города. В ту ночь Мэг спала с мамой. А на другой день оба уехали к себе в Калифорнию. Все воскресенье Пэрис проплакала. О детях, о Питере, о себе. Ей казалось, она до конца дней обречена быть одна. А у Питера новая жена. Точнее — скоро появится.

— Как вы себя чувствуете?

— Отвратительно.

Анна улыбнулась:

— Это заметно. Еще бы! Любой бы чувствовал себя мерзко в такой ситуации. Пэрис, вы сердиты?

Пэрис помотала головой, и глаза ее наполнились слезами.

— Я просто расстроена. Очень расстроена. — Вид у нее был убитый.

— Вы не думаете, что вам стоит попить какие-нибудь лекарства? Может быть, вам тогда станет легче?

Пэрис снова мотнула головой:

— Я не хочу прятаться от того, что есть. Мне надо научиться с этим жить. Он ушел навсегда.

— Верно. А у вас впереди целая жизнь, и какая-то ее часть наверняка будет счастливой. Не исключено, что так тяжело вам уже никогда не будет.

— Хотелось бы надеяться, — всхлипнула Пэрис; слова Анны ее несколько обнадежили. — Я хочу его возненавидеть — и не могу. Я ненавижу ее! Мерзавка! Разбила мне жизнь. И он тоже, черт бы его побрал! Но я все равно его люблю...

Она говорила как ребенок и чувствовала себя такой же беззащитной. Она была беспомощна, растерянна и не могла поверить, что когда-нибудь снова сможет испытать счастье.

— Как держались Вим и Мэг?

— На мой взгляд, прекрасно. Конечно, они тоже расстроились. И даже были в шоке. Спросили меня, знала ли я о ее существовании... Я решила, что будет нечестно по отношению к Питеру говорить им, что он и бросил-то меня из-за нее.

— Зачем вы его выгораживаете?

— Но он же их отец! Мне показалось, что лучше не говорить правду. Он сам должен им сказать.

Анна помолчала:

— Вы поступили очень порядочно. А как вы сами, Пэрис? Придумали, как будете из этого выкарабкиваться? Мне кажется, вам снова стоит заняться коньками.

— Я не хочу. Я больше ничего не хочу!

Пэрис снова была в глубокой депрессии. Отчаяние стало для нее стилем жизни.

— Тогда, может, начнете видеться с друзьями? Вас уже приглашали на Рождество?

«Господи, как нелепо это теперь звучит!» — подумала Пэрис.

— Да, многие. Я всем отказала.

— Почему? По-моему, вам стоит пойти.

— Не хочу, чтобы меня жалели. — Последние полгода она повторяла это как заклинание.

— Если вы станете затворницей, вас будут жалеть еще больше. Почему вы не хотите сделать над собой усилие и сходить хотя бы на одну вечеринку? На пробу?

Пэрис долго смотрела в пустоту, потом покачала головой.

— Ну что ж, раз вы в такой депрессии, придется прибегнуть к помощи лекарств, — твердо заявила Анна.

Пэрис подняла глаза и тяжело вздохнула.

— Хорошо, хорошо. Я схожу к кому-нибудь в гости. Один раз. О большем не просите.

— Спасибо, — обрадовалась Анна. — Не скажете, к кому именно?

— Нет. — Пэрис бросила на нее сердитый взгляд. — Сама решу.

Остаток сеанса они обсуждали ее отношение к предстоящему браку Питера, и, уходя, Пэрис выглядела намного бодрее. Через три дня она сама сообщила Анне, что приняла приглашение от Вирджинии и ее мужа, которые собирают гостей за неделю до Рождества. На другой день после этого должны были приехать Вим и Мэг и погостить у матери целых две недели. У Вима были каникулы, и после свадьбы Питера он собирался еще съездить с друзьями на горнолыжный курорт в Вермонт. Пэрис сейчас мечтала об одном — пережить праздники. Если первого января она проснется живой и невредимой, стало быть, можно жить дальше.

Помимо гостей, куда, по правде сказать, Пэрис идти страшно боялась, она согласилась и еще на одну вещь — побаловать себя. Анна сказала, что это очень важно, что она должна себя беречь, много отдыхать, полноценно спать, заниматься спортом, даже ходить на массаж. И вот на следующий день, словно знамение свыше, у нее произошла случайная встреча с одной женщиной, дочь которой когда-то училась вместе с Мэг. Та сунула ей визитку массажиста-ароматерапевта, к которому ходила и была очень довольна. Пэрис машинально взяла карточку, но потом решила, что хуже не будет. Анна права: ей надо что-то делать, чтобы достичь мира в душе, тем более что принимать антидепрессанты она не собирается. Она должна была сама выйти из этого черного круга, снова стать бодрой и счастливой, но по какой-то внутренней причине. Пэрис не имела ничего против того, чтобы люди принимали лекарства, но сама ни за что не хотела этого делать. Другие — пусть, а она не станет. Массаж выглядел вполне подходящей альтернативой, и в тот же вечер она позвонила по указанному на визитке телефону.

Ответил какой-то неземной голос, фоном звучала индийская музыка, которая показалась Пэрис несколько назойливой, но она решила не делать скоропалительных выводов. Массажистку звали Карма Аппельбаум, и Пэрис с трудом удержалась от смеха. Массажистка сказала, что сегодня же приедет к ней на дом, привезет свой массажный стол и ароматические масла. По всей видимости, боги на их стороне, поскольку у нее случайно освободился этот вечер.

Пэрис на мгновение замешкалась, а потом решила — какая разница? Терять ей нечего, может, хоть спать будет лучше. Само слово «массаж» ассоциировалось у нее с колдовством, она ни разу в жизни не была в массажном кабинете. А что такое ароматерапия — одному богу известно. Пэрис это слово казалось каким-то нелепым. Диву даешься, чем только люди не занимаются!

Перед приходом ароматерапевта она выпила чашку быстрорастворимого супа, и тут позвонила Мэг. Пэрис смущенно призналась дочери, что ей сейчас предстоит, но Мэг ее одобрила.

— Пирс обожает ароматерапию, мы с ним все время это проделываем, — весело объявила она.

Пэрис застонала. Именно этого она и опасалась.

Карма Аппельбаум приехала на фургоне, расписанном индийскими письменами. Ее белокурые волосы были забраны в маленькие косички с вплетенными в них бусинками, она была вся в белом. Вопреки своему скептицизму, Пэрис не могла не признать, что лицо у женщины приятное, умиротворенное, хотя во всем ее облике было что-то потустороннее. Едва переступив порог, она сняла обувь, потом спросила, где у Пэрис спальня, бесшумно поднялась по лестнице, установила свой стол и застелила его мягкими простынями. Затем она достала из чемоданчика маленький кассетник, и зазвучала нежная музыка, похожая на ту, что Пэрис слышала в трубке.

Когда Пэрис вышла из ванной в своем шерстяном халате, в котором теперь проводила большую часть дня, ее спальня оказалась погружена в полумрак. Карма была готова к священнодействию. У Пэрис появилось ощущение, будто она принимает участие в каком-то таинстве.

— Выдохните из себя всех демонов, которые владеют вами... Прогоните их туда, откуда они пришли! — шепотом произнесла Карма.

Тихонько вздохнув, Пэрис легла на стол. Она и не знала, что ею владеют демоны.

Не говоря больше ни слова, Карма сделала несколько пассов, похожих на взмахи дирижерской палочки, и заявила, что не чувствует чакры Пэрис. Потом ее руки резко замерли над печенью. Она нахмурилась, внимательно посмотрела на Пэрис и с неподдельной тревогой произнесла:

— Чувствую затемнение!

— Где? — Пэрис начала нервничать. Она рассчитывала получить массаж, а не диагноз.

— По-моему, между почками и печенью. У вас были проблемы с матерью?

— В последнее время — нет. Она уже восемнадцать лет как умерла. Но при жизни мы с ней не ладили. — Мать у Пэрис была довольно сварливой женщиной, но Пэрис о ней и думать забыла. Мало ей своих проблем!

— Тогда это что-то другое... Но я чувствую, что у вас в доме духи зла. Вы их когда-нибудь слышали?

Да, она не ошиблась, это действительно спиритический сеанс. Не хватало только, чтобы эта массажистка ее расстроила!

— Нет, не приходилось.

Пэрис всегда была склонна опираться на факты, и духи ее не занимали. Ее волновало одно: как пережить развод и скорую свадьбу Питера. Уж лучше бы духи. От них легче избавиться.

Руки Кармы вдруг замерли в нескольких сантиметрах над животом Пэрис.

— Вот оно, нашла! — объявила она победным тоном. — Кишечник.

— А что с ним? — спросила Пэрис, чувствуя нелепость происходящего и одновременно панику. Не хватало еще, чтобы у нее нашли какую-нибудь болезнь.

— Все демоны у вас внутри, — уверенно заявила Карма. — Вам необходима клизма. Пока вы не очиститесь от шлаков, массаж вам пользы не принесет.

Да, кто бы она ни была, эта дама, несомненно, с той же планеты, что и Пирс Джонс.

— А можно пока обойтись без клизмы и ограничиться тем, что в наших силах? — Пэрис была не склонна дискутировать на эту тему. Она хотела только одного: получить массаж и потом крепко уснуть.

— Попробовать можно, но нужного эффекта не будет. — Пэрис готова была с этим смириться, хотя Карма выглядела крайне обескураженной. — Ладно, я сделаю что смогу.

Она наконец достала из саквояжа бутылочку масла, щедро вымазала им Пэрис и приступила к массажу. Начала она с плеч, потом проработала грудную клетку, живот, ноги и всякий раз недовольно хмыкала, проводя рукой по животу.

— Я не хочу, чтобы демоны чувствовали себя вольготно, — пояснила она. — Их надо изгнать.

Музыка, пахучее масло, полумрак и руки Кармы уже начали производить свое волшебное действие на Пэрис. Вопреки всем демонам, притаившимся в кишечнике, она наконец расслабилась, и, когда Карма шепотом попросила ее перевернуться, Пэрис уже чувствовала себя лучше. Массаж спины и плеч оказался чудодейственным. У нее было такое ощущение, словно она тает под руками массажистки. Именно это ей сейчас и было нужно.

Пэрис лежала с закрытыми глазами и наслаждалась этим божественным ощущением — пока вдруг не почувствовала между лопатками резкий удар, как если бы в нее запустили теннисным мячиком со всего размаху. После этого Карма словно отщипнула с ее спины кусок плоти.

— Что вы делаете?! — в ужасе вскинулась Пэрис.

— Ставлю банки. Это необходимо — они вытянут из вашего тела всех демонов заодно с токсинами.

О нет! Выходит, демоны переместились из кишечника в верхнюю часть тела и Карма решила их оттуда изгнать? Пэрис было очень больно, она извивалась, но стеснялась что-либо говорить.

— Чудесно, правда?

— Не сказала бы, — пробурчала Пэрис, решив, что хватит приукрашивать действительность. — Начало мне понравилось больше.

— Точно так же к этому отнесутся и ваши демоны. Нельзя создавать им комфортные условия, вы согласны?

«А почему бы нет? — хотелось спросить Пэрис. — Ведь когда удобно демонам, мне тоже хорошо».

Когда экзекуция наконец завершилась, Карма достала откуда-то горячие камни и без всякого предупреждения водрузила Пэрис на плечи. Жар был почти нестерпимый.

— Это поможет очистить ваши внутренности и разум, пока вы не сделали клизму, — пояснила массажистка.

В воздухе разлился запах паленого — что-то среднее между горелым мясом и жженой резиной, причем такой резкий, что Пэрис закашлялась.

— Так я и думала! — воскликнула Карма. — Теперь дышите глубже. Они не переносят этого запаха. Надо изгнать из помещения всех злых духов.

Пэрис боялась, что запах потом ничем не выветришь. Уж не подпалила ли она диван? Впрочем, сейчас ей было не до этого. Камни жгли невыносимо, а Карма невозмутимо продолжала массаж. Пэрис начинала понимать глубинный смысл учений, последователи которых спят на гвоздях или глотают огонь. Мозг отвлекается от гнетущих забот и целиком сосредоточивается на тех точках тела, которым горячо, больно или неприятно.

Карма попросила Пэрис перевернуться на спину, ни слова не говоря, высыпала ей на пупок чашку соли и тут же капнула сверху горячее благовоние. Пэрис, как завороженная, следила за ее руками.

— А это для чего?

— Чтобы оттянуть на себя все яды и вернуть вам внутренний покой.

Что ж, эта субстанция, по крайней мере, пахла получше — комната вмиг наполнилась ароматом весны, и Пэрис с жадностью втянула нежный цветочный запах.

— Они этого не выносят, — с улыбкой объявила массажистка, имея в виду, конечно, все тех же демонов.

Пэрис невольно продолжала втягивать в себя запах, пока от ароматических масел ей стало нехорошо.

— Я, кажется, тоже этого не выношу, — заметила она. — Должно быть, у меня аллергия.

Карма взглянула на нее так, словно ей отвесили пощечину.

— На ароматерапию аллергии не бывает, — безапелляционно заявила она.

Пэрис, однако, чувствовала, что с нее довольно. Сам по себе массаж был приятен, но благовония, нагретые камни и едкие запахи — это уже перебор.

— Нет, у меня на них точно аллергия, — твердо сказала она и, спустив ноги со стола, потянулась за халатом. — К тому же уже поздно. Мне неловко вас так долго задерживать.

— Нельзя так резко останавливаться, — настойчиво произнесла Карма. — Прежде чем уйти, я должна закрыть ваши чакры. В противном случае, едва вы встанете на ноги, из вас уйдет вся энергия.

Пэрис такая перспектива не понравилась, и с недоверчивым видом она легла обратно. Карма пробежалась ладонями по ее телу, с закрытыми глазами бормоча что-то нечленораздельное. Хвала господу, через несколько минут она закончила. Но запах в спальне стоял такой сильный, что у Пэрис появилось сомнение, можно ли будет в этой комнате вообще когда-нибудь спать.

— Большое вам спасибо, — сказала она, спрыгивая со стола.

Еще полчаса Карма собирала свой реквизит, потом взяла с Пэрис сто долларов — вполне разумно — и ближе к двенадцати удалилась. Заперев дверь, Пэрис вернулась в спальню и расхохоталась. Что ж, отчасти сеанс помог ей расслабиться, но в основном это было очень нелепо. Уходя, Карма предупредила ее, чтобы до утра не мылась: это будет слишком большой удар для нее и ее демонов. Но Пэрис не собиралась ложиться в постель обмазанной маслом. С улыбкой на лице она вошла в ванную, включила душ, сняла халат — и увидела в зеркале свою спину. Она вся была в круглых кровоподтеках от банок. Вид был ужасный, а судя по кроваво-пурпурным кругам, наутро следовало ожидать синяков. Мало того, все это еще и болело. Может, демоны и пострадали, но больше всего пострадала ее спина.

Когда наутро Пэрис взглянула в зеркало снова, ее худшие опасения подтвердились. У нее был такой вид, словно ее как следует поколотили. Особенно страшно выглядели красные ожоги на плечах от камней. А запах в спальне стоял такой, будто тут кто-то умер. Ну и ладно! Какая кому разница, чем пахнет у нее в спальне? И спину она никому показывать не собиралась.

Когда позже позвонила Мэг и спросила, как прошел сеанс, Пэрис только посмеялась.

— Интересно, ничего не скажешь. Современная разновидность мазохизма. Между прочим, у меня в кишках демоны.

— А... Понятно. У Пирса тоже. Это ему от отца передалось.

— Надеюсь, тебе — нет? — забеспокоилась Пэрис. — А то она сказала, что мои мне достались от матери.

— Мам, Пирс будет восхищен тем, что ты это сделала, — улыбнулась Мэг. — Может, в следующий раз попробуешь глубокий массаж?

— Не нужно. Мы с демонами и так прекрасно себя чувствуем.

На следующий день после рождественской вечеринки у Моррисонов Пэрис пошла к Анне Смайт. Вид у нее был удовлетворенный.

— Хорошо провели время? — с надеждой в голосе поинтересовалась доктор. Она знала, что Пэрис уже полгода не была в гостях.

— Нет, мне не понравилось.

Пэрис самодовольно смотрела на Анну, как человек, доказавший свою правоту.

— И долго вы там пробыли?

— Двадцать минут.

— Это можно не считать. Если бы хоть час...

— За двадцать минут я от семерых человек выслушала заверения в глубоком сочувствии. Потом муж моей подруги предложил тайком от жены встретиться и выпить, за ним — еще один... И пять человек сообщили мне, что приглашены к Питеру на свадьбу. Больше ни за что никуда не пойду. Я чувствовала себя жалкой идиоткой.

— Нет, пойдете. Вы не жалкая идиотка. Вы женщина, которую оставил муж. Это трудно, Пэрис, но такое случается. Вы это переживете.

— Никуда я больше не пойду! — отрезала Пэрис. — Массаж я, кстати, тоже сделала. Пришла какая-то сумасшедшая тетка, после которой у меня несколько дней держались синяки. У меня, видите ли, в кишечнике демоны. И ни в какие гости я больше не пойду. Никогда! — повторила она с решительным и упрямым видом.

— Тогда вам надо завести знакомства с людьми, которые не знают Питера. Это тоже вариант. Но вы не можете до конца дней сидеть дома, как Грета Гарбо. Скоро ваши дети начнут беспокоиться, а вам самой станет невмоготу от скуки. Нельзя похоронить себя в четырех стенах.

Пэрис пожала плечами:

— Хорошо, после свадьбы Питера я начну выходить.

— А что изменится? — удивилась Анна.

— По крайней мере, со мной перестанут говорить о предстоящей свадьбе. Между прочим, нашелся один умник, который спросил, пойду ли я!

— И что вы сказали?

— Что жду не дождусь и специально поеду в Нью-Йорк покупать к этому случаю платье. А что я могла сказать? Что у меня на этот вечер запланировано самоубийство?

— А оно запланировано? — моментально отреагировала Анна.

— Нет, — вздохнула Пэрис. — Даже если бы мне захотелось, я бы этого не сделала из-за детей.

— Но вам этого хочется?

— Нет, — печально ответила Пэрис. — Умереть я бы не против, но не хочу делать это сама. Да и смелости не хватит.

— Так. Если вы когда-нибудь начнете что-то замышлять в этом роде, пожалуйста, сразу звоните мне, — строго потребовала Анна.

— Непременно, — пообещала Пэрис вполне искренне. Она была несчастна, но не настолько, чтобы наложить на себя руки. Рэчел такой радости не дождется!

— Что будете делать в Новый год?

— Плакать, скорее всего.

— А вам ни с кем не хотелось бы повидаться?

— По-моему, все мои знакомые идут к Питеру на свадьбу. Это действует мне на нервы. Не волнуйтесь, я буду в порядке. Лягу спать пораньше.

Обе понимали, что Новый год будет для Пэрис очень тяжелым. Иначе и быть не могло.

За пять дней до Рождества Пэрис получила последние бумаги, связанные с разводом. Теперь она официально была не замужем. Она долго тупо смотрела на уведомление, после чего убрала его в ящик стола. Это было все равно что свидетельство о смерти. Пэрис не думала, что когда-нибудь прочтет в таком документе свое имя.

Когда приехали дети, она им даже не сказала. Не нашла в себе сил произнести это вслух. Все кончено. Ровно семь месяцев, как он от нее ушел, почти день в день. А теперь он женится на Рэчел. Все это казалось Пэрис каким-то нереальным, сама ее жизнь стала нереальной.

В Новый год Вим с Мэг уехали в город. Пэрис расцеловала их на прощание, но ничего не сказала. Хотела было позвонить Анне, но что она ей скажет? А когда нечего сказать, лучше быть одной.

Пэрис немного посидела у телевизора и в девять часов ушла спать. Она запретила себе думать о том, что происходит в данный момент в другом месте. Она знала, что гостей звали к восьми. И что в тот момент, как она погасила свет, Питер с Рэчел обменялись клятвами верности и стали мужем и женой. Та жизнь, которая была у нее на протяжении двадцати четырех лет, отошла в прошлое. Теперь у Питера другая жена и другая жизнь. Она для него больше не существует. Он разбил вдребезги все, что у них когда-то было.

Засыпая, Пэрис сказала себе, что ей уже все равно, ее не волнуют ни Питер, ни Рэчел, ни что-либо иное. Ей хотелось одного — забыть, что она его когда-то любила, и уснуть. Назавтра они летят на Карибы в свадебное путешествие, у них начинается новая жизнь. Новый год, новая жизнь, новый день. И для Пэрис тоже, хочет она или нет, начинается новая жизнь...

Глава 10

Неделя после свадьбы Питера прошла для нее как в тумане. Первого января Пэрис проснулась с гриппом. К тому моменту, как дети вернулись из Нью-Йорка, она лежала с высоченной температурой, насморком и кашлем и единственным желанием — поспать.

Выздоравливать она начала, лишь когда дети собрались уезжать: Вим — кататься на лыжах, а Мэг — к себе в Лос-Анджелес. Она продолжала встречаться с Пирсом, хотя и призналась матери, что он ей порядком надоел. Ее доставали его режим, его диета, его усиленные тренировки. Она была сыта им по горло.

— Всякий раз, как его вижу, мне хочется пойти в «Бургер-Кинг» и съесть огромный гамбургер. Если он еще раз поведет меня в вегетарианский ресторан, я с ума сойду!

Услышав это, Пэрис облегченно вздохнула.

В тот день, когда она впервые встала с постели, позвонила Натали и сообщила, что недавно перенесла точно такой же грипп. В субботу у нее будут гости, только самые близкие друзья, и она бы хотела видеть среди них Пэрис. В первый момент у Пэрис было желание отказаться, но тут она вспомнила данное Анне Смайт обещание. С Натали они не виделись с самого Дня благодарения. Приглашение показалось ей ни к чему не обязывающим, и она решила его принять. А когда рассказала об этом Анне, та искренне обрадовалась.

— Вот и чудесно. Надеюсь, вы прекрасно проведете время, — сказала она серьезным тоном.

Пэрис ответила, что ей все равно, но, одеваясь вечером на выход — впервые за много месяцев, — она почувствовала, что соскучилась по друзьям. Может быть, Анна права и она уже созрела для того, чтобы снова начать общаться с людьми? Натали сказала, что будет человек десять-двенадцать, и ее это вполне устраивало. Чем больше народу, тем легче затеряться.

Пэрис надела бархатные брюки и кашемировый свитер, а волосы забрала в пучок. Она не помнила, когда это делала в последний раз. Она хотела надеть туфли на высоких каблуках, но выяснилось, что идет снег. Пришлось распихать туфли по карманам пальто и ехать в сапогах.

Перед уходом Пэрис еще раз выглянула в окно и поняла, что придется разгребать лопатой дорожку к воротам, иначе не проехать. Она подумала, не позвонить ли Моррисонам, чтобы заехали за ней, но решила не докучать людям. Пора привыкать самой о себе заботиться.

Пэрис надела теплое пальто с капюшоном, натянула варежки и с лопатой в руках вышла во двор. Минут двадцать она гребла снег перед домом, потом отскребала лед с лобового стекла и в результате поняла, что безнадежно опаздывает. Однако, приехав, Пэрис обнаружила, что гостей пока только четверо — у остальных, по-видимому, возникли те же проблемы. Снегопад застал всех врасплох. Услышав, что Пэрис приехала сама, муж Натали Фред отругал ее и сказал, что с радостью съездил бы за ней на своей машине. Она только посмеялась в ответ и сама удивилась своей самостоятельности.

Когда гости наконец собрались, стало ясно, что Пэрис в этой компании одна без пары. Впрочем, именно этого она и ожидала. Что ж, пора привыкать быть лишней. К счастью, здесь все были ей хорошо знакомы и достаточно тактичны, чтобы не упоминать о свадьбе Питера, хотя кое-кто из присутствующих там был, включая Вирджинию с мужем.

— Ну, как ты? — потихоньку спросила Вирджиния.

Пэрис рассказала, как боролась с гриппом, они поговорили о народных средствах, и тут раздался звонок в дверь. Пэрис подумала, что приглашена еще какая-то пара, но вошел незнакомый мужчина. Высокий, темноволосый, чем-то немного похожий на Питера, только постарше и с большой плешью на макушке. Но с виду вполне симпатичный.

— Это кто? — спросила Вирджиния у хозяйки дома, но та ответила, что не знает, — очевидно, какой-то приятель Фреда.

На самом деле Натали знала, кто этот человек, но подруге не сказала. Это был новый биржевой маклер Фреда, его пригласили специально, чтобы познакомить с Пэрис. Они решили, что ей пора выходить в свет и начать знакомиться с мужчинами. Пэрис и не догадывалась, что весь этот ужин затеян ради нее.

Вновь прибывший вошел в столовую. Он был в блейзере, красной водолазке и клетчатых брюках, на которые Пэрис невольно выпучила глаза. Более кричащих штанов она в жизни не видела. Не успел гость сесть к столу, как стало ясно, что он уже выпил. Не дожидаясь, когда это сделает хозяин дома, он назвал себя и стал жать гостям руки, причем довольно энергично. Когда дошла очередь до Пэрис, сразу стало понятно, зачем его позвали.

— А вы, стало быть, и есть веселая вдова из Гринвича? — ухмыльнулся он и пожал ей руку. Трясти не стал, но надолго задержал в своей, так что Пэрис пришлось приложить усилие, чтобы высвободиться. — Слышал, ваш бывший уже женился? — продолжал «кавалер», не мудрствуя лукаво.

Пэрис кивнула и поспешила повернуться к Вирджинии.

— Какая прелесть! — шепнула она и заметила, что Натали бросила на мужа уничтожающий взгляд.

Фред клялся и божился, что новый маклер — классный парень. Правда, виделись они всего дважды, и то — в офисе. Про него было известно, что он в разводе, имеет троих детей и, как он сам хвалился, неподражаемо катается на лыжах. Фреду этого показалось достаточным, чтобы пригласить его в дом. Никаких других холостяков на горизонте не наблюдалось, а Фред поклялся жене, что этот человек и умен, и выглядит прилично, и их финансовые дела ведет превосходно, и подруги у него, по его словам, нет.

К тому времени, как гостей пригласили к столу, этот тип успел рассказать несколько сальных анекдотов, какие обычно в женском обществе не звучат. Впрочем, были среди них и действительно смешные. Над одним Пэрис тоже от души посмеялась, но, когда он сел рядом с ней за стол, ей стало не до смеха. Гость уже явно успел не раз приложиться к виски и с трудом ворочал языком.

Подали суп.

— Ненавижу суп за ужином, а вы? — обратился он к Пэрис, не рассчитав при этом силу голоса. — Я вечно им обливаюсь, потому и галстук не ношу.

При этих словах он стал усердно запихивать салфетку за ворот своей водолазки, из чего Пэрис заключила, что пиджак ему тоже пачкать жалко. Потом сосед громко окликнул Фреда — ему понадобилось вино.

— В этом штате что, сухой закон? Или ты, Фред, все еще ходишь к «Анонимным алкоголикам»? Где вино, парень?

Фред поспешил наполнить бокал гостя, а Натали опять смерила его убийственным взглядом. Она не могла отделаться от мысли о том, что Пэрис сейчас особенно ранима, а это практически ее первый выход в общество. Натали хотела ненавязчиво познакомить ее с новым мужчиной. А тот оказался не более деликатным, чем слон в посудной лавке, и куда менее симпатичным. Чем больше он напивался, тем более сальными становились его шутки. К тому времени, как подали десерт, он уже колотил кулаком по столу и так громко хохотал над собственными остротами, что Пэрис с вытянувшимся лицом неотрывно смотрела на Вирджинию. Это было ужасно.

Когда встали из-за стола, Натали отвела Пэрис в сторонку и извинилась:

— Ради бога, прости. Фред уверял, что он прекрасный парень, и я...

— Все в порядке, — успокоила подругу Пэрис. — В своем роде он даже забавен. Только знаешь что? Не надо меня ни с кем знакомить. Я прекрасно себя чувствую в компании близких друзей, даже если я без пары. Мужчины меня не интересуют.

— А должны бы! — строго произнесла Натали. — Ты не можешь до конца дней торчать одна в пустом доме. Мы обязательно должны тебе кого-нибудь подыскать.

Пэрис тяжело вздохнула. Первая попытка явно не удалась. Одинокий волк уже устроился на диване и жадно поглощал коньяк. Было такое впечатление, что он вот-вот отключится, и Пэрис предупредила Натали, что его придется оставить на ночь. Или везти домой. О том, чтобы он сам сел за руль, не было и речи, особенно с учетом снегопада. А валило все сильнее, даже Пэрис делалось жутковато при мысли об обратной дороге, но она не подавала виду. Она твердо решила быть самостоятельной и не превращаться ни для кого в обузу.

— А я думаю, тебе лучше положить его у себя, в гостевой комнате, — поддразнила подругу Вирджиния.

Вечер удался, ничего не скажешь. Вирджиния была очень рада, что Пэрис еще может улыбаться. Она опасалась худшего и на протяжении вечера то и дело переглядывалась с Джимом. Этот биржевой маклер явно был не то, что прописал доктор.

Последней каплей стал шлепок по ягодице, которым он наградил Пэрис. Это уже было не смешно. Пэрис окончательно поняла, что при всех благих намерениях старания друзей ее унижают. Она сама в состоянии о себе позаботиться, не нужна ей ничья помощь! Надо во что бы то ни стало обзавестись кавалером, иначе ее так и будут жалеть. А этот вариант — оживший ночной кошмар.

Пэрис подошла к хозяйке дома и сказала, что хочет незаметно улизнуть, не нарушая общего веселья. Натали внимательно вгляделась в подругу и решила не возражать. Этим вечером Пэрис держалась молодцом, она явно стала увереннее в себе.

— Прости нас за Ральфа. Хочешь, я его пристрелю, пока он еще сильней не набрался? А потом, когда все разъедутся, и Фреда тоже? Обещаю, больше такое не повторится!

— В другой раз, пожалуйста, довольствуйтесь тем, что я буду одна. Хорошо? — тихо сказала Пэрис.

— Обещаю, — проговорила Натали.

Она обняла подругу, а потом смотрела, как Пэрис обувается. Какая она красивая. И какая одинокая... У Натали сердце сжалось.

— Доедешь в такой снегопад? — заволновалась она.

— Куда я денусь! — ответила Пэрис уверенным тоном, отнюдь не отражавшим ее внутреннего состояния. Но она готова была шагать домой пешком, лишь бы не оставаться больше в обществе этого безумного Ральфа. И друзей, которые так явственно ее жалели.

Пэрис понимала, что они делают это из лучших побуждений, но все равно готова была расплакаться. Вот до чего она докатилась! До мужланов типа Ральфа, которые носят клетчатые штаны, травят неприличные анекдоты и хлещут спиртное ведрами, так что «Анонимные алкоголики» по ним просто плачут. Ни одной минуты дольше она тут не выдержит.

— Утром созвонимся! Спасибо! — Пэрис помахала рукой и распахнула дверь, молясь, чтобы машина завелась. Но лучше уж поймать попутку, чем остаться здесь. Домой, домой! Раздеться и спать. На сегодня больше чем достаточно.

Натали обреченно вернулась в гостиную, и к ней тут же подошел Ральф. Он уже нетвердо держался на ногах.

— А где эта... как ее?

— Ее зовут Пэрис, она уехала домой. Кажется, у нее разболелась голова, — объявила Натали, многозначительно посмотрев на мужа. Фред поежился. Вечер явно не оправдал ожиданий.

— Это плохо. Мне она понравилась. Такая красотка! — продолжал Ральф заплетающимся языком. — Мне это напомнило одну историю...

Когда он закончил свой рассказ, Пэрис уже преодолела полпути. Она ехала быстрее, чем следовало бы в такую погоду, но уж очень хотелось побыстрей добраться до дома, запереться и обо всем забыть. Не ужин, а кошмар! Что бы с ней ни случилось в дальнейшей жизни, этого Ральфа она никогда не забудет.

На повороте машину занесло. Пэрис нажала на тормоз, от этого колеса повело еще сильней. Они попали на голый лед, и машина съехала в кювет. Пэрис попробовала осторожно вырулить, но вышло только хуже: машина намертво увязла в снегу. А ведь у нее зимние шины... Толку-то! Придется вытягивать на буксире.

— Черт! — громко ругнулась Пэрис и откинулась на спинку, вспоминая, с собой ли у нее карточка автоклуба.

В сумочке обнаружились только пятидолларовая банкнота, ключи от дома, права и губная помада. Тогда Пэрис полезла в бардачок и чуть не вскрикнула от радости, найдя карточку. Питер всегда очень внимательно относился к таким вещам. Можно было бы сказать спасибо, если бы она не была на него так сердита. И этот дурацкий вечер — тоже его вина! По его вине из нее делают приманку для уродов типа Ральфа. Сам-то небось в свадебном путешествии с любимой Рэчел. Это он во всем виноват!

В бардачке нашелся и телефон техпомощи. Пэрис позвонила, объяснила ситуацию, и ей пообещали приехать через полчаса, максимум — через час. Оставалось только ждать. Пэрис подумала, не позвонить ли Мэг, чтобы скоротать время, но решила не тревожить дочку известием о том, что она сидит в сугробе посреди ночи. Эвакуатор прибыл через сорок пять минут. Пэрис вышла из машины и стала смотреть, как ее вытягивают из кювета.

Через полтора часа после ухода из гостей она наконец добралась до дому. Часы показывали половину второго. Господи, как же она устала! Пэрис вошла в дом, закрыла дверь и привалилась к ней спиной. Впервые после ухода Питера она почувствовала злость. Такую, что ей захотелось кого-то убить. Ральфа. Натали. Фреда. Питера. Рэчел. Всех скопом или поодиночке.

Она скинула пальто и сапоги, тяжело поднялась наверх и стала раздеваться. Никто теперь не увидит ее новое белье. Никто не выйдет с лопатой расчистить дорожку. Никто не отвезет ее домой, не подскажет, как удержать машину на скользкой дороге, не оградит от падения в кювет или от таких идиотов, как этот Ральф. Она их всех ненавидит, но сильнее всех — Питера!

Пэрис легла в постель и уставилась в потолок. Она ненавидела Питера почти так же сильно, как когда-то любила. Но теперь она знала, что со всем этим делать. Надо просто ждать.

Глава 11

В понедельник Пэрис ворвалась в кабинет Анны Смайт вне себя от возбуждения и гнева.

— Все, конец! — заявила она с порога.

— Конец чему? Нашему лечению? — Анна удивленно смотрела на нее.

— Нет... То есть да. Скоро. Я решила уехать из Гринвича!

— С чего это?

— В субботу я пошла на этот дурацкий ужин, а они мне подсунули какого-то козла и даже не спросили, хочу ли я. Вы себе представить не можете, что это было! Сначала мне пришлось чистить дорожку от снега. Лопатой. Потом этот мужик в клетчатых штанах. Он весь вечер травил неприличные анекдоты, напился как свинья, а в завершение похлопал меня по заднице!

— И вы поэтому уезжаете? — Анна еще не поняла, говорит ли Пэрис серьезно.

— Нет, не поэтому. На обратном пути я села в сугроб. Машину снесло с дороги в кювет. И все потому, что обычно в снегопад машину вел Питер, а я понятия не имею, как это делается. Пришлось вызывать техпомощь, чтобы меня посреди ночи выдергивали из канавы. Домой я попала в половине второго. Вот поэтому я и уезжаю.

— Из-за сугроба или из-за козла в клетчатых штанах?

Анна впервые видела Пэрис в таком состоянии. Щеки у нее разрумянились, глаза сверкали. Она выглядела абсолютно здоровым человеком. И — живым. Наконец она снова распоряжалась своей жизнью.

— Нет. Из-за Питера. Я его ненавижу! Это все из-за него! Это он меня обрек на такое. Бросил меня ради молоденькой сучки, а мне теперь довольствоваться уродами вроде этого Ральфа? А мои придурочные друзья полагают, что оказывают мне большую услугу. Нет уж, спасибо! Я лучше в Калифорнию поеду!

— Но почему? — прищурилась Анна.

— Потому что жить здесь я не могу.

— А в Калифорнии сможете?

Она хотела, чтобы Пэрис приняла это решение по каким-то веским причинам, а не просто из желания бежать от жизни в Гринвиче. Иначе она все свои проблемы потащит с собой. География — не решение вопроса, если только за ней не кроются более глубокие мотивы.

— Там я, по крайней мере, не увязну в сугробе по дороге из гостей!

— А вы собираетесь там ходить в гости?

— Пока я там никого не знаю, кто мог бы меня пригласить. — Пэрис немного умерила пыл. Но она не шутила, она твердо решила уехать. — Но я же пойду работать, стану знакомиться с людьми... И потом, я ведь всегда смогу вернуться сюда. Я просто не хочу общаться с друзьями, которые меня жалеют. От этого мне только хуже. Здесь все знакомы с Питером. Мне нужно завести друзей, которые ничего не знают о моей прежней жизни.

— Звучит разумно. И что вы намерены предпринять?

— Завтра же лечу в Сан-Франциско. Билет уже заказала. А утром звонила в агентство по недвижимости, они подберут мне несколько домов и квартир на выбор. Я позвонила Виму, он ужасно занят, но сказал, что поужинать со мной время найдет. Сколько там пробуду, не знаю. Будет зависеть от результатов поиска. Но попробовать я хочу. А в такие гости меня больше не заманишь!

Вот в чем дело... Впрочем, Анна считала, что Пэрис давно созрела для смены обстановки: она это видела, но инициатива должна была исходить от самой Пэрис. И теперь это свершилось. Она действительно готова переехать.

— Так-так. Похоже, мы перевернули страницу, а?

Анна радовалась за свою пациентку, хотя знала: ей будет не хватать Пэрис. Они хорошо сработались, но это был именно тот результат, какого она добивалась. Пэрис снова встала на ноги и готова двигаться вперед. Для этого потребовалось восемь месяцев, но главное — получилось.

— Думаете, я сошла с ума? — вдруг забеспокоилась Пэрис.

— Ни в коем случае. Наоборот, вы мне кажетесь вполне в здравом уме. Думаю, вы приняли правильное решение. Надеюсь, вы подберете себе подходящее жилье.

— Я тоже надеюсь, — отозвалась Пэрис и снова погрустнела. — Мне жалко уезжать. У меня с этим домом связано столько воспоминаний...

— Будете его продавать?

— Нет. Сдам в аренду.

— И правильно. Если в Калифорнии не приживетесь, вам будет куда вернуться. Главное — попробовать, Пэрис. Вам предстоит открыть для себя целый мир. Можете делать все, что захотите, ездить, куда хотите. Все дороги вам открыты.

— Страшновато...

— Зато интересно. Я вами очень горжусь.

Пэрис сказала Анне, что пока решила друзьям ничего не говорить. Сначала надо найти новый дом. А то еще отговаривать начнут. Пока она сообщила о своем решении только ей и детям. И все трое ее поддержали.

Проведя у психотерапевта полчаса, Пэрис вернулась к себе и стала собираться. Позвонила Натали — хотела извиниться перед Пэрис за неудачный вечер.

— Не бери в голову, — беспечно ответила та. — Все было чудесно.

— На неделе пообедаем вместе?

— Не смогу. Я лечу к Виму в Сан-Франциско.

— Здорово! Хоть немного развлечешься.

Натали была рада, что подруга наконец оторвалась от дома. Последние месяцы, конечно, были для нее ужасны, и никакого выхода Натали не видела, разве что снова выйти замуж. А с такими кандидатами, как Ральф, это маловероятно. Но кто-то ей все равно нужен. Они с Вирджинией поклялись найти подруге мужа, чего бы это ни стоило.

— Вернусь — позвоню, — пообещала Пэрис и продолжила сборы.

Наутро она села в самолет.

Пэрис летела первым классом, рядом сидел вполне симпатичный бизнесмен. Лет пятидесяти, в костюме, с портативным компьютером. Он все время работал. Пэрис перестала на него глазеть и увлеклась книгой, потом принесли обед, а затем она смотрела фильм. За полчаса до посадки ее сосед наконец отложил свой компьютер и с улыбкой посмотрел на Пэрис. Как раз в этот момент подошла стюардесса и предложила им сыр с фруктами или молоко с печеньем. Пэрис взяла фрукты, а сосед попросил кофе, и у стюардессы было такое лицо, словно она его знает.

— Часто летаете в Сан-Франциско? — вежливо полюбопытствовала Пэрис.

— Два-три раза в месяц. У нас там партнеры, мы вместе инвестируем биотехнологические проекты в Силиконовой долине.

Впечатляет! Очень симпатичный мужчина — такой преуспевающий, респектабельный.

— А вы? По делам летите или отдыхать? — спросил он.

— В гости к сыну в Беркли. Он студент.

Пэрис заметила, как он бросил взгляд на ее левую руку. Кольца она теперь не носила. После официального развода она его сняла, и это далось ей нелегко. Но что толку в кольце? Питер теперь женат на другой. Однако без кольца она чувствовала себя раздетой. Пэрис не снимала его со дня свадьбы, хотя не была особенно суеверной и сентиментальной. Она обратила внимание, что у соседа тоже нет на руке кольца. Хороший знак.

— Долго пробудете? — заинтересовался он.

— Не знаю. Хочу подыскать себе дом или квартиру. Думаю перебраться в теплые края.

— Из Нью-Йорка?

Он был заинтригован. Такая красивая женщина, лет сорок, и уже сын-студент.

— Из Гринвича.

— Вы разведены?

Ого, да он соображает!

— Да, — осторожно произнесла Пэрис. — А как вы догадались?

— В Гринвиче не так много одиноких женщин, а раз вы заговорили о переезде, выходит, вы одна.

Пэрис кивнула, но расспрашивать о его семейном положении не стала. Она не была уверена, что ей хочется это знать, а выглядеть нескромной не хотелось.

Пилот объявил, что скоро самолет пойдет на посадку, Пэрис поднялась и направилась в туалет, а то потом встать с места не разрешат. Она ждала своей очереди, когда заметила на себе взгляд стюардессы — той самой девушки, что их только что обслуживала. Она улыбнулась Пэрис, подошла поближе и негромко заговорила:

— Конечно, это не мое дело, но, может, вам будет интересно. Он женат, у него в Стэмфорде четверо детей. Две наши стюардессы с ним встречались, и ни одной он о своей семье не сказал. Он часто летает. Я видела, вы с ним разговаривали, а женщины, я считаю, должны помогать друг другу. Может, вам это и неинтересно, но знать все равно не помешает. Сам он вам о семье ничего не скажет — нам, во всяком случае, не говорил. Мы узнали от другого пассажира, который знаком с его женой.

— Благодарю, — ответила Пэрис. Она была ошарашена. — Большое вам спасибо.

Туалет тем временем освободился, и она пошла умыться и привести себя в порядок. Глядя в зеркало, Пэрис думала о том, какой большой и враждебный мир окружает ее со всех сторон. Полный идиотов и прохиндеев. Найти порядочного человека — все равно что иголку в стоге сена. Конечно, в жизни нет ничего невозможного, но Пэрис казалось маловероятным устроить свою личную жизнь. Да и вообще мужчины ей не нужны. Не хватает только влюбиться! Она точно знала, что никогда больше не выйдет замуж. Питер привил ей иммунитет. Нужно только научиться быть одной.

Она вернулась на свое место, причесанная, со свежим макияжем; сосед смерил ее оценивающим взглядом и протянул ей свою визитку.

— Я буду в «Фор-Сизонс». Если найдете время поужинать — позвоните. А вы где остановитесь? — любезно спросил он.

— У сына, — солгала Пэрис. Но после того, что она только что услышала, ей не хотелось откровенничать. Тот еще фрукт! — Боюсь, времени у нас будет в обрез.

Визитку надо было куда-то девать, и она машинально убрала ее в сумочку.

— Тогда позвоните мне в Нью-Йорк, когда вернетесь, — предложил сосед, и в этот момент самолет коснулся земли. Они совершили посадку в аэропорту Сан-Франциско. — Подвезти вас в город? — учтиво вызвался он, и Пэрис улыбнулась, с грустью вспомнив о его жене.

— Нет, спасибо, меня ждут друзья, — небрежно бросила она.

Через двадцать минут, садясь в такси, Пэрис встретила его удивленный взгляд. Она помахала, и машина двинулась в город. В отеле Пэрис сразу избавилась от визитки.

Глава 12

За последующие четыре дня Пэрис, кажется, пересмотрела все дома в городе. Еще ей показали четыре квартиры, и она сделала вывод, что квартира — это не для нее. Прожив столько лет фактически в загородном доме, с множеством комнат, она была не готова к более тесному жилью.

В конце концов она выбрала из всех предложенных домов два, которые ей, безусловно, нравились. Один был большой, каменный, внешне напоминающий их дом в Гринвиче, второй — затейливый, в викторианском стиле, с отдельным входом во флигель. У этого варианта было неоспоримое преимущество — близость океана, вид на залив и мост Золотые Ворота, а больше всего Пэрис импонировало то, что флигель можно будет отдать Виму, чтобы он не чувствовал себя зависимым, когда захочет вырваться из общаги. Сюда и друзей можно будет водить. Идеальный вариант!

Цена была разумной, и хозяева хотели сдать дом как можно скорее. А Пэрис была идеальный арендатор — ответственный и платежеспособный взрослый человек.

Дом недавно отремонтировали, и он казался веселым, чистеньким и светлым. Полы были из красивой доски твердых пород дерева, в главной части дома имелись три спальни: одна — наверху, с роскошным видом, две другие — прямо под ней. Одну можно отдать Мэг, вторую оставить для гостей, а в остальное время пускай пустуют. Кухня симпатичная, в стиле кантри, гостиная выходит в небольшой, но ухоженный садик. Все здесь было не такое просторное, как Пэрис привыкла, но это ей даже нравилось. Надо будет выбрать что-то из мебели и перевезти сюда, а остальное сдать на хранение. А пока она не перевезла вещи, агент обещал взять кое-какую мебель в аренду.

Все вопросы были решены за один день. Пэрис подписала договор об аренде, и в тот же вечер агент завез ей ключи в отель. Оставалось еще сдать дом в Гринвиче, но, даже если это потребует времени, у нее нет никаких причин торчать там и ждать. Переехать можно хоть сейчас.

В последний вечер Пэрис ужинала с Вимом, а потом повезла его смотреть дом. У нее была взята напрокат машина, и она уже привыкла рулить по улицам, вьющимся по горам.

Сын сразу влюбился в выбранное ею жилище.

— Мам, класс! А ты разрешишь мне приводить сюда друзей?

— В любое время, солнышко. Для этого я его и выбрала.

Во флигеле были две небольшие спальни с выходом в сад. Не дом, а мечта! Достаточно уединенно и уютно, а места — более чем достаточно. Виму будет куда прийти, если он захочет пожить дома. Впрочем, Пэрис не рассчитывала, что он станет часто бывать здесь. В Беркли он чувствовал себя как рыба в воде — уже обзавелся кучей друзей и с удовольствием учился. Вполне успешно, надо сказать.

— Когда переезжаешь? — Вима охватило возбуждение, и Пэрис просияла.

— Как только соберу вещи.

— А дом продавать будешь?

— Нет, сдам в аренду.

Впервые за долгие месяцы ей было к чему готовиться и чего ждать. Пэрис вновь почувствовала вкус к жизни. С ней происходило что-то хорошее, а не одни только несчастья и душевные травмы, как было все последнее время. Восемь месяцев понадобилось, но в конце концов она к этому пришла.

Перед сном Пэрис отвезла Вима назад в Беркли, а наутро улетела в Нью-Йорк. На этот раз ее соседкой оказалась дряхлая старушка, которая сообщила, что летит к сыну, после чего уснула и проспала до самой посадки.

Когда Пэрис вошла в дом, у нее было ощущение, будто она отсутствовала несколько месяцев. Много же она успела за свою короткую поездку!

На другое утро она позвонила Вирджинии и Натали и рассказала о своих планах. Обе были в шоке, известие их огорчило. Они не хотели, чтобы подруга уезжала, но в конце концов каждая из них сказала Пэрис, что если она хочет именно этого, то надо только радоваться. Пэрис не стала говорить Натали, что на решительные действия ее подтолкнул тот злополучный ужин.

Она связалась с агентом по недвижимости, и тот охотно взялся за это дело, но предупредил, что на сдачу дома в аренду может уйти какое-то время, поскольку сейчас не сезон, а весной и летом люди охотнее снимают, покупают или меняют жилье. Пэрис созвонилась с компанией, организующей переезды, и в выходные собиралась начать сборы. Надо было решить, что брать, а что оставить на хранение.

Днем перезвонила Вирджиния. Она сообщила новость Джиму, и они решили устроить ей прощальный вечер. А на следующее утро Пэрис получила такое же приглашение от Натали. К концу недели уже четыре семьи жаждали с ней пообщаться до ее отъезда и приглашали на ужин. Люди вдруг разом перестали ее жалеть, всех радовали ее грандиозные планы, и никто не хотел ее отпускать.

Пэрис была счастлива. Такое впечатление, что своим решением уехать в Калифорнию она перевернула отношение к себе людей. До сих пор ей и в голову не приходило, что это зависит только от нее. В мгновение ока вся атмосфера ее существования резко переменилась.

К ее вящему удивлению, уже в воскресенье жильцы были найдены. Это была всего вторая семья, которой она показывала дом, а после того, как они дали согласие, позвонили первые и крайне огорчились, узнав, что их уже опередили.

Жильцы хотели снять дом на год, в перспективе — на два. Мужа переводили на работу в Нью-Йорк из Атланты, у них было трое детей-подростков. Дом подходил им идеально, и они с облегчением вздохнули, когда Пэрис не стала возражать против детей. Наоборот, мысль о том, что ее дом оживет, что в нем снова зазвенят детские голоса, привела Пэрис в восторг. А размер арендной платы удивил еще больше — этих денег ей хватит, чтобы платить за дом в Калифорнии, и еще останется. Выходило, что переезд оправдан со всех сторон.

Следующие две недели прошли в сборах и прощальных встречах с друзьями. У Пэрис остались самые приятные воспоминания от вечеринок, которые они устроили в ее честь. Были только старые друзья, никаких чужаков для ее «утешения». Это была неделя душевных встреч. Пэрис и не подозревала, что к ней так прекрасно относятся в Гринвиче, и на какой-то миг ей даже стало жаль уезжать.

Но на последнем сеансе с Анной Смайт она утвердилась в своем решении. В том, что она сейчас делала, было что-то карнавальное. Если бы она осталась, все пошло бы иначе. Сидела бы одна в пустом доме, в растрепанных чувствах, а то и в депрессии. Впрочем, в Сан-Франциско она тоже будет одна, но ей предстоит найти работу и познакомиться с массой людей. Она пообещала, что будет звонить Анне. Они договорились о «сеансах по телефону», пока Пэрис не обустроится как следует на новом месте.

В пятницу, в восемь утра, она выехала в аэропорт. Самолет взмыл в небо, и Пэрис усилием воли заставила себя не думать о Питере. Он знал от детей, что она переезжает, но ни разу не позвонил. Что ж, у него своя бурная жизнь, а ей теперь надо начинать свою. А если ничего не выйдет и окажется, что она совершила ошибку, всегда можно будет вернуться назад. Может, когда-нибудь это и произойдет, но, по крайней мере, не в ближайший год. Сейчас она должна расправить крылья и попытаться взлететь.

На сей раз Пэрис знала, что парашют на месте. Она уже не совершала свободного падения в пространстве, ее никто не выталкивал из самолета. Она прыгнула сама, отдавая себе полный отчет в том, что делает и почему.

Пока что переезд в Калифорнию был ее самым смелым поступком. Вим обещал, что уже в выходные приедет ее навестить, и когда самолет приземлился в Сан-Франциско, Пэрис улыбалась себе.

Она дала таксисту адрес своего нового дома. Агент, как и обещал, уже ждал. Он взял для нее в аренду необходимую мебель, пока она будет ждать свою. Кровать, комоды, обеденный стол со стульями, диван с журнальным столиком, светильники — все выглядело вполне респектабельно.

Пэрис оттащила чемодан наверх, в спальню, и огляделась. Только-только занимался вечер, и из окна был виден мост Золотые Ворота.

Она подошла к зеркалу над туалетным столиком и улыбнулась своему отражению. В доме стояла тишина, и Пэрис шепнула себе: «Радость моя, я дома!» У нее закружилась голова; впервые за долгое время она была окрылена надеждой.

Пэрис села на кровать и засмеялась. У нее началась новая жизнь.

Глава 13

Той мебели, что дали Пэрис во временное пользование, вполне хватало для жизни, но без привычных вещей, картин и всяких милых безделушек дом казался безликим и холодным, несмотря на роскошный вид из окон. Единственное, что приходило на ум, — это отправиться в цветочный магазин и накупить цветов.

В субботу, после постирушки и долгого телефонного разговора с Мэг, Пэрис села в машину и отправилась колесить по окрестностям. Завтра вечером приедет Вим с приятелем, и она хотела по мере возможности украсить дом.

Пэрис заранее приметила на Сакраменто несколько симпатичных антикварных лавок, которые намеревалась прочесать, и, пока ехала по Филлмор-стрит, вспоминала разговор с дочерью. Мэг сказала, что в минувшие выходные они с Пирсом решили расстаться. Девушка была огорчена, но не убита горем и согласилась с матерью, что это не те отношения, о которых стоит горевать, — хотя, скорее всего, причины для разрыва были глубже. Они с Пирсом пришли к заключению, что у них разные интересы и цели в жизни. Но Мэг по-прежнему очень хорошо к нему относилась. И не считала проведенные с ним месяцы пустой тратой времени.

— А что теперь? — осторожно спросила Пэрис. Она любила быть в курсе дочкиных дел. — Кто-то новый уже нарисовался на горизонте?

Мэг рассмеялась:

— Мам, всего неделя, как расстались! Думаешь, я такая неразборчивая?

Притом что роман с Пирсом не занял главного места в ее жизни, Мэг требовалось время, чтобы его оплакать. Он все же был с ней мил, они прекрасно проводили вместе время, что бы о нем ни думала Пэрис.

— Нет, неразборчивой я тебя не считаю. Просто ты у меня такая красивая, мужики должны у тебя под дверью в очереди стоять.

— Все не так просто, как ты себе представляешь. Здесь полно кретинов. Актеры все влюблены в себя. Пирс был не такой, но зато его больше интересовали единоборства и здоровый образ жизни, чем кино; он и сам говорил, что его больше привлекает работа тренером по карате, чем участие в фильмах ужасов. Киношники — вообще особая категория людей. Половина моих знакомых сидят на игле, многие встречаются с малолетками и манекенщицами. Здесь у каждого своя программа. С мужчинами моего возраста мне скучно, они совсем зеленые. А солидные люди, которые мне попадаются, типа адвокатов, биржевых маклеров или бухгалтеров, ужасно тупые. — Мэг полагала, что нарисовала довольно полную картину своей личной жизни.

— Солнышко, но должен же быть кто-то, кто тебе интересен! В твоей возрастной категории полно неженатых мужчин.

— Мам, а в твоей? Ты вообще собираешься с людьми знакомиться? — Мэг волновалась за мать. Она не хотела, чтобы Пэрис сидела одна в очередном пустом доме и впадала в депрессию в городе, где она никого не знает.

— Я только вчера приехала. Дай мне время. Я обещала психотерапевту, что пойду работать, и я это сделаю. Только не знаю, где искать.

— А преподавание тебя не привлекает? С твоим дипломом ты могла бы читать экономику в школе бизнеса. Или в колледже, а? Может, тебе поискать место в Стэнфорде или Беркли?

Конечно, это вариант, и Пэрис о нем тоже думала, но на такие места всегда большая конкуренция, а она чувствовала себя недостаточно компетентной. Сначала ей самой пришлось бы учиться, а эта перспектива Пэрис не вдохновляла. Кроме того, она не была уверена, что сын придет в восторг, услышав о таких планах.

— Вим меня убьет, если я стану работать в Беркли. Решит, что я за ним слежу. Если куда и идти, то только в Стэнфорд.

В Беркли было тридцать тысяч студентов, но Пэрис уважала новообретенную независимость сына и не собиралась ее нарушать.

— А если пойти работать в офис? Вот где знакомиться-то!

— Мэг, я же тебе говорила, мне не нужны мужчины. Я просто хочу общаться с людьми.

У дочери явно были на нее другие виды. Она хотела, чтобы мама нашла себе мужа, который станет о ней заботиться. На худой конец — завела серьезный роман. Ей было невыносимо знать, что ее мать страдает от одиночества, а в том, что это так, Мэг не сомневалась.

— Что ж, мужчины — тоже люди, — рассудительно сказала она.

Пэрис расхохоталась:

— Как сказать... Некоторые — да, другие — нет.

Питер это убедительно доказал. Конечно, никто не безупречен, у каждого есть свои недостатки и слабости.

134

Но Пэрис не ожидала, что Питер с ней так обойдется. Думала, они всю жизнь будут мужем и женой. Как после этого верить людям?

— Ладно, само как-нибудь сложится. Я тут подумала, не пройти ли тест на профориентацию. Я их вообще-то не очень жалую, но чем черт не шутит... Кажется, это в Стэнфорде делают. Вдруг выяснится, что мне надо пойти в военные медсестры или заняться живописью. Иногда в этих тестах такого понапишут! Может, испытуемым вкалывают сыворотку правды?

— А что? Правда, сходи! Кстати, ты когда собираешься ко мне приехать?

Замечательно, что теперь у них есть возможность видеться, когда хотят. На девяносто процентов именно это и подтолкнуло Пэрис к переезду. Правда, Мэг тут же добавила, что в ближайшие выходные будет занята — работа над фильмом близится к концу, поэтому сейчас у нее самые жаркие денечки. Зато потом можно будет вздохнуть.

Так, размышляя о возможном трудоустройстве, Пэрис доехала до антикварного магазина на Сакраменто и запарковала машину. Она взяла ее напрокат, пока не пришел трейлер с ее собственным автомобилем и прочими крупными вещами.

Пэрис купила прелестную серебряную шкатулку, потом вошла в соседнюю лавку и подобрала пару чудесных серебряных подсвечников. Ходить по магазинам всегда доставляло ей удовольствие. Под конец она набрела на маленький цветочный магазинчик, разместившийся в доме викторианской постройки. В витрине были выставлены три очаровательные весенние композиции. Такой красоты Пэрис еще не видела. Яркие краски, необычный подбор растений, и все это — в серебряных кашпо, которые сами по себе были необычайно элегантны.

Она вошла. Изящно одетая дама принимала заказ по телефону. Закончив разговор, она повернулась к Пэрис; на руке у нее сверкнуло кольцо с крупным бриллиантом. Ничего себе цветочница!

— Чем могу помочь? — любезно осведомилась дама.

— Никогда не видела таких прелестных цветов, — призналась Пэрис, не в силах отвести взгляд от витрины.

— Спасибо. — Дама за столом улыбнулась. — Сегодня нам поручено оформление одного мероприятия. Вазы принес заказчик. Если хотите, мы можем составить вам композицию в ваших собственных вазах и кашпо. Приносите.

— Было бы чудесно, — обрадовалась Пэрис. У нее был антикварный серебряный вазон — между прочим, очень похожий на тот, что стоял посреди витрины. Они с Питером когда-то купили его на антикварной ярмарке в Англии. — Пока мне ничего такого не нужно, по крайней мере — в ближайшее время. Я только недавно переехала с Восточного побережья.

— Ну, тогда принесете, когда будет нужно. И кстати, если надумаете звать гостей, мы вам поможем с фирмой по обслуживанию. — Дама снова улыбнулась. — Вообще-то это мой основной бизнес. У меня свое агентство по обслуживанию банкетов. А хозяину этого магазина я просто помогаю. Его ассистентке через неделю рожать, а он никак не может найти ей замену.

— Так это все-таки цветочный магазин? — Пэрис с сомнением огляделась. Интерьер был на высшем уровне, а в дальнем конце помещения шла мраморная лестница на второй этаж.

— Начиналось именно с этого, но на самом деле мы предлагаем куда более разнообразные услуги. Хозяин — художник, настоящий гений. Он обслуживает самые шикарные приемы в городе по полной программе. Привозит музыкантов, официантов, поваров, помогает выбрать тему вечера, создать ту атмосферу, какую хочет заказчик. Спектр очень широкий — от ужинов в узком кругу до свадебных банкетов на восемьсот человек. По части приемов он в Сан-Франциско первый. Цветы — это, можно сказать, лишь верхушка айсберга. Нам поступают заказы со всего штата.

— Да, это впечатляет... — задумчиво произнесла Пэрис.

Дама открыла книжный шкаф и достала три массивных альбома в кожаных переплетах. На полках осталось еще не меньше десяти таких же.

— Не хотите взглянуть? Тут приемы, которые он организовывал в прошлом году. Весь город только о них и говорил.

Пэрис ради любопытства принялась листать альбом — и была поражена роскошью и элегантным убранством домов, в которых были сделаны фотографии. Загородные имения, сады, ухоженные газоны — все было создано для того, чтобы там веселились люди, одетые так, как Пэрис никогда и в голову бы не пришло. Здесь были снимки изысканных свадебных гуляний, домашних приемов, о которых могла мечтать любая хозяйка. В одном случае, на День Всех Святых, стол украшали расписанные вручную тыквы, в другом — роскошные коричневые орхидеи и крошечные китайские вазочки с пучками декоративных трав, в третьем прием проводился в стиле пятидесятых, и на столе было множество смешных украшений по моде тех лет.

Пэрис улыбнулась и вернула альбом.

— Просто восхитительно!

Она нисколько не кривила душой. Жаль, что у нее не хватило воображения устроить что-то подобное своим друзьям в Гринвиче. Она любила приглашать гостей, и обычно вечера проходили чудесно, но до такого уровня ей было далеко.

— Судя по всему, хозяин этой фирмы и впрямь творческий гений. Кто же он?

— Его зовут Биксби Мейсон. Живописец и скульптор. Еще у него диплом по архитектуре, но мне кажется, в этой сфере он никогда не работал. Он очень творческая личность, с невероятным воображением, и очень милый человек. Сотрудники и клиенты его обожают.

Пэрис подумала, что, вероятно, и стоят его услуги целое состояние. Впрочем, это вполне справедливо: для своих заказчиков он создавал поистине уникальные вещи.

— Однажды кто-то назвал Биксби устроителем свадеб — так он его чуть не убил. Это, конечно, далеко не все, чем он занимается. Хотя свадеб устраивает множество. Я часто для его мероприятий организую стол. С ним хорошо работать — все четко, как часы. Он помешан на пунктуальности. Но иначе нельзя. Поэтому клиенты к нему и возвращаются — что бы он ни делал, всегда выходит превосходно. А хозяевам остается только веселиться с гостями.

— А в завершение, наверное, выписать увесистый чек? — усмехнулась Пэрис. Невооруженным глазом было видно, что такие услуги стоят безумных денег.

— Биксби того стоит, — без малейшего сожаления ответила дама. — Ведь он устраивает им незабываемые мероприятия. Похороны, кстати, тоже. Всегда со вкусом и очень красиво. Никогда не скупится на цветы, угощение, музыку. Музыкантов приглашает отовсюду, когда нужно — даже из Европы.

— Потрясающе!

Теперь Пэрис казалось нелепым притащить сюда свою серебряную вазу под цветы. Тут дело ведется с таким размахом, что любой ее заказ покажется смехотворным. А поскольку она все равно еще ни с кем в Сан-Франциско не знакома, то и гостей звать в ближайшее время не придется.

— Я очень рада, что зашла сюда, — сказала Пэрис. — Но искала я, собственно, цветочный магазин. А гостей звать я в ближайшее время не собираюсь.

Продавщица протянула ей визитную карточку и предложила звонить, когда понадобится их помощь.

— Биксби вам понравится. Он потрясающий. В данный момент он, правда, на ушах стоит. Помощница собралась рожать, а у нас на все выходные — свадьбы. Он уже объявил Джейн, что надеется на ее возвращение недели через две. Мне кажется, он плохо себе представляет, что такое маленький ребенок.

Они посмеялись, и у Пэрис вдруг мелькнула в голове дерзкая мысль. Она даже засомневалась, сумеет ли высказать ее вслух, но, сунув визитку в карман, все же решила попытать счастья.

— Вообще-то... я как раз ищу работу. Я много раз устраивала званые вечера, хотя, конечно, не в таких масштабах. Какого рода помощница ему нужна?

Пэрис сильно сомневалась, что ее услуги могут пригодиться. Никакого опыта в этой сфере у нее не было, если не считать домашних приемов, которые у нее, впрочем, получались весьма удачно.

— Ему нужен энергичный человек, располагающий временем по вечерам и в выходные дни. Вы замужем?

— Нет, я разведена, — пробормотала Пэрис.

Она никак не могла отучиться произносить это таким тоном, будто признается в совершенном преступлении. Ей все казалось, что развод равносилен краху всей жизни. Им с Анной пока не удавалось этого преодолеть.

— А дети?

— Двое. Дочь живет в Лос-Анджелесе, а сын — студент Беркли.

— Думаю, Биксби это подойдет. Хотите, я с ним поговорю? Он вот-вот должен подъехать. Оставьте свой телефон, я вам перезвоню. Он без Джейн совсем закрутился, а ее муж не хочет, чтобы она продолжала работать, когда появится ребенок. Она и так работала до последнего. В прошлый раз, когда мы обслуживали свадьбу, я боялась, что она родит. У нее такой живот, как будто там тройня. К счастью, ультразвук ничего подобного не показал, но родится великан, это уж точно. Если Бикс не найдет ей замену, даже не знаю, как он выкрутится. К нему уже приходили люди, но он пока всех отверг. Он не терпит халтуры и требователен до беспощадности, но мы его все равно обожаем, ведь он делает такие прекрасные вещи и человек порядочный. — Пэрис слушала все внимательнее. — Что бы вы еще хотели, чтобы я ему передала? Опыт работы? Иностранные языки? Интересы? Связи?

Ничем подобным Пэрис похвастать не могла, тем более в Сан-Франциско. Последние двадцать четыре года она работала женой и матерью. Но она подумала, что, если ей дадут шанс, она справится.

— У меня диплом по деловому администрированию. Если, конечно, это важно. — Она сразу испугалась, что Биксби сочтет ее чересчур образованной и лишенной воображения. — Я немного понимаю в садоводстве и всегда сама составляю букеты. — Она снова бросила взгляд на витрину. — Но, конечно, намного скромнее.

— Не беспокойтесь, для этого у него есть одна японка. Бикс бы так тоже не смог. Зато он умеет окружить себя теми, кто этим искусством владеет. Это его самый большой талант. Он руководит всем мероприятием, как дирижер, а мы играем на разных инструментах. От вас потребуется быть внимательной, не отходить от него ни на шаг, все записывать и делать звонки. Этим как раз занимается Джейн.

— Звонки — это по мне, — улыбнулась Пэрис. — И время у меня есть. Кроме того, я двадцать четыре года вела дом, и очень приличный, между прочим. Не знаю, что еще про себя сказать. В любом случае я бы мечтала с ним познакомиться.

— Если из этого что-нибудь выйдет, я буду очень рада. Поверьте, я вас хорошо понимаю. Я сама была замужем восемнадцать лет, потом брак распался, а у меня — ни работы, ни специальности. Я умела только стирать белье, развозить всех по их делам и готовить детям еду. Тогда Биксби мне помог, так я и оказалась в этом бизнесе. Мне казалось, это единственное, что я умею делать. Потом выяснилось, что я способна на большее. Сейчас у меня отделения в Лос-Анджелесе, Санта-Барбаре, Ньюпорт-Бич. Но с чего-то надо начинать. Может, это ваш шанс?.. Меня зовут Сидни Харрингтон, надеюсь, теперь мы с вами будем чаще видеться. Если не получится — позвоните мне, что-нибудь придумаем.

Из магазина Пэрис не шла, а плыла по воздуху. Даже если с работой ничего не выйдет, она уже с кем-то подружилась! В любом случае это полезное знакомство, а работа на Биксби Мейсона вообще будет фантастикой. Пэрис отдавала себе отчет, что ее могут не взять: ведь у нее совсем нет опыта. Но главное — начать, и она гордилась собой, что решилась поговорить с Сидни о работе. Перед ней открывался целый новый мир!

Следующие два часа Пэрис провела в магазинах на Сакраменто-стрит. Купила набор салатниц в симпатичной посудной лавке и комплект для вышивания, чтобы коротать долгие вечера. Вернувшись домой, она заварила себе чаю — и тут зазвонил телефон. Это оказалась Сидни Харрингтон с потрясающими новостями:

— Биксби просил вас прийти в понедельник в девять утра. Не хочу зря обнадеживать, понятия не имею, что у него на уме, но я ему сказала, что вы мне очень понравились. А люди ему действительно нужны. Пока что всех, кого направляло агентство по трудоустройству, он отверг. Говорит, тупые и без всякого воображения, а он ценит инициативу. Вам придется на некоторые мероприятия ходить без него: он просто не успевает быть всюду одновременно. Короче, придется много общаться с клиентами самостоятельно, причем так, чтобы ваше присутствие никому не докучало. Он придает этому особое значение. Говорит, ассистент — это часть его самого, его представитель во внешнем мире. С Джейн они работают вместе уже шесть лет. Теперь для него все переменится. Конечно, надо было давно кого-то нанять, чтобы Джейн передала опыт. Думаю, Бикс никак не хотел верить, что она ждет ребенка.

— Она собирается брать декретный отпуск?

Впрочем, это было не так важно, Пэрис в любом случае была бы счастлива работать на такого человека, пускай даже несколько недель или месяцев. Это будет бесценный опыт, а сама работа наверняка доставит ей удовольствие.

— Она увольняется насовсем. Бикс устраивал ее свадьбу, а теперь ее муж говорит, что, если так дальше пойдет, он устроит ей развод. За последние пять лет Пол видел ее дома только по ночам. Он хочет, чтобы она наконец занялась семьей, и Джейн согласилась. Бикс, конечно, замечательный человек, но работой нагружает выше головы. Надеюсь, вы к этому готовы?

— Разумеется! — с энтузиазмом воскликнула Пэрис, потом вдруг заволновалась: — А в чем мне пойти? У него есть какие-нибудь пристрастия в одежде? — Она хотела максимально использовать свой шанс и готова была с благодарностью выслушать из уст Сидни любую информацию.

— Будьте естественной. Это он больше всего ценит. Честность, открытость, естественность. И готовность работать по восемнадцать часов в сутки. Ни один человек не пашет так, как Биксби Мейсон, и того же он требует от других.

— Вот и прекрасно. Детей малых у меня нет, мужа тоже, дом небольшой, содержать несложно. Знакомыми я еще не обзавелась. Так что мне совсем нечем себя занять.

— Это ему подойдет. Про ваш диплом я ему тоже сказала. Он, мне кажется, был заинтригован. Ну что ж, удачи!

Сидни от души сочувствовала Пэрис. Она сама побывала в такой ситуации, и Биксби ей тогда очень помог. Сидни была ему по гроб жизни благодарна, а сейчас радовалась возможности выручить из беды другого человека.

— Я позвоню вам в понедельник, расскажете, как все прошло.

— Спасибо вам! — искренне поблагодарила Пэрис.

— И не волнуйтесь, у вас все получится. У меня хорошее предчувствие. Думаю, это был знак судьбы, что вы сегодня заглянули в магазин. Биксби вообще не хотел его сегодня открывать, поскольку людей нет, но я вызвалась посидеть. Так что для вас это счастливое стечение обстоятельств. Судьба. Посмотрим, что из этого выйдет. Если ничего — попробуем что-нибудь другое. Я уверена, что-то мы вам подберем.

Пэрис еще раз поблагодарила, и они попрощались. Она сидела у окна гостиной с улыбкой на лице. Внезапно с ней стали происходить хорошие вещи. Лучше, чем она осмеливалась мечтать. Теперь надо только не ударить в грязь лицом в понедельник, не ляпнуть чего-нибудь лишнего. Ей особо нечем хвастаться, но, если он даст ей шанс, она вложит в работу всю душу и сердце. С ней уже много лет не происходило ничего подобного.

Глава 14

В понедельник, без десяти девять, Пэрис поставила машину на Сакраменто-стрит и, как велела ей Сидни, направилась к маленькой двери с бронзовой колотушкой — соседней с входом в магазин. На ней был изящный черный костюм и туфли на шпильках, волосы аккуратно забраны в пучок, в ушах — маленькие бриллиантовые серьги. Она боялась, что слишком вырядилась, но надо было показать, что на приемах она будет выглядеть как подобает, а кроме того — это же собеседование. Пэрис не хотела переборщить с нарядом, но и одеться слишком просто было нельзя.

Она дополнила костюм маленькой черной сумочкой на длинном ремешке через плечо, которую Питер подарил ей несколько лет назад на Рождество. Сумочка была совсем новая — в Гринвиче ходить с ней было некуда. Конечно, неплохо было бы пойти с портфелем, но портфеля у нее не было. «Зато мне не занимать ума, энергии и организаторских способностей», — сказала себе Пэрис, надеясь, что этого будет достаточно. Но, позвонив в дверь, она с ужасом обнаружила, что у нее дрожат руки.

Прозвучал зуммер, она толкнула дверь, и та открылась. Сразу за дверью шла мраморная лестница наверх, такая же, как в магазине. Дом был выстроен на славу.

Сверху донеслись голоса, Пэрис пошла на звук и оказалась в красивом коридоре с картинами известных художников на стенах. Перед собой она увидела большую, отделанную деревом комнату, полную книг. За столом сидел потрясающе красивый мужчина под сорок, блондин, в черной водолазке и черных брюках, а рядом с ним — молодая беременная женщина с очень большим животом. Она с трудом встала с кресла, подошла к Пэрис и, поздоровавшись, ввела ее в комнату.

— Вы, наверное, Пэрис? Какое у вас необычное имя. Я — Джейн. А это Биксби Мейсон. Мы вас ждали.

Он уже изучал Пэрис пристальным взглядом, напоминающим луч рентгеновского аппарата. Она чувствовала, что от него не ускользает ни одна деталь, от прически и сережек до сумочки и каблуков, но, кажется, он остался доволен и с улыбкой предложил ей сесть.

— Красивый костюм, — бросил он, но тут зазвонил телефон, и Биксби потянулся за трубкой. Он ответил на несколько вопросов, после чего повернулся к Джейн, чтобы сообщить ей новости: — Машина с орхидеями опаздывает. Они еще на полпути из Лос-Анджелеса и прибудут не раньше двенадцати, так что нам потом придется посуетиться. Но обещают компенсировать задержку скидкой в цене. Думаю, управимся. Прием в семь; если к трем прибудем, все успеем.

Тут он вспомнил о Пэрис и спросил, давно ли она в Сан-Франциско и почему переехала. Ответ на этот вопрос был у нее заготовлен. Она не хотела производить впечатление убитой горем женщины, у которой опустились руки. Ему ни к чему знать обо всех перипетиях, достаточно будет сказать, что она развелась с мужем и живет одна.

— Я здесь три дня, — честно ответила Пэрис. — Я в разводе. Была замужем двадцать четыре года, вела дом, смотрела за детьми, нигде не работала, но успела дать бессчетное количество званых ужинов. Я обожаю обустраивать интерьер, принимать гостей и возиться в саду. А в Сан-Франциско я приехала потому, что у меня сын поступил в Беркли, а дочь живет в Лос-Анджелесе. И еще у меня диплом по деловому администрированию.

Биксби улыбнулся, и в его глазах мелькнула теплота, которая никак не вязалась с его утонченным и элегантным обликом.

— Давно вы разведены?

Пэрис набрала в легкие побольше воздуха.

— Около месяца. Окончательно документы были оформлены в декабре, правда, расстались мы еще в мае.

— Наверное, это нелегко, — посочувствовал он. — Особенно после двадцати четырех лет.

Он не стал спрашивать, что, собственно, произошло, но было видно, что его сочувствие искренне, и Пэрис пришлось приложить усилие, чтобы не расплакаться.

Всегда труднее держаться, когда люди к тебе внимательны. Но сейчас Пэрис не могла себе позволить расклеиться. Она заставила себя вспомнить о цели своего визита и твердо взглянула в глаза потенциальному работодателю.

— Все нормально, — ответила она. — Пришлось привыкать, конечно, но меня поддерживали дети. И друзья. А теперь вот захотелось сменить обстановку.

— Вы жили в Нью-Йорке?

— В Гринвиче, штат Коннектикут. Это такой маленький спальный городишко, но там тоже есть своя жизнь.

— Я его знаю. — Он улыбнулся. — Я вырос в Перчесе, неподалеку. Это, по сути, то же самое. Небольшой аккуратный городок, облюбованный богатеями, которые все знают друг о друге. После колледжа я не мог дождаться, когда оттуда вырвусь. Думаю, вы правильно сделали, что перебрались сюда.

— Я тоже так думаю. — Она улыбнулась в ответ. — Особенно если вы возьмете меня на работу. Мне кажется, трудно найти что-либо более увлекательное. — От собственной храбрости Пэрис пробила дрожь.

Биксби поднял брови:

— Я должен вас сразу предупредить, что это очень большая и тяжелая работа. Очень. На меня работать весьма непросто. Я одержимый, я во все вникаю. Мне нужно, чтобы все было по высшему разряду. Я работаю миллион часов в день и никогда не сплю. Я стану звонить вам посреди ночи, чтобы дать указания на утро, о которых забыл днем. Никакой личной жизни у вас не будет. Если удастся повидаться с детьми на День благодарения и Рождество — вам еще повезет. А скорее всего, нет, потому что в праздники мы тоже устраиваем приемы. Можете не сомневаться, вы будете крутиться как белка в колесе и очень скоро полезете на стенку. Я стану учить вас всему, что умею, до полного изнеможения, так что вы еще будете проклинать тот день, когда познакомились со мной. Но если вы готовы к этому, Пэрис, то мы с вами получим большое удовольствие от совместной деятельности. Ну как, нравится вам такая перспектива?

— Мечты сбываются, — призналась она.

Именно этого она и хотела. Быть занятой с утра до ночи, забыть о своих печалях и чувствовать себя нужной людям. Они будут устраивать потрясающие мероприятия, знакомиться с новыми людьми... О лучшей работе Пэрис не могла и мечтать, и неважно, что придется пахать в поте лица. Именно этого она и хотела.

— Надеюсь, я сумею быть вам полезной.

— Так что? Хотите попробовать? — Он тоже оживился. — На этой неделе у нас всего четыре приема. Один сегодня, два — завтра и большой прием в субботу: сорокалетие одного заказчика. Если выживете — считайте, что вы с нами. К концу недели посмотрим, какие у вас и у меня будут впечатления. — Тут он строго посмотрел на Джейн. — А если вы, миссис Уинслоу, вздумаете родить раньше воскресенья, я надаю по попке вашему младенцу, а вас удушу, поняли?

Он погрозил пальцем, и Джейн засмеялась, погладив огромный живот, который, казалось, вот-вот лопнет, как воздушный шар.

— Буду стараться изо всех сил. Проведу работу с малышом, чтобы не вздумал вылезать раньше времени, не то его крестный страшно разозлится.

— Вот-вот! Ни наследства ему не будет, ни банковского счета, ни выпускного вечера, ни подарков на день рождения и Рождество. Пусть сидит, где он есть, пока мы с Пэрис не убедились, что сработаемся, ясно? А ты тем временем должна обучить ее всему, что умеешь.

За пять-то дней! Но Джейн и ухом не повела.

— Слушаюсь, сэр. Будет исполнено, ваша честь. Все в точности, как вы сказали.

Биксби рассмеялся и встал. Пэрис не ожидала, что он такой высокий. Под два метра, наверное. И такой красавец! Она почти не сомневалась, что он «голубой».

— Разговорчики! — шутливо прикрикнул он на Джейн и с деланой строгостью повернулся к Пэрис. — Если вы тоже вздумаете забеременеть — неважно, с мужем или без, — я вас уволю в один момент. Больше я такого не потерплю! — Он свирепо оскалился, и все рассмеялись. — Она мне устроила веселую жизнь. Может, у тебя растяжки на коже, а у меня они по всей нервной системе, — снова обратился он к будущей мамаше, — и куда более явные, чем на твоем животе.

— Прости, Бикс, — ответила та, нимало не смутясь.

Джейн вся светилась счастьем скорого материнства и знала, что он тоже за нее рад. За те шесть лет, что она у него работала, он стал ей не просто наставником, но и другом.

— А вообще-то, лучше перевяжите трубы, так вернее будет, — повернулся он к Пэрис. — Кстати, сколько вам лет?

— Сорок шесть. Скоро сорок семь.

— Да что вы говорите? Вот это да! Если бы вы не сказали, что у вас взрослые дети, я бы вам дал лет тридцать семь — тридцать восемь. Ну, максимум сорок, раз у вас сын студент. А мне тридцать девять, — сообщил он, — в прошлом году делал подтяжку вокруг глаз. Но поскольку вам это не требуется, то я вам адрес не скажу.

Он был щедр на похвалу, и Пэрис это растрогало. Она наконец позволила себе оглядеться. Рабочий стол Биксби был завален папками, фотографиями, образцами тканей, чертежами, рисунками, а стол Джейн в соседнем кабинете выглядел и того хуже. Одна стена у нее была обита пробкой и вся увешана записками, памятками и номерами телефонов.

— Когда сможете начать? — Бикс перешел к делу, словно завел мотор. Он и сам был похож на вечный двигатель.

— Когда скажете, — невозмутимо ответила Пэрис.

— Хорошо. Стало быть, сейчас. Можете? Или у вас какие-то планы?

— Я полностью в вашем распоряжении, — ответила она, и он просиял, а Джейн тут же пригласила Пэрис к себе в кабинет.

— Вы ему понравились, — шепнула она, когда они расположились за ее столом лицом друг к другу. — Мне кажется, что вы тут приживетесь. Это уже видно. Всех остальных он в два счета выставлял за дверь. «Здравствуйте, до свидания, большое спасибо, скройтесь с глаз». Он всех отверг. А вы ему понравились. Вы ему по характеру подходите. К тому же у вас нет мужа и маленьких детей и в городе вас никто не знает. Значит, сможете всюду его сопровождать. — Джейн с надеждой смотрела на Пэрис.

— Мне кажется, эта работа словно специально создана для меня. Это именно то, о чем я мечтала. И Биксби мне тоже понравился. Он, по-моему, симпатичный. — За его элегантной внешностью и утонченным стилем Пэрис угадывала порядочность, цельность и трезвый взгляд на вещи.

— Да, очень, — согласилась Джейн. — Ко мне он вообще необычайно добр. Когда я пришла сюда на работу, я как раз должна была выйти замуж, и мой жених сбежал от меня буквально из-под венца. Родители были в бешенстве, они потратили на свадьбу целое состояние. Я, наверное, год не могла прийти в себя, но оказалось — все к лучшему. У нас бы с ним все равно ничего путного не вышло. Как говорит Бикс, он сделал мне большое одолжение, хотя в тот момент мне так не казалось. Короче, потом я встретила Пола, через четыре месяца мы объявили о помолвке, чем привели всех в ужас, а мои родители даже отказались устраивать нам свадьбу. Сказали, что я выхожу за него назло и из этого ничего не получится. И что они уже один раз платили за мою свадьбу. И чтобы я шла куда подальше. А Бикс, не поверите, закатил нам неслыханный праздник. Пригласил ансамбль из Европы, что-то фантастическое! И зал выбрал самый роскошный. Свадьба получилась — все ахнули. И за все заплатил Бикс! Родители устыдились, но позволили ему раскошелиться. Какое-то время они отказывались со мной знаться. И вот пожалуйста — мы с Полом женаты уже пять лет, и со дня на день у нас появится малыш. Я это откладывала, как могла: не хотелось оставлять Бикса без помощи. Но в конце концов Пол настоял — и вот результат. Бикс просто никак не хотел в это поверить. Подходящей замены мне так и не нашел, да не очень-то и искал. Голову даю на отсечение, до выходных нам не дотянуть, так что давайте-ка будем обучаться в ускоренном темпе. Я вам во всем буду помогать.

Плюс к этому потоку информации Пэрис через пару минут узнала, что Джейн тридцать один год, то есть она практически ровесница той, к которой ушел Питер. А ведь Джейн казалась ей почти девочкой, хотя и очень деловитой! «Интересно, — тут же подумала Пэрис, — заведут ли Питер с Рэчел ребенка?» От одной этой мысли она почувствовала себя больной, но размышлять об этом было некогда — ее ждали дела.

Все утро они работали с досье. Джейн посвятила ее во все важные детали, связанные с постоянными клиентами, рассказала, как построена работа фирмы, кто их партнеры и поставщики, кто надежен, а кто — не очень и к кому обращаться в том или ином случае. После этого они перешли к бесконечному списку предстоящих мероприятий. Пэрис и представить себе не могла, что в одном городе за довольно короткое время может проводиться столько приемов. Прибавьте Санта-Барбару и Лос-Анджелес, да еще на осень была предварительно намечена одна грандиозная свадьба в Нью-Йорке, хотя новобрачные еще даже не объявили о помолвке. Но мать невесты на всякий случай уже сделала заказ.

— Вот это да! — К середине дня у Пэрис голова шла кругом. Здесь было работы человек на десять; она не могла понять, как с этим управлялась одна Джейн. — Как вам удается всюду поспевать?

Пэрис не на шутку забеспокоилась. Что, если ей это действительно будет не под силу? Она меньше всего хотела бы навредить бизнесу Бикса и провалить мероприятия, которые он ей поручит. Это был исполинский труд. Пэрис все больше проникалась уважением к ним обоим.

— К этому быстро привыкаешь, — успокоила Джейн. — Тут все дело в методичной работе. Фокус в том, чтобы иметь надежных поставщиков, которые не подведут. Время от времени все равно случается, но очень редко. Бикс такого не прощает, сразу находит новых. Второго шанса никому не дает. Ему ведь тоже клиенты не простили бы. Секрет его успеха — это четкость и безупречность во всем. Даже когда что-то идет не так, заказчик об этом ни за что не узнает. Это наша проблема, и мы ее устраняем.

— Да, настоящий гений, — восхитилась Пэрис.

— Точно. Но он и сам работает как проклятый. Я, кстати, тоже. Ну что, Пэрис? Не запугала вас?

— Нисколько, — убежденно заявила та.

Они еще поработали с досье, потом прибыли обещанные орхидеи, и к трем часам Джейн с Пэрис уже были там, где должно было пройти сегодняшнее мероприятие.

Это был большой импозантный дом на Джексон-стрит. Заказчик возглавлял всемирно известную биотехнологическую фирму из Силиконовой долины, Пэрис даже что-то о нем слышала. Сегодня планировался официальный прием на двадцать персон. Дом, построенный и оформленный известным французским архитектором, впечатлял уже сам по себе. Столовая, например, была вся отделана красным лаком.

— Бикс не любит делать того, что напрашивается само собой, — растолковывала Джейн. — Здесь любой на его месте поставил бы красные розы. Думаю, так уже случалось, и не раз. А он выбрал бурые орхидеи.

Кухней сегодня заведовали «свои». Бикс привез чудесные серебряные колокольчики с выгравированными именами гостей — их будут им вручать хозяева. Памятные подарки гостям были его коньком — от плюшевых мишек до копий изделий Фаберже. Люди обожали ходить на мероприятия, организованные Биксом.

После ужина предполагались танцы, для чего был приглашен оркестр и часть мебели из гостиной убрана. Пэрис с изумлением увидела, как подъехал грузовик с концертным роялем. Бикс все делал с размахом.

Сам он прибыл спустя полчаса и оставался на месте вплоть до появления гостей — ушел только тогда, когда все было готово до последней мелочи. Бикс лично поправил каждый цветок в каждой вазе и в последний момент даже поменял не понравившийся ему серебряный вазон. В одном можно было не сомневаться: этот вечер гостям запомнится.

После этого Джейн побежала домой, чтобы переодеться в черное платье и вернуться к приходу первого гостя. Она любила лично убедиться, что все идет гладко. На небольших приемах она обычно оставалась до того момента, как гости сядут за стол, на более многолюдных предпочитала задержаться до самых танцев. В результате получался ненормированный рабочий день. Джейн сказала, что сегодня Пэрис нет необходимости тут задерживаться, но той не терпелось в бой, она решила остаться и своими глазами посмотреть, как Джейн дирижирует вечером. Когда нанимали поваров и официантов, она приглядывала и за ними, чтобы все было как следует. А во время приема она должна была следить, чтобы каждого гостя подобающим образом встретили и проводили в зал или в сад, чтобы музыканты были на своих местах, цветы не увяли, а охранники на автостоянке четко управлялись с прибывающими машинами.

Пэрис быстро съездила домой, наполнила ванну, приготовила короткое черное платье и расчесала волосы. С девяти утра она еще не присела. И это ведь только начало!

Она на бегу позвонила Мэг, одновременно запихивая что-то в рот. На переодевание и обратную дорогу оставалось меньше часа — она хотела прибыть назад до приезда гостей.

Мэг она застала еще на студии.

— Кажется, я устроилась на работу! — взволнованно объявила Пэрис и рассказала дочери про Биксби Мейсона.

— Мам, замечательно! Желаю, чтобы тебя приняли.

— Я тоже этого хочу. Ты не представляешь себе, как там интересно!

Она рассказала о том, чем занималась весь день, а потом Мэг позвали на площадку. Тогда Пэрис набрала номер Анны Смайт в Гринвиче.

— Я нашла себе идеальное место, и меня взяли на испытательный срок. Мне там так нравится!

Пэрис была счастлива, что застала Анну дома. Она чувствовала себя ребенком, принятым в спортивную команду.

— Пэрис, я вами горжусь. Не думала, что у вас это получится так быстро. Сколько времени прошло? Три дня?

Пэрис вкратце рассказала, как все вышло.

— Если у него есть хоть капля мозгов, он вас возьмет не раздумывая. Позвоните мне потом.

— Непременно, — пообещала Пэрис, проворно нырнула в ванну и несколько минут полежала с закрытыми глазами.

Она была в восторге от того, чем весь день занималась, а больше всего ей понравилось, что все идеи и плоды тяжких трудов можно тут же увидеть воплощенными. Эта работа приносила фантастическое удовлетворение. Пэрис уже успела это почувствовать.

В дом на Джексон-стрит она вернулась за пять минут до Джейн, а ушли они ровно в десять тридцать, когда гости начали танцевать. Все прошло как по маслу. Хозяева были с ней приветливы. Она же, в своем маленьком черном платье, выглядела не менее элегантно, чем любой из гостей. Пэрис специально оделась стильно, но строго. Задача состояла в том, чтобы слиться с общей массой, не привлекать к себе внимания.

Джейн следила за своей новой коллегой и про себя награждала ее всеми возможными эпитетами — и замечательная, и взрослая, и разумная, и расторопная, и трудолюбивая, и изобретательная. Когда один из охранников на парковке сделал что-то не так, Пэрис недрогнувшим голосом позвонила в его фирму и потребовала немедленно прислать замену. Она не стала ждать, пока этим вопросом займется Джейн, и та могла спокойно пойти на кухню и обсудить с шеф-поваром, как сделать, чтобы суфле, с которого должен был начаться ужин, не осело, пока гости не заняли свои места за столом. Джейн знала: чтобы все было на высоте, от них, как от балерин в кордебалете, требовалась идеальная слаженность действий. Особенно когда устраивались свадьбы с несметным числом гостей. Пока это была для Пэрис лишь проба сил, но она быстро влилась в команду и делала свое дело с легкостью и мастерством. Джейн уже видела, что это именно то, что нужно Биксби.

— Устали, наверное? — пожалела ее Пэрис, когда обе женщины покидали дом на Джексон-стрит. — Представляю, как тяжело в вашем положении целый день быть на ногах.

— Я сказала ребенку, что у меня на него сейчас нет времени, — отшутилась Джейн, подходя к своей машине. Вид у нее был усталый.

— Когда срок? — заботливо поинтересовалась Пэрис, она успела полюбить эту девушку, которая ее многому научила.

— Завтра, — усмехнулась Джейн. — Я пытаюсь делать вид, что мне это неизвестно. Но он знает. — Она погладила живот.

Весь вечер ребенок сильно толкался, и уже недели две, как у нее начались периодические схватки. Она знала, это только артподготовка, но генеральное сражение не за горами.

— Утром увидимся, — попрощалась она и с трудом втиснулась за руль.

Пэрис стало ее жалко. Лежать бы ей сейчас на диване и ждать родов. Ни одна беременная такой нагрузки не выдержит. Теперь понятно, почему муж настаивает, чтобы Джейн ушла с работы и сидела с малышом. Она работает в таком режиме уже шесть лет, пора остановиться. Ради себя самой и ради ребенка.

Пэрис села в свою машину и двинулась домой, на Валлехо. Только сейчас она почувствовала, что действительно устала. День получился долгий, насыщенный, а о вечере нечего и говорить. Она ни на минуту не расслаблялась, стараясь научиться как можно большему.

Однако все происходившее было ей, в сущности, знакомо и вполне выполнимо. Пэрис знала, что справится. Уже лежа в постели, она продолжала мечтать о том, чтобы получить место ассистента Биксби Мейсона. Бог даст, она его получит. Ведь сказала же Сидни, что это судьба!

Глава 15

Следующие два дня у Пэрис превратились в сплошную круговерть — она перенимала опыт у Джейн. В четверг было сразу два приема. Одним взялся командовать Биксби, второй, попроще, был поручен Джейн. Первый проводился для важного клиента в картинной галерее, в программе была цветомузыка и выступление группы в стиле техно, с большим количеством сложной аппаратуры. Второй устраивал давний приятель Биксби, и это был обычный официальный ужин. Пэрис курсировала между двумя мероприятиями, помогая там, где могла, и впитывая все, чему могла научиться у обоих.

В картинной галерее ей было особенно интересно, но это не значит, что она скучала с Джейн на официальном приеме. Джейн себя неважно чувствовала, так что примерно в середине вечера Пэрис отправила ее домой и вторую часть приема взяла на себя. Утром вид у Джейн тоже был не ахти; роды, судя по всему, могли начаться в любой момент. Один день она уже переходила.

— Как ты? — с тревогой спросила Пэрис, когда они разместились в кабинете.

— Устала. Выспаться не удалось — то и дело схватки. Да еще Пол на меня злится. Говорит, я не должна больше ходить на работу. Считает, что я убиваю ребенка.

Пэрис не могла с этим не согласиться, во всяком случае, Джейн и вправду требовался покой, нельзя было так напрягаться. Но Джейн хотела дать Пэрис возможность включиться в процесс, а Биксби она обещала доработать эту неделю, если, конечно, не родит.

— Ребенка ты не убьешь, а вот себя — запросто, — проговорила Пэрис и подвинула ей обитую бархатом банкетку. — Давай-ка положи ноги повыше.

— Спасибо, Пэрис. — И они снова углубились в свои папки.

В то утро пришли заказы еще на две свадьбы, и Пэрис смотрела, что с ними делает Джейн. Механизм был отлажен до совершенства. Прежде всего составлялся список звонков. Дважды в неделю приходила секретарша, она печатала то, что накопилось. Бухгалтер вел счета, а все остальное ложилось на плечи Биксби и Джейн. Работы было много, но Пэрис она очень нравилась, а к четвергу у нее уже было ощущение, будто она занимается этим всю жизнь.

В пятницу согласовали последние детали предстоящего юбилея Флейшманов. По случаю сороковой годовщины свадьбы юбиляры в субботу давали прием на сто человек в своем доме в Хиллсборо — огромном имении на вершине холма. Миссис Флейшман сказала, что всю жизнь ждала этого события, и Биксби считал делом чести организовать им неподражаемый вечер. К несчастью, хозяйка дома питала слабость к розовому, но Бикс умудрился уговорить ее выбрать навес такого бледного оттенка, что он уже мог считаться розовым с большой натяжкой. Из Голландии были выписаны тюльпаны нежнейшего розового цвета. В результате удалось спасти оформление вечера от безвкусицы и создать нечто изысканное. В одном миссис Флейшман была непоколебима — она собиралась надеть розовое платье, тем более что муж по случаю юбилея подарил ей кольцо с розовым бриллиантом.

В субботу Пэрис с ней познакомилась. Она оказалась милейшей пухленькой старушкой небольшого роста. Выглядела она лет на десять старше своих семидесяти. У нее было трое сыновей и тринадцать внуков, они все ожидались на юбилее стариков.

Было заметно, что миссис Флейшман души не чает в Биксби. Годом раньше он устраивал для одного ее внука бар-мицву, еврейский праздник инициации, и тогда, по словам Джейн, семья угрохала на торжество миллион долларов.

— Ого! — ахнула Пэрис.

— Это еще что! Пару лет назад в Лос-Анджелесе один прием обошелся в два миллиона. Знаменитый продюсер устраивал. Заказали полную цирковую программу, на трех аренах, да еще каток для детей. Это было что-то!

К моменту прибытия гостей все было готово. На лице миссис Флейшман сияла улыбка до ушей, муж ее тоже так и лучился удовольствием. Когда же раздались звуки вальса и Оскар Флейшман вывел жену на середину зала, Пэрис чуть не прослезилась.

— Симпатичные, правда? — шепнул Бикс. — Я от нее без ума!

Всех своих клиентов он любил, как родных, что помогало ему творить для них чудеса. Для этого действительно нужна была любовь. Конечно, попадались среди них и зануды, Бикс и для них себя не жалел, но если клиент был ему дорог, он работал с особенным вдохновением.

Пэрис, в строгом вечернем платье темно-синего цвета, стояла возле шведского стола и наблюдала за происходящим. Волосы она забрала во французский пучок, то есть стянула на затылке и подняла вверх к макушке. Она старалась не слишком броско выглядеть на работе. Быть незаметной, как предмет мебели, — именно так держались Бикс и Джейн.

Бикс почти всегда был в черном, как кукловод или мим, его облик неизменно был исполнен сдержанной элегантности. А на Джейн теперь налезало лишь два парадных платья — для коктейля и вечернее, — да и те трещали по швам. Ребенок был очень большой: врач сказал, не меньше четырех килограммов. Живот выглядел соответственно. Это, впрочем, не мешало ей весь день сохранять отличное настроение. В середине вечера у нее словно открылось второе дыхание.

— Чудесный вечер, правда? — услышала Пэрис мужской голос и, оглянувшись, увидела седого мужчину в смокинге. Он стоял прямо у нее за спиной и был необычайно импозантен. По виду — лет под пятьдесят, хоть и седой. И очень элегантный.

— Да, правда, — вежливо улыбнулась Пэрис.

Она не хотела давать ему повода для более тесного общения, поскольку находилась на работе. Хотя по виду этого, наверное, сказать было нельзя. Выглядела она получше многих гостей, которые в большинстве были намного старше. Однако тут присутствовали и сыновья Флейшманов, и их друзья. Пэрис решила, что незнакомец как раз из их числа.

— И шведский стол роскошный, — продолжал тот, пытаясь ее разговорить. — Вы близко знакомы с Флейшманами?

У него были такие же, как у Питера, синие глаза, а в целом он был даже интереснее. Поджарый, хорошо тренированный, в отличной форме. С такой внешностью он вполне мог быть каким-нибудь актером, хотя вряд ли, судя по составу сегодняшних гостей.

— Только вчера познакомились, — невозмутимо ответила Пэрис.

— Правда? — Он, очевидно, решил, что она чья-то дама, и бросил взгляд на ее левую руку, на которой больше не было кольца. — Очень симпатичные люди. — И тут он с ослепительной улыбкой предложил: — Не хотите потанцевать? Меня зовут Чандлер Фриман. Я деловой партнер Оскара Флейшмана-младшего. — Он представился по всей форме, и Пэрис улыбнулась, но не двинулась с места.

— А меня зовут Пэрис Армстронг, и я работаю у Биксби Мейсона, который устроил этот замечательный прием. Я тут не в гостях, а на службе.

— Ясно, — сказал он, окидывая ее оценивающим взглядом, и улыбнулся еще шире. — Что ж, Золушка, если потанцуешь со мной до полуночи, обещаю потом искать тебя по всему королевству, пока не найду ножку для хрустального башмачка. Идет?

— Мне в самом деле нельзя.

Пэрис была польщена и в то же время растеряна. Очень привлекательный мужчина. Само обаяние.

— Я никому не скажу. С вашей красотой грех стоять у стенки. Один танец ведь ничего не изменит?

Не дожидаясь ответа, он обнял ее за талию и увлек на середину зала. К своему удивлению, Пэрис повиновалась. По пути она перехватила взгляд Биксби, тот улыбнулся и подмигнул, и она решила, что ничего страшного не делает.

Чандлер Фриман оказался искусным партнером, и танцевать с ним было одно удовольствие.

— Не хотите присоединиться к нашей компании? — спросил он, когда танец кончился, и указал на столик Оскара Флейшмана-младшего, интересного мужчины примерно одного с Пэрис возраста, рядом с которым сидела его необычайно хорошенькая жена, вся в бриллиантах и изумрудах. Пэрис уже знала, что семья сколотила состояние на нефтеразработках в Денвере, после чего перебралась в Сан-Франциско. Джейн рассказала ей, что героем прошлогодней бар-мицвы как раз был сынок Оскара-младшего.

— Я бы с удовольствием, — откликнулась Пэрис, — но мне нужно к своим.

Она не хотела бы проявить бестактность или навязчивость по отношению к гостям, как и произвести неблагоприятное впечатление на заказчиков и самого Биксби. Ей нисколько не претила ее роль скромного наблюдателя, и заводить шашни с гостями, даже такими привлекательными, она не собиралась.

А то, что Чандлер Фриман чертовски привлекателен, было бесспорно. «Интересно, с кем он пришел? — подумала Пэрис. — И как эта женщина отнеслась к тому, что он со мной танцевал?» Но за столом не было никого, похожего на его пару.

Чандлер развел руками:

— Очень жаль. Вы мне доставили большое удовольствие, потанцевав со мной. Я был бы счастлив встретиться с вами снова.

— Я оставлю свою визитку в хрустальном башмачке, — со смехом парировала она. — Меня всегда занимало, почему этот принц не удосужился даже узнать, как ее зовут. Просто удивительно.

Чандлер рассмеялся:

— Пэрис Армстронг. Работаете у Биксби Мейсона. Думаю, это я в состоянии удержать в памяти.

Можно подумать, он действительно собирается продолжать знакомство! Но Пэрис на это не рассчитывала. Просто очень интересный и обаятельный мужчина. Пощекотала немного самолюбие — и довольно. На большее она и не надеялась.

— Спасибо еще раз. Желаю приятного вечера, — обратилась она ко всему столику. Уже отходя от столика, Пэрис услышала, как жена Оскара-младшего спросила Чандлера, кто это был. Чандлер ответил: «Золушка» — и все рассмеялись. Пэрис в приподнятом настроении вернулась к Биксби и Джейн.

— Простите. Я не хотела обидеть его отказом, но улизнула, как только смогла.

Биксби пожал плечами:

— Секрет успеха заключается в том, чтобы знать, когда смешаться с толпой, а когда вернуться к работе. Ты все правильно сделала. Гостям иногда нравится пообщаться с нами. Я, во всяком случае, себе такое позволяю. Думаю, что и тебе не повредит, если в разумных пределах. Главное — все время держать процесс под контролем. А во многих случаях меня просто включают в список гостей. — Он ободряюще улыбнулся и сверкнул глазами. — Между прочим, это был неплохой экземпляр. Он кто?

— Прекрасный принц, — весело объявила она и тут заметила, что Джейн трет поясницу и вид у нее такой, будто она сейчас начнет рожать.

— Ты в порядке? — забеспокоилась Пэрис.

— Да. Просто ребенок неудачно повернулся. Сидит у меня на почках.

— Какая прелесть! — Биксби в притворном ужасе закатил глаза. — Не представляю, как женщины это выносят. Я бы, наверное, умер.

— Не умер бы, к этому привыкаешь, — возразила Пэрис с улыбкой.

Биксби повернулся к Джейн:

— Кстати, хотел сказать: сынок у тебя очень воспитанный. Я велел ему не показываться до окончания приема у Флейшманов — он и притих. Прекрасные манеры, Джейн, хвалю. Не крестник, а маленький принц. Если бы он появился раньше, я бы ему задал порку.

Все рассмеялись. Между тем гости начинали понемногу расходиться: вечер выдался долгий, а до города еще час езды. Бикс направился к хозяйке дома, чтобы попрощаться.

— Все вышло в точности, как я мечтала! — радовалась старушка. В своем розовом наряде миссис Флейшман была похожа на привидение. — Спасибо, Бикс. Замечательный вечер.

— Все было прекрасно, Дорис, а прекраснее всего — вы. Мы тоже чудесно провели время.

— Вы так потрудились! — воскликнула миссис Флейшман. — И мне очень понравилась ваша новая сотрудница. Она будет прекрасным дополнением к старой команде.

Бикс пошел за портфелем и одеждой — он находился здесь с полудня и перед началом приема переоделся в смокинг. Старики Флейшманы, взявшись за руки, ушли в дом.

На полпути к машине Пэрис вдруг услышала сдавленный стон. Она резко обернулась и увидела Джейн. Та стояла согнувшись, а на траве под ее ногами растекалась огромная лужа.

— О боже, — произнесла она, глядя на Пэрис круглыми глазами, — кажется, воды отошли... — В следующее мгновение ее скрутила нестерпимая боль.

— Сядь, — твердо приказала Пэрис и помогла Джейн опуститься на газон. — Все в порядке, все будет хорошо. Малыш словно услышал голос Бикса — дождался окончания вечера. Сейчас доставим тебя домой.

Джейн кивнула, но из-за сильной схватки у нее перехватило дыхание. Когда отпустило, она жалобно посмотрела на Пэрис.

— Кажется, меня сейчас стошнит...

У Пэрис первые роды были точно такие же — с сильными и частыми схватками и безудержной рвотой, когда все происходит одновременно и не знаешь, за что хвататься. По опыту она знала, что это признаки стремительных родов.

Бикс вышел из дома, увидел, как Джейн корчится на земле, и бросился к ней.

— Господи, боже ты мой, да что с тобой? Что ты ела? Надеюсь, не икру и не устрицы? Их все так уминали, вдруг все скопом отравились?

Джейн жалобно подняла на него глаза.

— У нее, по-моему, начались роды, — пояснила Пэрис. — Тут поблизости есть больница?

— Здесь? Сейчас?!

Бикс был в шоке, но вмешалась Джейн:

— Я не хочу здесь ложиться в больницу. Я хочу домой. Мне уже лучше.

— По дороге решим, — резонно рассудила Пэрис и помогла Джейн сесть на заднее сиденье, где можно было и прилечь. Из багажника она достала полотенце и положила его рядом с роженицей, а сама села вперед.

Бикс убрал смокинг в багажник, и в следующее мгновение машина рванула с места.

— По-моему, тебе следует связаться с врачом, — посоветовала Пэрис. — Когда начались схватки?

Джейн уже набирала номер.

— Не знаю. Мне весь вечер было не по себе. Я подумала, съела что-то не то.

Наблюдающий Джейн гинеколог велел прямиком ехать в город, в Калифорнийский медицинский центр. Он считал, что по дороге ничего не должно случиться, но в случае непредвиденного советовал ехать в любую клинику, какая будет по пути, а в самом крайнем случае — звонить в службу спасения. Врач обрадовался, узнав, что она в машине не одна и ей есть где лечь.

Потом Джейн позвонила Полу, назначила место встречи и напомнила захватить вещи. Сумка уже три недели как стояла в прихожей в ожидании своего часа.

Едва закончив разговор, она почувствовала новую схватку, такую сильную, что минуты три или четыре не могла говорить.

— Если мне не изменяет память, — сказала Пэрис, — когда во время схваток не можешь говорить — значит, пора в больницу. Боюсь, роды уже намного ближе, чем мы думаем.

Джейн схватила ее за руку и так застонала, что Бикс испугался.

— О господи! Я же гомосексуалист, пожалейте меня! Я такого видеть не в силах. Мне этого и знать-то не полагается. Что теперь прикажете делать?

— Езжай в город как можно быстрее, — усмехнулась Пэрис.

Джейн почувствовала себя немного легче и тоже слабо улыбнулась.

— Бикс, твоему крестнику не терпится с тобой познакомиться, — поддразнила она.

— Так скажи ему, что еще не время! Я желаю видеть его аккуратно завернутым в голубое одеяльце, в больничной палате, и чтоб волосики были причесаны один к одному. К тебе это тоже относится, — добавил он, глядя в зеркало заднего вида.

На самом деле Бикс не на шутку встревожился. Он меньше всего желал, чтобы у Джейн что-то пошло не так или чтобы задержка в пути каким-либо образом отразилась на ребенке.

— Уверены, что не надо в ближайшую больницу? — спросил он обеих сразу, и Джейн заверила, что все в порядке.

Прошло еще несколько схваток, Пэрис замечала их по часам. Пока что — с интервалом в семь минут. Время еще было, но в обрез.

В промежутках между схватками женщины негромко разговаривали, но когда на полной скорости проезжали мимо аэропорта, Джейн закричала.

— Что случилось? — вскинулся Бикс.

Пэрис тоже не на шутку встревожилась, когда Джейн сказала, что ее тянет тужиться. К счастью, они уже были в черте города.

— Подожди, тужиться нельзя! — приказала Пэрис. — Мы почти приехали. Потерпи.

— О боже! — снова простонал Бикс. — Этого не может быть... — Он нервно посмотрел на Пэрис. — Ты и роды принимать умеешь?

— А это входит в должностную инструкцию? — Пэрис не спускала глаз с Джейн, продолжая держать ее за руку.

— Может пригодиться. Но надеюсь, что нет. — Он проскочил перекресток на красный свет и чудом не получил удар в бок. Никогда в жизни ему не доводилось ездить на такой скорости и с нарушением правил. —

А кстати, Пэрис, я еще не сказал, я тебя беру. Так вот, сейчас я это говорю. На этой неделе ты прекрасно потрудилась. А ты... — он обратился к Джейн, — ты уволена, так и знай. Чтоб в понедельник духу твоего в конторе не было! Никогда больше не приходи!

Они уже были на Калифорния-авеню, и Джейн стонала нечеловеческим голосом. Пэрис пыталась заставить ее дышать глубже, но это мало помогало.

— Можно остановиться? — слабым голосом попросила Джейн. От быстрой езды ее укачало.

— Нет! — рявкнул Бикс. До больницы оставалось несколько кварталов. — Я не остановлюсь, и ты не родишь здесь, в машине! Ты меня слышала, Джейн?

— Вот захочу и рожу, — ответила та и закрыла глаза.

Ее лоб покрылся испариной, и Пэрис поняла, что им повезет, если успеют доехать. Ребенок явно рвался на свет божий. В этот момент Бикс с визгом остановил машину перед клиникой, на стоянке машин «Скорой помощи». Без лишних слов он бросился за врачом.

— По-моему... ребенок... уже выходит, — прерывисто проговорила Джейн, изо всех сил стараясь не кричать.

— Ну-ну-ну, девочка, мы уже приехали, — успокаивала ее Пэрис.

К ним уже мчались санитары с каталкой, с ними был и Пол. Джейн водрузили на каталку, и она со слезами протянула обе руки к мужу. Все это время она мужественно держалась, но сейчас нервы сдали, и ей стало очень страшно.

— Не плачь, все будет хорошо, — бормотал Пол, держа ее за руку.

Роженицу даже не повезли наверх, а доставили в палату приемного отделения, откуда теперь доносились дикие вопли, пробирающие до глубины души. Бикс в ужасе смотрел на Пэрис и в какой-то момент даже схватил ее за руку.

— Боже, боже... Она что, умирает?

В его глазах стояли слезы. Подобного он еще не слышал. Джейн кричала так, словно ее заживо распилили на две половины.

— Нет, — невозмутимо ответила Пэрис. — Скорее всего, она с минуты на минуту произведет на свет ребенка.

— Какой ужас! С тобой тоже такое было?

— С одним. Во второй раз мне делали кесарево.

— Да, вы из какого-то другого материала сделаны. Все вы. Я бы такого не вынес.

— Оно того стоит, — улыбнулась Пэрис и смахнула слезу. Ей вдруг вспомнился Питер.

Через несколько минут к ним вышла медсестра приемного отделения и сообщила, что ребенок родился здоровый и весит почти четыре шестьсот. Через полчаса мимо них провезли Джейн, следом горделиво вышагивал Пол с ребенком на руках. Кортеж направлялся наверх, в послеродовое отделение.

— Все в порядке? — Пэрис нагнулась поцеловать молодую маму. — Я тобой горжусь. Ты молодец.

— Пустяки, — слабо улыбнулась Джейн.

Ей дали какое-то обезболивающее, и она была немного одурманена. При таком весе рожать — совсем не пустяки, уж это Пэрис знала.

— Завтра придем тебя навестить, — пообещала она. Бикс тоже наклонился и поцеловал Джейн.

— Спасибо, что не стала рожать на приеме! — торжественно изрек он, и все трое рассмеялись. Бикс мельком взглянул на младенца. — Такому богатырю впору расхаживать с портфелем и сигарой во рту. Мой крестник! — похвалился он медсестре.

Когда Бикс и Пэрис вышли на воздух, было уже три часа ночи.

— Вот так вечерок! — заметил Бикс, глядя на звездное небо.

Пэрис молча кивнула. У нее вся неделя была необычная. Она нашла работу, завела двух новых друзей и в завершение чуть не приняла роды.

— Спасибо, что взял меня, — сказала Пэрис уже в машине. У нее было такое чувство, будто они уже сто лет знакомы.

— После сегодняшнего надо будет внести в буклет фирмы акушерские услуги, — объявил Бикс. — Я до смерти рад, что роды все-таки пришлось принимать не нам.

— Я тоже, — улыбнулась Пэрис.

Этот вечер как-то особенно сплотил их. Они оба знали, что никогда его не забудут.

— Можно тебя пригласить позавтракать? — предложил Бикс, высаживая ее у дома. — Я бы хотел познакомить тебя со своим партнером.

То, что он решил ввести ее в свой частный мир, Пэрис восприняла как большую честь. Его приглашение ее ошарашило и в то же время польстило.

— Не знала, что у тебя есть партнер по бизнесу.

— Да нет. Я говорю о парне, с которым мы вместе живем, — рассмеялся Бикс. — Ты что, с луны свалилась?

— Прости, не дошло. — Пэрис усмехнулась. — Конечно, приду. С удовольствием.

— В одиннадцать. Будем вспоминать сегодняшний вечер и напьемся. Жаль, что его с нами не было. Он у меня врач.

— Буду ждать с нетерпением, — от души произнесла Пэрис и вошла в дом.

— Спокойной ночи! — прокричал Бикс, отъезжая.

Глава 16

Пэрис встала поздно. Приняв душ, она надела брюки защитного цвета, старенький кашемировый свитер и любимую куртку и уже в одиннадцать была в офисе.

Бикс с приятелем жили над конторой. Этот дом он купил много лет назад. Квартира оказалась очень симпатичной — уютные и теплые комнаты, повсюду книги, в камине гудит огонь.

Мужчин она застала за чтением газет перед камином. Друг Бикса, седой человек лет шестидесяти, был в твидовом пиджаке, слаксах и голубой рубашке с распахнутым воротом, а Бикс — в джинсах и джемпере. Несмотря на седые волосы, партнер Бикса выглядел моложавым и крепким. Они прекрасно смотрелись вместе.

Бикс представил своего друга — его звали Стивен Уорд, — и тот тепло поприветствовал Пэрис.

— Слышал, вчера у вас выдался знаменательный вечерок, — сказал он. — Чуть роды не приняли?

— Да, еще бы немного, и... — улыбнулась Пэрис, а Бикс протянул ей бокал шампанского с персиковым соком. — Я боялась, мы не успеем.

— Я тоже, — честно признался Бикс. — Но потом рассудил, что главное — не угробить нас всех на дороге. Гонка была — будь здоров.

— Да уж. — Пэрис сделала глоток и повернулась к Стивену: — Бикс говорил, вы доктор?

Стивен кивнул:

— Терапевт.

— Специалист по ВИЧ-инфекции и СПИДу, — уточнил Бикс с оттенком гордости. — Лучший в городе.

— Тяжело, наверное? — посочувствовала Пэрис.

— Да, но в последнее время мы сильно продвинулись в лечении.

Из разговора Пэрис узнала, что Стивен приехал в Сан-Франциско со Среднего Запада в начале восьмидесятых для участия в программе лечения больных СПИДом. И остался. Пока Бикс готовил всем омлет, Стивен рассказал, что его предыдущий партнер десять лет назад умер от СПИДа, а с Биксом они вместе уже семь лет. Судя по всему, они жили душа в душу.

Они устроились в столовой и принялись за омлет и круассаны. Бикс налил всем по чашке капучино. Готовил он превосходно, что было весьма кстати, поскольку, как он признался, его друг даже чайника не умел вскипятить. Стивен знал, как спасать людям жизнь или приносить утешение, но на кухне был абсолютно беспомощен.

— Один раз, когда я болел, он попытался меня накормить и чуть не угробил. У меня был желудочный грипп, а он сварил мне томатный суп из консервов — и вбухнул в него банку чили. Нет уж, спасибо, теперь я сам готовлю, — твердо заявил Бикс.

Было ясно, что их связывают живые и содержательные отношения, основанные на взаимном уважении и глубокой привязанности. Стивен, не смущаясь, поведал, как сильно переживал смерть своего бывшего партнера, с которым они прожили вместе двадцать семь лет.

— Потребовались невероятные усилия, чтобы научиться жить без него. Два года я никуда не ходил. Работал, читал, спал... Потом мы познакомились с Биксом, год встречались и вот уже шесть лет живем вместе. Мне очень повезло, — подытожил он, с благодарностью взглянув на друга.

— Действительно, повезло, — согласилась Пэрис. — Я была замужем двадцать четыре года. Мне и в голову не приходило, что мы можем развестись. Никак не оправлюсь от шока. До сих пор, когда об этом думаю, мне кажется это невероятным. А теперь он женат на другой.

— Давно он от вас ушел? — сочувственно спросил Стивен.

— Девять месяцев назад, — грустно ответила Пэрис.

— И уже женился заново? — Бикс был шокирован. — Невероятно! Ты такая приятная, умная женщина, интересный собеседник, с чувством юмора... Чего еще может желать мужчина! И что же? Он женился на какой-нибудь девчонке?

Пэрис кивнула, но от слез удержалась, и это уже был прогресс. Все потихоньку налаживалось, ей стало намного легче, чем вначале.

— Ей тридцать один. В этом смысле я ей не конкурент.

— И не надо! — отрезал Бикс. — Надеюсь, она заслужила такого мужа. Подло он с тобой обошелся. А ты с кем-нибудь встречалась после этого?

— Нет, и не собираюсь. Стара я уже для свиданий. Не хочу делать из себя посмешище, соревнуясь с девицами вдвое моложе. Да и вообще, мне никто не нужен. Я ведь его по-настоящему любила.

На глаза Пэрис все-таки навернулись слезы, и Стивен тронул ее за плечо.

— Я вас понимаю. Я тоже сначала думал, что ни с кем больше не смогу встречаться. Но вы намного моложе меня.

— Мне сорок шесть, для свиданий я уже стара, — повторила Пэрис.

— Найти родственную душу можно в любом возрасте, — рассудительно заметил Стивен. — Среди моих пациентов есть семидесятилетние, и они тоже влюбляются и женятся.

— У Стивена не все больные — гомосексуалисты, — пояснил Бикс.

— Пэрис, я серьезно говорю. У вас впереди вся жизнь. Просто нужно время. Что такое девять месяцев? Ничто. Во всяком случае, для многих. Есть, конечно, и такие, кто за несколько недель заводит роман. Но пережить потерю любимого всегда трудно. Мне понадобилось три года, чтобы найти Бикса, а я был уверен, что больше никогда не буду счастлив.

Его сострадание и откровенность тронули Пэрис до глубины души. Это действительно была ценная информация, и неважно, от кого она исходила — от натурала или «голубого». Отношение к любви и духовной близости не зависит от сексуальной ориентации.

— При этом нужно учесть, что в мире «голубых» куда сложнее найти партнера, — ничуть не смущаясь, заявил Бикс. — Здесь главное — молодость и красота. В нашем мире нет ничего страшнее, чем стариться в одиночестве. Если ты уже немолод и недостаточно хорош собой — пиши пропало. После моего предыдущего партнера я два года пытался с кем-то сойтись, и это было ужасно. Мне было всего тридцать, и на внешность свою я никогда не жаловался, а оказалось, что все уже в прошлом. В тридцать два я встретил Стивена и был страшно рад, что нашел родную душу. Я не любитель поверхностных отношений.

— Я тоже, — вздохнула Пэрис. — Что может быть нелепее, чем бегать в моем возрасте на свидания? Это унизительно и очень печально.

Она рассказала о том вечере в Гринвиче, когда специально для нее был приглашен неотесанный маклер в клетчатых штанах, любитель неприличных анекдотов. Это стало одним из решающих мотивов для ее переезда.

— Кажется, у меня был опыт отношений с подобным типом, только «голубым», — посмеялся Бикс. — Хуже и представить нельзя. Предыдущий партнер бросил меня ради какого-то юнца лет двадцати, и все наперебой меня жалели. Даже начали устраивать мне свидания, только почему-то все время с мерзейшими типами. В основном с какими-то психами. Один целых два года почти не спал, он был самый настоящий сумасшедший, его мучили галлюцинации, а меня он почему-то считал своей мамой. Однажды, вернувшись домой, я застал его в отключке от таблеток, при этом он был в розовых трусиках и лифчике. Я велел ему выматываться. Но это еще что! Следующим стал юный натуралист — у него жили пять змей, он их выпускал поползать по всему дому. Однажды две куда-то запропастились, он никак не мог их найти, и я с перепугу чуть не съехал. Короче, чудиков с меня хватило. Даю слово, Пэрис, я ни за что не стану устраивать тебе свиданий «вслепую». Я к тебе слишком хорошо отношусь. Ты уж лучше сама себе кого-нибудь выбери. Я слишком тебя уважаю, чтобы помогать в этом деле.

— Спасибо. А как вы познакомились со Стивеном? Пэрис разбирало любопытство. Эта пара действительно была ей симпатична.

— Все было очень просто. Мне понадобился врач, и мы сразу друг другу приглянулись. Правда, потребовалось два месяца, чтобы он это осознал. А сколько я себе хворей напридумывал за это время, чтобы иметь повод с ним видеться! Наконец до него дошло, и он пригласил меня поужинать вместе.

При этом воспоминании Стивен улыбнулся.

— Да, я не сразу понял. Сначала мне показалось, что ему просто нужен старший товарищ.

— Вот еще! — фыркнул Бикс. — Мне было нужно совсем другое.

Сейчас, насколько могла судить Пэрис, это была счастливая супружеская пара, их отношения вызывали искреннее уважение. Странно, но они напомнили ей о собственном браке, и Пэрис взгрустнула. Эти двое были так близки, они так хорошо понимали друг друга. Когда-то и у нее была такая же счастливая семейная жизнь...

Придя домой, она позвонила Мэг, но не застала. В шесть часов приехал с приятелем Вим, Пэрис покормила их, и они чудесно провели вечер.

День вообще выдался удачный, и своей новой жизнью Пэрис была довольна. Даже погода благоприятствовала. Она уже десять дней находилась в Калифорнии, и, хотя еще был февраль, погода стояла теплая и солнечная. От Вирджинии и Натали Пэрис знала, что в Гринвиче все еще идет снег, и была счастлива, что сменила место жительства.

— Мам, как тебе работа? — поинтересовался Вим, с ногами растянувшись на диване после обильного ужина.

Сын с приятелем дружно благодарили Пэрис за угощение, а ели так, будто несколько дней до этого голодали.

— Я в восторге! — просияла Пэрис.

— Чем ты конкретно занимаешься?

Пэрис улыбнулась. Она ему уже не раз рассказывала об этом, но он, разумеется, тут же все забыл. Впрочем, для него главное — чтобы мама была довольна.

— Мы устраиваем всевозможные мероприятия. Свадьбы, приемы, презентации. Руководитель фирмы — необычайно творческая личность.

— Просто развлечение, а не работа, — изрек Вим.

Ему было вольготно в новом доме — тем более что теперь ему принадлежал целый флигель с отдельным входом. Вим объявил, что станет бывать тут часто. Пэрис обрадовалась, хотя в душе понимала, что детям верить нельзя. Вряд ли ему удастся часто выбираться.

Ребята пробыли у нее до позднего вечера и поехали назад в Беркли. В одиннадцать Пэрис уже все убрала и легла в постель. Чудесное воскресенье!

В Гринвиче она больше всего боялась выходных, эти дни всегда оказывались самыми тяжелыми. У всех было с кем общаться, а у нее — нет. Здесь, как ни странно, с этим все было проще. Утром она с удовольствием пообщалась с Биксом и Стивеном, вечером — с Вимом и его приятелем. Пэрис уже засыпала, когда позвонила Мэг и рассказала, что тоже чудесно провела день — на Винис-Бич.

В мире все было хорошо, по крайней мере — в Калифорнии.

Глава 17

Понедельник выдался суматошный. Обратиться к Джейн за советом уже было невозможно, та сидела дома с мужем и малышом. Ребенка назвали Александр Мейсон Уинслоу, Джейн говорила, что он довольно спокойный.

Теперь Пэрис и Бикс работали вдвоем. Ближайшая суббота выпадала на День святого Валентина, и у них были запланированы два мероприятия. Как и раньше, при Джейн, Бикс рассчитывал лично присутствовать на одном, а на второе послать Пэрис. Правда, обе вечеринки были сравнительно небольшие.

Ближе к вечеру раздался звонок, и секретарша, как раз явившаяся разгрести бумажные завалы, сообщила Пэрис, что ее просит некий мистер Фриман.

— Не знаю такого, — быстро проговорила Пэрис и уже хотела попросить принять для нее сообщение, как вдруг вспомнила. Это же Прекрасный принц! — Алло, — осторожно ответила она, все еще неуверенная, что это именно тот мужчина, с которым она танцевала на годовщине у Флейшманов. Но с первыми же звуками его голоса убедилась, что ее догадка была верна.

— Это ничего, что я звоню? — извинился он. — Ваш номер для меня узнала у свекрови Марджори Флейшман. Довольно странный путь, правда? Зато эффективный. Как поживаете, Золушка?

— Прекрасно, — со смехом ответила Пэрис, пораженная изобретательностью, с какой он добыл ее координаты. «Интересно, к чему такие усилия? — подумала она. — Мы ведь только один раз потанцевали». — Много работы. Сегодня подчищали накопившиеся дела. А по дороге с того вечера мне чуть не пришлось принимать роды. Вы хотели бы сделать заказ?

Она рассказала о Джейн, тот был поражен. После этого Пэрис предполагала услышать причину его звонка. Наверное, тоже решил принять гостей.

— Да нет, я просто подумал, не пообедать ли нам завтра вместе. Что скажете, Пэрис?

Первое, что пришло на ум, — «зачем?». Она была совершенно не расположена с кем-то встречаться. Совершенно.

— Очень мило с вашей стороны, Чандлер. — Имя его она помнила. Однако желания встречаться с ним у нее совсем не было. — Но я обычно не хожу обедать. У нас очень много работы.

— Вы рискуете. Может резко упасть сахар в крови. Мы быстро!

Судя по всему, этот человек не привык получать отказы. И не собирался делать исключение. Он был настолько прямолинеен, что Пэрис растерялась. Ей не хотелось выглядеть грубой, да и ни к чему: этот человек был ей весьма симпатичен.

— Ну что ж, разве что очень быстро...

Пэрис тут же рассердилась на себя за то, что согласилась на встречу, которой вовсе не желала, да еще с едва знакомым мужчиной. И решила придать свиданию исключительно деловой характер, что бы он там себе ни вообразил.

— Прекрасно. В двенадцать часов я заеду за вами в офис. Обещаю, что доставлю вас обратно вовремя.

— Проще встретиться где-нибудь в городе, — заупрямилась Пэрис. — Я не знаю, где завтра буду в первой половине дня.

— На этот счет не переживайте. Я за вами приеду, куда скажете. У меня в машине телефон, я готов вас подождать; на моей работе это никак не отразится. Увидимся в двенадцать, Золушка, — поспешно заключил он и положил трубку.

Вошел Бикс и застал Пэрис сидящей за рабочим столом с мрачным видом.

— Что-то не так?

— Я только что совершила большую глупость, — сердито пробормотала она.

— Бросила трубку, не дав клиенту договорить? — довольно равнодушно поинтересовался Бикс.

— Ну, до такого я пока не дошла. Просто позволила одному типу уговорить меня пойти с ним обедать, а мне этого вовсе не хочется. Но я и глазом не успела моргнуть, как он меня округтил и объявил, что заедет в двенадцать прямо сюда.

Бикс улыбнулся:

— Я его знаю? Не тот, с кем ты танцевала у Флейшманов?

— Как ты догадался? — удивилась Пэрис.

— Я предвидел, что он станет тебе звонить. Подобные типы всегда так поступают. Как, говоришь, его зовут?

— Чандлер Фриман. Он партнер Оскара Флейшмана-младшего. Чем занимается, понятия не имею.

— Иногда в прессе его имя мелькает. Держи ухо востро. По-моему, он профессиональный соблазнитель.

— Это что значит? — удивилась Пэрис.

— Это особая порода. Одни так и ходят в холостяках, другие раз-другой побывали в браке и после скандального развода остались на мели. Держатся они, как правило, весьма нахально. И всю оставшуюся жизнь до одури крутят романы, не уставая приговаривать, какие стервы были их жены. Послушать их, так они до сих пор не женились, потому что не могли найти себе «достойную» женщину. На самом деле жениться они вовсе не жаждут — их больше устраивают временные отношения.

— Исчерпывающее описание, — улыбнулась Пэрис. — Послушаем, что он сам о себе расскажет, и тогда решим, вписывается ли он в твою схему.

Бикс пожал плечами:

— Подозреваю, что да, как это ни печально.

Пэрис вздохнула:

— Так ты не возражаешь, если я завтра отлучусь на обед?

— Тебе необходимо разрешение? — усмехнулся Бикс.

— В каком-то смысле.

Пэрис еще сама не решила, стоит ли идти. Чандлер казался ей симпатичным, обаятельным... «Всего-то невинный ленч», — сказала она себе.

— Иди, развлечешься. Это тебя ни к чему не обязывает. С виду он парень приличный.

— Даже если на самом деле «профессиональный соблазнитель»?

— И что? Он же тебя не под венец ведет. Пообедаете — и все. Тебе нечего бояться. А заодно попрактикуешься.

— В чем?

— В отношениях с действительностью, — прямо заявил Бикс. — Рано или поздно тебе придется выйти в реальный мир. Не можешь же ты всю жизнь просидеть дома. Такая женщина, как ты, Пэрис, заслуживает того, чтобы иметь рядом достойного человека. А если ты никуда не будешь ходить, как ты его найдешь?

— У меня уже однажды был «достойный человек», — печально ответила Пэрис.

— Просто он оказался не таким уж достойным.

— Наверное...

Через полчаса Бикс показал ей композицию из белых роз в виде мишки, которую он собирался послать Джейн. У Пэрис от восторга перехватило дыхание.

— Как ты это сделал?

— Это не я. Я только придумал. А сделала Хироко. Здорово, правда? — Он гордился этим произведением искусства и был рад, что Пэрис тоже его оценила.

— Что-то невероятное! Джейн будет в восторге.

Бикс унес композицию вниз и отправил молодой маме с запиской. Пэрис вспомнила, что тоже собиралась сделать своей предшественнице подарок по случаю новорожденного, и решила заняться этим в выходные. Правда, в субботу придется присутствовать на одном из приемов по поводу Валентинова дня, но с утра у нее будет свободное время.

Пэрис не могла поверить, сколь насыщенной стала ее жизнь за какую-то неделю с небольшим. Вечером, позвонив Анне Смайт, она ей так и сказала и попросила перенести их общение на более поздние часы. Несмотря на разницу во времени, Анна не возражала. Она была рада звонкам Пэрис, а больше всего тому, что жизнь у нее налаживается. Они уже сократили свои сеансы до одного в неделю. На большее у Пэрис просто не оставалось времени. Но в случае необходимости она всегда знала, к кому обратиться.

Пэрис рассказала Анне, что приглашена на обед, поделилась своими соображениями насчет Чандлера Фримана, а также передала слова Бикса о профессиональных соблазнителях.

— Постарайтесь подходить к этому вопросу без предубеждения, — посоветовала Анна. — Вполне возможно, вы получите удовольствие от общения. Даже если этот Чандлер и в самом деле профессиональный соблазнитель, как говорит ваш Бикс, он может оказаться содержательным человеком. И не забывайте: вы собирались общаться с людьми. Любить всех вовсе не обязательно. А он может ввести вас в свой круг знакомств.

Хорошая мысль! Пэрис еще в Гринвиче знала, что ей придется начинать жизнь с нуля, а это будет непросто.

На следующий день без пяти двенадцать с улицы донесся рев мотора, и, выглянув в окно, Пэрис увидела серебристый «Феррари». Из машины вышел Чандлер Фриман в блейзере, серых брюках, голубой сорочке и желтом галстуке — судя по всему, от торгового дома «Эрмес». Вид у него был шикарный и преуспевающий. Он нажал звонок, поднялся и предстал перед Пэрис с ослепительной улыбкой.

— Вот это офис! Я восхищен.

— Благодарю. Только я здесь совсем недавно.

Пэрис не хотела приписывать себе чужие заслуги — все оформление было сделано Биксом.

— Как это?

— Я две недели как переехала из Гринвича, штат Коннектикут. Работаю всего десять дней.

— А я думал, вы всю жизнь этим занимаетесь.

— Спасибо, — улыбнулась она.

— Ну что, идем?

Он опять ослепил ее улыбкой. У него были потрясающие зубы, как в рекламе зубной пасты. Невероятно привлекательный мужчина! Пэрис чувствовала себя польщенной, что ее пригласил такой красавец.

Чандлер так резко рванул машину с места, что Пэрис забеспокоилась, хотя и старалась не подать вида.

— Куда едем? — небрежно спросила она.

Ее спутник улыбнулся:

— Хотелось бы сказать, что вы похищены, но, к сожалению, это не так. Насколько мне известно, времени у вас в обрез, так что далеко не поедем.

Он привез ее в небольшой итальянский ресторанчик с выходом в сад и всего в нескольких кварталах от ее работы. Судя по всему, Чандлер здесь был завсегдатаем.

— Это место мало кто знает, — сказал он. — Я его люблю. Мне часто приходится обедать в ресторане, и я терпеть не могу толкаться в помещении.

Погода была еще теплее, чем на прошлой неделе. В Калифорнию пришла весна. Вместо предложенного бокала вина Пэрис попросила холодного чая. Чандлер взял себе «Кровавую Мэри», они заказали по салату и пасту. Еда оказалась замечательной, и постепенно Пэрис начала расслабляться, Фриман вел с ней непринужденную беседу. Он действительно был интересным и, судя по всему, приятным человеком.

— Долго вы уже в разводе? — наконец спросил он, и Пэрис поняла, что этот вопрос ей придется слышать часто. Может, напечатать буклет со всеми подробностями?

— Два месяца. Но живем отдельно уже девять месяцев.

Она не стала вдаваться в подробности. Все это его не касается, во всяком случае, на данном этапе. Она не обязана ничего ему объяснять.

— А сколько лет вы были женаты?

— Двадцать четыре, — ответила она, и Чандлер нахмурился.

— Ого! Это, должно быть, очень болезненно.

— Да, не скрою, — призналась Пэрис и решила, что ей тоже пора о нем что-нибудь узнать. — А вы?

— Что — я? — уклончиво улыбнулся он.

— Те же вопросы. Давно вы в разводе? И долго ли были женаты? — Пэрис начинала чувствовать себя увереннее.

— Я был женат двенадцать лет. И в разводе уже четырнадцать.

— Давно, — заметила она.

— Это точно.

Возможно, он что-то от нее скрывает. А скорее всего, Бикс прав.

— И больше так и не женились?

— Нет. Не женился.

— Почему?

— Наверное, не нашел достойной женщины.

Черт! Кажется, Бикс все-таки не ошибся.

— А может быть, я слишком дорожил своей независимостью. Видите ли, я обжегся довольно сильно. Жена сбежала от меня к моему лучшему другу, как ни банально это звучит. Потом выяснилось, что у них уже три года как был роман. Такое случается, но, когда это происходит с тобой, ужасно обидно.

Так, все сходится. Бывшая жена — настоящая мерзавка. И дрянь.

— Да, не повезло, — посочувствовала Пэрис. Впрочем, Чандлер уже опять повеселел. Наверное, слишком давно это было, время все залечило. — А дети у вас есть?

— Сын. Ему сейчас двадцать семь, он живет в Нью-Йорке, и у него уже две дочери. Так что я уже дедушка, во что никак не могу поверить. Но девчонки замечательные. Два и четыре годика. И скоро еще одна будет.

В свои сорок восемь лет этот красавец был мало похож на деда.

Они еще немного поболтали, рассказали друг другу, в каких странах побывали и где еще хотели бы побывать. Пэрис немного говорила по-французски. Чандлер похвалился, что прилично владеет испанским — в юности он два года жил в Буэнос-Айресе. Ему показалось весьма экзотичным имя Пэрис, которое, кстати, ей никогда не нравилось, и она сказала, что родители назвали ее так в честь Парижа, где проводили медовый месяц. Чандлер умело направлял их беседу, с ним было интересно, а на обратном пути он похвастал, что управляет собственным самолетом, правда, в качестве второго пилота. Самолет был маленький, «G-4». Он предложил как-нибудь взять в полет Пэрис.

Прощаясь, Чандлер сказал, что будет рад встретиться с ней снова, например поужинать в ресторане ближе к концу недели, но Пэрис ответила, что будет занята на работе. Он улыбнулся, поцеловал ее в щеку и попрощался. Поднимаясь по лестнице, Пэрис слышала рев мотора.

Бикс сидел за столом и делал какие-то наброски.

— Ну, и?..

— Кажется, ты был прав. Зачем я пошла? Я не хочу ни с кем встречаться. Какой смысл?

— Считай это тренировкой. Однажды ты переменишься. Если только не уйдешь в монастырь.

— Хорошая мысль!

— Итак?

— Он был женат двенадцать лет, а четырнадцать лет назад развелся. И с тех пор не встретил ни одной женщины, на которой стоило бы жениться. Как тебе нравится?

— Никак, — ответил Бикс.

Зная Пэрис всего неделю, он почему-то чувствовал ответственность за нее. Ей больше кого бы то ни было требовалась защита. И Бикс хотел ее по-настоящему оградить от неприятностей. Она была как ребенок в джунглях. И, по-хорошему, ей бы сейчас продолжать свою счастливую семейную жизнь в Гринвиче, но...

— У него сын и две внучки, а скоро будет еще одна, — продолжала Пэрис. — Он два года жил в Буэнос-Айресе. Управляет собственным самолетом. Да, и жена сбежала от него с его приятелем, с которым у нее были шашни на протяжении нескольких лет. Отсюда и развод. Вот и все.

— Отлично! — Бикс улыбнулся. — Ты что, конспектировала или так запомнила?

— Записывала на диктофон, спрятанный в туфле, — усмехнулась Пэрис. — И что скажешь? Мой психотерапевт говорит, что, даже если он полный кретин, главное, что он может познакомить меня со своими друзьями.

— И те тоже окажутся кретинами. «Профессионалы» держатся вместе. На дух не выносят женатиков, считают их всех тупыми и мещанами.

— О-о... Значит, думаешь, он такой? Ну, «профессионал», как ты говоришь?

— Не исключено. Будь осторожна. Он тебя еще куда-то приглашал?

— Предложил в конце недели поужинать в ресторане. Я сказала, что в субботу работаю.

— Он тебе нравится?

— В каком-то смысле. Он интересный собеседник, умный, стильный... А хороший человек или нет, пока сказать не могу.

— Я тоже. Поэтому и советую тебе держать ухо востро. Дай ему шанс, но очень маленький. Береги себя, Пэрис. Это главное.

— Это не так легко.

— Надо постараться. Если, конечно, не хочешь уйти в монастырь.

— Я подумаю.

— Помни, в наше время нравы сильно испортились. Одри Хепберн и Ингрид Бергман в летящих одеждах больше не существуют. Теперь со всех сторон сплошь пластмассовые куклы с мерзкими прическами.

Пэрис засмеялась, покачала головой и села за работу. К концу рабочего дня ей доставили букет от Чандлера Фримана. Две дюжины красных роз и записка: «Спасибо, что уделили мне время. Чудесный был обед. До скорой встречи. Ч.Ф.».

Биксби посмотрел на цветы, прочел записку и покачал головой:

— Профи. А розы прекрасные.

Пэрис тронуло, что Биксби так всерьез ее опекает. Она послала в ответ благодарственную записку и выкинула Чандлера Фримана из головы.

Все следующие дни, в преддверии Валентинова дня, были очень загружены работой. Каждый клиент жаждал послать что-то необычное своему любимому человеку, что-то абсолютно оригинальное, чего ни у кого нет.

К счастью, Биксу это до сих пор удавалось. А еще надо было готовить два вечера.

В четверг опять позвонил Чандлер. И пригласил в субботу в ресторан.

— Мне очень жаль, Чандлер, но у меня работа. Я не смогу.

— А вы помните, какой это будет день? — многозначительно спросил он.

— Да, конечно, Валентинов день. Но от работы это меня не освобождает.

Если бы она сейчас не служила в такой фирме, то постаралась бы вообще не вспоминать о календаре. С Питером они всегда в этот день ужинали в ресторане, даже год назад, хотя теперь Пэрис точно знала, что тогда он уже встречался с Рэчел. Интересно, как он тогда выкрутился?.. Однако же выкрутился. А решение отложил до мая. И теперь справлять Валентинов день он будет вместе с Рэчел.

— В котором часу вы освободитесь?

— Поздно. Скорее всего, в районе одиннадцати.

Она обслуживала небольшой прием и, по существующим правилам, могла уйти, как только гости сядут за стол. Но Пэрис решила оставить себе лазейку и специально назвала такой поздний час. Вдруг да отстанет?

— Я подожду до одиннадцати. Пусть это будет поздний ужин, а?

Пэрис колебалась. Она не знала, как поступить. Ей не хотелось заводить роман. Но разговор пошел в таком ключе, что это вполне может произойти. Чандлер ее всячески к тому подталкивал. А она не поддавалась.

Но все-таки что-то в нем ее притягивало.

— Даже не знаю, Чандлер, — честно сказала она. — Мне кажется, я еще к этому не готова. Валентинов день — это ведь не просто так...

— А мы сделаем «просто так». Я вас понимаю. Я тоже был в таком положении.

— Но почему обязательно я? — жалобно спросила Пэрис, и он удивил ее своим ответом:

— Потому что вы мне очень нравитесь. За четырнадцать лет я таких женщин не встречал.

Это было сильное заявление, а хуже всего — он произнес его таким тоном, будто действительно так считал. Пэрис не знала, что сказать.

— Вам лучше встречаться с женщиной, которой не нужно работать вечерами.

— А я хочу встречаться с вами. Чем вас не устраивает полночь? Организуем что-нибудь простенькое. А если раньше освободитесь — позвоните мне. Ударим по гамбургерам! Никакого насилия. Никаких воспоминаний. По-приятельски отметим дурацкий праздник.

В его устах это звучало очень заманчиво. Пэрис боролась с искушением.

— Прошу вас, подумайте над моим приглашением. Я вам завтра позвоню. Договорились?

— Ладно, — слабым голосом ответила она. Чандлер говорил так резонно, так просто и убедительно, что устоять было невозможно.

Всю ночь промучившись сомнениями, Пэрис так ни к чему и не пришла. Ей и хотелось, и не хотелось с ним видеться. В пятницу утром, когда он позвонил, она оказалась так занята, что не успела ни о чем подумать и сразу согласилась. Обещала позвонить сразу после приема и отправиться с ним есть гамбургеры. Форма одежды — джинсы. Превосходный выбор для Валентинова дня: и одной сидеть не придется, и романтическим свиданием не назовешь. Идеальный вариант.

Гости сели за стол в девять часов, и в половине десятого Пэрис ушла. Чандлер заехал за ней в десять, как и договорились — в джинсах. Пэрис тоже надела джинсы, красный кашемировый свитер и допотопное белое полупальто с капюшоном.

— Золушка, ты сегодня похожа на «валентинку», — улыбнулся он и расцеловал ее в обе щеки.

Они зашли в тихий ресторанчик, и он вдруг протянул ей нарядную коробочку и два конверта. А Пэрис для него ничего не приготовила.

— Что это? — смутилась она.

В конвертах были открытки, обе очень забавные, а в коробке — серебряная шкатулка с конфетами в форме сердечек. Подарок был тщательно продуман.

— Спасибо, Чандлер, ты очень мил. А вот я для тебя ничего не принесла...

— И не надо. Я ведь тебя пригласил, а не ты меня. Достаточно того, что ты здесь.

Он говорил искренне, и Пэрис была растрогана.

Вечер прошел непринужденно; в полночь она уже была дома. Чандлер проводил ее до дверей и целомудренно поцеловал в щеку.

— Спасибо. Все было чудесно, — сказала Пэрис, нисколько не кривя душой.

Сегодня у нее не было ощущения, что ее насильно вытащили, и чувствовала она себя свободно.

— Я так и хотел. Что делаешь завтра? Может, согласишься прогуляться по берегу?

Пэрис недолго колебалась и кивнула.

— Отлично. В два я за тобой заеду.

На следующий день, в кроссовках и джинсах, они поехали к морю. И провели на берегу целых два часа. Погода была прекрасная, дул легкий ласковый ветерок. Пэрис распустила волосы, и Чандлер восхищенно смотрел, как они летят на ветру.

Когда он привез ее назад, Пэрис пригласила его зайти и что-нибудь выпить. Она, как всегда, налила себе холодного чая, а Чандлер пил белое вино и любовался видом.

— Мне нравится твой дом, — признался он.

— Мне тоже. — Пэрис села рядом с ним на диван. В его обществе ей было легко. — Жду не дождусь, когда приедет моя мебель.

Они провели вместе еще час, беседуя о детях и о том, почему распались их браки. Чандлер сказал, что, по-видимому, уделял жене недостаточно внимания и не придавал значения ее выходкам.

— Наверное, я ей слишком доверял, — спокойно рассказывал он. — Мне казалось, ей можно верить.

— Кому-то надо доверять, Чандлер...

— С тех пор, по-моему, я лишился этой иллюзии. Наверное, поэтому больше и не женился. Ты ведь, очевидно, тоже верила мужу, — сказал он, в упор глядя на Пэрис. — И какие выводы?

— Такие, что даже те, кого любишь, способны ошибаться. Кроме того, люди меняются. Могут и разлюбить. Это, наверное, нормально. Мне просто не повезло, что такое случилось со мной.

— Какая ты наивная! Везение здесь совсем ни при чем, иначе мы не оказались бы в одинаковой ситуации. Ведь я не изменял жене, как и ты — мужу, правда? Так, может, все дело в том, что ему нельзя было верить? Могу предположить, что он был не таким порядочным человеком, каким ты его считала. Это же не несчастный случай. Он позволил этому случиться. В точности как моя жена. Может, он даже этого добивался и совсем не задумывался, что станет с тобой. Ему это было неважно.

— Не думаю, что все так просто, — честно сказала Пэрис. — Я все же склонна считать, что в жизни всякое бывает и люди иногда, не задумываясь, вступают в отношения, из которых потом не в силах выпутаться. Они запутываются. Кроме того, люди меняются. Так и Питер. Он сказал, что ему стало со мной скучно.

— Скука — неотъемлемая часть брака. Если ты женат, надо быть готовым к скуке.

— Ну, не всегда, — возразила она, вспомнив слова Бикса: «Профессиональные соблазнители считают женатиков тупыми мещанами». — Мне, например, не было скучно.

— Может, ты просто не отдавала себе отчета. Спорим, сейчас у тебя куда более интересная жизнь!

Он улыбнулся и глотнул вина, а Пэрис подумала, что в логике ему не откажешь.

— В каком-то отношении — да, — согласилась она. — Но мне моя жизнь виделась иначе. Я была счастлива в семье.

— Могу предсказать: через год ты будешь радоваться, что он ушел.

Такое предположение показалось ей невероятным. Пэрис знала: что бы ни случилось, она всегда будет горевать о Питере. И всегда будет жалеть, что он не с ней. Но поскольку это было невозможно, придется находить радости в новой жизни. Однако эти радости все равно будут не те, что были у нее с Питером.

Чандлер пробыл у нее до шести. Уходя, он сказал, что завтра летит в Лос-Анджелес на своем самолете, а когда вернется, позвонит. Утром ей снова принесли от него цветы.

— Кажется, мистер Фриман всерьез вышел на охоту, — холодно заметил Бикс, приехав в офис, чтобы сделать наброски к запланированной на июнь свадьбе. — Тебе с ним интересно?

— Вроде бы, — неуверенно ответила Пэрис.

Чандлер был легким человеком, приятным и обаятельным. Но за этой внешностью крылось что-то очень горькое. Видимо, предательство жены его сильно ожесточило.

Он снова объявился только в четверг и сообщил, что находится в Нью-Йорке по делам, а назад вернется к воскресенью. Пэрис это не слишком волновало. Позвонил — и слава богу. А на следующей неделе он стал усиленно приглашать ее слетать с ним в Лос-Анджелес на его самолете. Пэрис колебалась недолго: она не собиралась с ним никуда ехать, а главное — спать с ним. Этот мост переходить она еще была не готова. И Пэрис деликатно высказала все это Чандлеру.

Тот посмеялся:

— Я это знаю, глупенькая. Я хотел снять нам два номера в «Бель-Эре». Думал взять тебя на один прием в преддверии «Грэмми». У меня приятель в музыкальном бизнесе, он каждый год меня приглашает. Захватывающее зрелище! Хочешь сходить?

Пэрис еще сомневалась, но вдруг вспомнила, что это означает возможность повидаться с Мэг. Можно было, конечно, и самой съездить. Но, честно говоря, «Грэмми» звучало заманчиво.

— Пока не знаю, смогу ли вырваться. Можно, я спрошу у Биксби, а потом отвечу тебе?

Пэрис не тянула время — ей и в самом деле хотелось посоветоваться. Вечером, когда они с Биксом оба были в офисе, Пэрис задала ему этот вопрос.

— Могу отпустить тебя на денек, — ответил тот со свойственным ему великодушием. — Но ты уверена, что хочешь ехать?

— Нет, не уверена, — смутилась Пэрис. — Он милый человек, но я пока не готова с кем бы то ни было делить постель, — откровенно призналась она. — Правда, он говорит, что снимет мне отдельный номер... Думаю, съездить было бы интересно. В общем, не знаю.

— Послушай, Пэрис, что тебя смущает? — усмехнулся Биксби. — Я бы тоже с радостью полетел.

— Вот и езжай с ним, — поддразнила Пэрис.

— То-то он удивится! — засмеялся Биксби. — А как он отнесся к тому, что у тебя будет отдельный номер?

Пэрис задумалась:

— Да вроде нормально...

— Тебя послушаешь, он прямо-таки ангел!

Именно это Биксби и настораживало. Так ведут себя только «профессионалы».

К концу дня Пэрис перезвонила Фриману и, затаив дыхание, объявила, что согласна. Лететь надо было в пятницу утром, чтобы вечером попасть на торжество, на которое Чандлер решил ее сводить. По счастливой случайности, на эти выходные у Биксби не было намечено никаких крупных мероприятий. Только скромный ужин, который должна была обслуживать Сидни Харрингтон. Зато через неделю им предстояла грандиозная свадьба, и Бикс сказал, что тогда уж он Пэрис никуда не отпустит.

Вечером она позвонила Мэг и сообщила, что на днях приедет. Какие будут планы на выходные, Пэрис еще не знала, но пообещала дочери, что выкроит время, чтобы с ней повидаться. О Чандлере она рассказала в двух словах, но дочка очень обрадовалась:

— Мам, но это же здорово! А какой он?

— Как тебе сказать... Хороший, кажется. Очень красивый, шикарно одет. В общем, на первый взгляд производит вполне благоприятное впечатление.

В ее голосе не слышалось большого энтузиазма. Это все равно не Питер. И как странно общаться с чужим мужчиной, тем более — лететь с ним в другой город...

Пэрис все еще сомневалась, правильно ли поступает. Но Чандлер как будто понимал ее принципы и был готов их принять. Она была рада, что он согласился на два отдельных номера. Иначе она бы никуда не полетела. И заплатить она решила за себя сама. Пэрис не хотела быть у него в долгу. Хватит и того, что она летит на его самолете и идет на вечеринку за его счет.

— Мам, а он тебя как мужчина не привлекает? — спросила Мэг с некоторой тревогой.

— Нет, не привлекает. Вообще это романом назвать нельзя, — сказала Пэрис, обманывая сама себя. — У нас просто приятельские отношения.

— Он тоже так считает?

191

— Без понятия, что он там считает. Но он знает, что спать я с ним не собираюсь. Мне кажется, он джентльмен, а если выяснится, что нет, я приеду ночевать к тебе.

Мэг посмеялась над ее наивными представлениями об ухаживании.

— Возьми с собой газовый баллончик — вдруг он станет ломиться к тебе в номер.

— Мне кажется, он не такой. Во всяком случае, я надеюсь. А если это случится, вызову полицию.

— Как мило! — опять рассмеялась Мэг, после чего сообщила, что у нее появился новый кавалер. Она впервые встречалась с парнем после разрыва с Пирсом.

— Надеюсь, этот более нормальный? — поддразнила мать.

Оказалось, его зовут Энтони Уотерстон, он очередной молодой актер, и познакомились они тоже на съемках. Очень талантливый, но они пока еще мало знают друг друга.

— Всякие новые отношения — это тяжелый труд, дочка. — Пэрис вспомнила, как взращивала свой сад в Гринвиче. Порой действительно трудно определить, что — цветок, а что — сорняк. Иногда это так и остается загадкой. — Хорошо, увидимся в выходные, — пообещала она и позвонила Виму, чтобы он ее не терял. Его не оказалось в общежитии, но Пэрис оставила сообщение на автоответчике.

Уже в постели Пэрис долго не могла решить, как ей одеться. Ничего подходящего к роскошному голливудскому приему у нее не было. В конце концов она остановила выбор на белом шелковом платье, Питер его очень любил. Для Гринвича оно казалось излишне пикантным, но для Голливуда — в самый раз. А времени ходить по магазинам все равно не было — слишком много дел на работе. Всю неделю у Пэрис не было минутки, чтобы вздохнуть. Или подумать о Чандлере Фримане.

Глава 18

Чандлер заехал за Пэрис на своем «Феррари» в пятницу в восемь утра; к тому времени она уже собралась и ждала его. Сумка была сложена, а платье — в чехле. Пэрис надела черный брючный костюм и меховой жакет, а Чандлер был в темном костюме. Красивая пара. Через час они поставили машину на парковку в аэропорту и поднялись на борт.

В самолете оказалось уютно и стильно, Пэрис с изумлением обнаружила, что здесь имеется даже стюардесса. Чандлер занял место пилота.

Пэрис выпила чашку чаю и раскрыла газету, а самолет тем временем взял курс на юг. К тому моменту, как все газеты были прочитаны, они уже заходили на посадку. Лететь было недалеко, и Пэрис поразило, насколько умело Чандлер управлял самолетом. Было видно, что он относится к этому со всей серьезностью, за весь полет он ни разу даже не взглянул в ее сторону.

На земле их ожидал лимузин. Мэг была права — выходные предстоят шикарные. Даже шикарнее, чем предполагала Пэрис.

В «Бель-Эре» Чандлера, кажется, знал каждый коридорный. Перед ним раскланивались и расшаркивались, в номера их проводил помощник старшего менеджера, а войдя в номер, Пэрис и вовсе ахнула. Чандлер говорил, что всегда останавливается в таких апартаментах, и ей тоже снял люкс. И уже оплатил, хотя она и сопротивлялась. Он сказал, что хочет сделать ей подарок, и настоял на своем.

— Чандлер, какая красота! — Пэрис была потрясена и чуточку растерялась. Она не ожидала от него такой щедрости, это было настоящее мотовство.

Они пообедали в ресторане, любуясь лебедями на озере перед окном. Потом Чандлер предложил ей пройтись по магазинам на Родео-драйв. Лимузин оставался в их распоряжении, и Пэрис смущенно, но не без радости приняла предложение.

— Ты можешь со мной не ездить, — пробормотала она. — Я немного пройдусь, и все. Обычно у меня времени на это не хватает.

Но Чандлер сказал, что у них в запасе еще несколько часов и она может не спешить. Впрочем, Пэрис всегда одевалась быстро, время уходило лишь на то, чтобы принять ванну и соорудить на голове красивый пучок. Косметикой она пользовалась мало. Так что Пэрис почти никогда никуда не опаздывала и всегда была безупречно одета. Ей вообще была свойственна замечательная организованность, о чем Чандлер ей тут же и сообщил, добавив, что ему нравится ее общество.

Пэрис тоже все больше получала удовольствие от их общения, с ним ей было легко. У него было хорошее чувство юмора и легкий характер. И, судя по всему, Чандлер имел изрядный опыт хождения по магазинам с дамами. Он знал все стоящие магазины и безропотно дожидался, пока она рассмотрит все, что ее заинтересовало. И даже примерит.

На обратном пути он снова ее удивил, когда вдруг достал и протянул ей небольшой сверток с надписью «Шанель». Оказывается, пока Пэрис примеряла какие-то свитера и блузки на распродаже, он успел купить ей подарок. Она же в результате сделала только одно приобретение — пару простеньких черных туфель для работы.

Взяв у него из рук подарочный пакет, Пэрис страшно смутилась. Она еще не знала, что это, но от Шанель дешево не бывает.

— Чандлер, не нужно было!

— Согласен. Но дай мне тебя побаловать. Немножко. Ты это заслужила, Пэрис. Я хочу, чтобы ты получила удовольствие от нашей поездки. А этот презент будет тебе напоминать о ней.

Пэрис осторожно вскрыла пакет и достала красивую сумочку из черной змеиной кожи. Она так и ахнула. Больше всего ее тронуло, что именно этой сумочкой она особенно любовалась в магазине, но не решилась ее купить из-за цены. Значит, Чандлер это заметил и выбрал сознательно, чтобы сделать ей приятное.

— Боже мой, Чандлер! — воскликнула она. — Какая красота!

— Нравится?

— Еще бы! И все равно ты это напрасно.

Она повернулась и нежно поцеловала его в щеку. Никто и никогда не доставлял ей такого удовольствия. Они едва знакомы, а он так сорит деньгами ради нее, и главное — как он угадал? Изумительный подарок!

Но Чандлер, судя по всему, привык делать знакомым женщинам экстравагантные подарки — даже тем, с кем еще не спал. И, похоже, он ничего не ждал взамен. Пэрис знала, что теперь эта сумочка всегда будет напоминать о Чандлере Фримане. Именно в этом, вероятно, и состояла его цель. Это не были «деньги на ветер».

В отеле Чандлер заказал для Пэрис массаж и быстро удалился в свой номер. Они увиделись только около семи. А до этого Пэрис успела насладиться массажем, понежиться в ванне и позвонить дочери. Когда она рассказала о подарке, Мэг встревожилась:

— Мам, будь с ним поосторожнее! Если он делает такие подарки, значит, у него на тебя виды.

Пэрис рассмеялась:

— Я сама этого боялась. Но, мне кажется, он не такой. До сих пор он держался очень порядочно и корректно.

— Вечером увидишь, — мрачно резюмировала Мэг и попрощалась.

Положив трубку, Мэг еще долго хмурилась. Не нравились ей эти отношения. Мама себе не представляет, во что ввязывается. А этот тип, похоже, денег не считает. Из рассказов матери у Мэг сложилось впечатление, что уж больно он положительный. Так ведут себя плейбои, если, конечно, он не потерял голову от Пэрис и это не первый подобный опыт в его практике.

В конце концов она решила, что, пока мама держит ситуацию под контролем, наверное, рано бить тревогу.

Без пяти семь Чандлер зашел за Пэрис. В смокинге, сшитом на заказ в Лондоне, он выглядел не хуже любой кинозвезды. Пэрис тоже была неотразима. Белое вечернее платье облегало ее великолепную фигуру ровно настолько, чтобы не выглядеть вульгарным. Она накрасилась немного ярче обычного, пучок закрепила костяными шпильками, а в уши вдела сережки с бриллиантами. Поверх платья она набросила жакетик из белой норки, и они поехали.

Отель «Беверли-Хиллз» был целиком откуплен на весь вечер приятелем Чандлера по музыкальному бизнесу по имени Уолтер Фрай. Почти сразу Пэрис стало понятно, что он занимает в этом бизнесе одно из первых мест.

— Пэрис, ты сегодня великолепна! — шепнул Чандлер, когда они пробирались сквозь строй журналистов.

Перед ними шла Элисон Джонс, прошлогодняя обладательница «Грэмми», а сзади — Ванда Берд. Обеих открыл Уолтер, и обе были замечательные исполнительницы. Элисон было всего двадцать два, ее гипюровое платье кремового цвета открывало больше, чем скрывало, почти не оставляя места для фантазии.

Это был ослепительный вечер. Восемьсот гостей, и в их числе — все музыкальные знаменитости, певцы, продюсеры, сильные мира. В толпе сновали охваченные безумной лихорадкой фотографы. А центральное место занимал Уолтер Фрай, который с шумным восторгом встретил Чандлера и сердечно улыбнулся Пэрис в знак приветствия.

Спустя час все плавно перекочевали в банкетный зал, и Пэрис не удивилась, узнав, что им зарезервированы места за столом хозяина, причем ей выпало сидеть между Чандлером и Стиви Уандером.

— Замечательный вечер! — шепнула она своему кавалеру.

— Весело, правда? — улыбнулся он, судя по всему чувствуя себя как рыба в воде.

Как только подали десерт, свет притушили и публику принялась развлекать целая вереница звезд, большая часть которых были номинированы на премию «Грэмми». Концерт продолжался почти три часа, и зрители громко выражали свой восторг, раскачивались в такт музыке и подпевали исполнителям. Когда все закончилось, Пэрис пожалела, что это не может продолжаться вечно. И что этого не видели ее дети.

Вечер затянулся далеко за полночь, и к себе в отель они попали уже во втором часу.

— Может, заглянем в бар? — предложил Чандлер.

— С удовольствием, — согласилась Пэрис. Ей не хотелось, чтобы этот вечер кончался. — Какой восхитительный концерт! — сказала она, потягивая шампанское. — Незабываемый.

— Я знал, что тебе понравится.

— «Понравится»? Да я просто в восторге!

Они проговорили еще почти час, а когда бар закрылся, отправились наверх. Чандлер проводил ее до дверей, как всегда, поцеловал в щечку и попрощался до утра. Он уже знал, что Пэрис собирается повидаться с дочерью, и пригласил их обеих на ленч. Он был невероятно щедр и гостеприимен и говорил так, словно не мог дождаться, когда увидит Мэг. Такого мужчину Пэрис еще не встречала. Все связанное с ним было незабываемым. Никто никогда не делал ей таких подарков. Она не могла придумать, как его отблагодарить.

Наутро Пэрис позвонила Мэг.

— Мам, ты что веселишься? — удивилась Мэг, услышав ее звенящий голос. — Еще только половина десятого.

— Знаю, но я хочу пригласить тебя на ленч. Ты должна с ним познакомиться!

— Он что, сделал тебе предложение? — запаниковала Мэг.

— Нет. Но и не набрасывался на меня, как ты предсказывала. — Чувствовалось, что Пэрис с трудом дождалась утра, чтобы поделиться впечатлениями с дочкой.

— Хорошо вчера повеселились?

— Не то слово!

Она подробно рассказала дочери о торжестве.

— Да, надо с ним познакомиться, — пробормотала Мэг.

— В половине первого он будет ждать в «Спаго».

— Сгораю от нетерпения. Можно мне Энтони с собой взять?

— А у него приличный вид?

— Нет, — откровенно призналась Мэг, — но манеры отличные. И о клизмах он говорить не станет.

— Это уже немаловажно, — с облегчением вздохнула Пэрис, а потом за завтраком предупредила Чандлера, что Мэг придет не одна.

— Ну и чудесно. С удовольствием познакомлюсь с ее ухажером, — обрадовался он.

Пэрис предупредила, что не несет никакой ответственности за внешний вид молодого человека, и рассказала про предыдущего кавалера дочери. Чандлер от души хохотал.

— Мой сын одно время тоже общался с подобными девицами. А потом встретил свою единственную. Внешне ничего примечательного, но они уже через полгода поженились. А теперь у них трое детей, ну... почти. Я не был таким везучим. До недавнего времени, — многозначительно улыбнулся он, но Пэрис сделала вид, что ничего не заметила.

Она была не готова брать на себя какие бы то ни было обязательства и думала, что так будет всегда. В конце концов она решила объяснить свою позицию Чандлеру — не хотелось вводить его в заблуждение.

— Я все понимаю, — мягко произнес он. — Тебе нужно время, дорогая. После того, что случилось с тобой всего год назад, трудно сразу оправиться. Я от своего развода много лет отходил.

Пэрис не была уверена, что этот процесс у него завершился. Всякий раз, как разговор касался его бывшей жены, в голосе Чандлера угадывалась потаенная злоба.

— Не знаю, удастся ли мне вообще когда-нибудь завязать глубокие отношения с мужчиной, — честно призналась Пэрис. — У меня все еще такое чувство, будто я его жена.

— Я тоже долго не мог себя переломить. Наберись терпения, Пэрис. Я тебя не тороплю.

Пэрис смотрела на Чандлера и не могла поверить, что судьба преподнесла ей такой подарок в его лице. Он был воплощенной мечтой любой женщины; казалось, что для него главное — быть с ней, неважно, на каких условиях.

Они немного посидели в саду отеля и ровно в половине первого прибыли в «Спаго». Молодежь опоздала на двадцать минут.

Мэг, как всегда, выглядела замечательно, чего нельзя было сказать об Энтони. На нем были жеваные черные хлопчатобумажные штаны и такая же мятая майка, длинные волосы свисали нечесаными патлами. Однако парень он был красивый. И исключительно вежлив с Пэрис и Чандлером. На одной руке у него была татуировка в виде змейки, а в ушах — крупные серьги.

Чандлера внешность Энтони как будто нисколько не волновала; он сразу же завел с ним какую-то умную беседу, на которую Пэрис была бы не способна. Хотя Пирса она считала слишком эксцентричным и немного не в себе, Энтони ей определенно не понравился. Ей показалось, что он порядочный сноб. Он без конца сыпал звонкими именами, и у Пэрис было такое ощущение, будто до Мэг он только снисходит, одним своим присутствием делая ей невероятное одолжение. На протяжении всего ленча это жутко раздражало Пэрис, и даже после того, как молодежь откланялась, она никак не могла успокоиться. У Энтони в тот день было прослушивание, и он обещал завезти Мэг в Малибу, а Пэрис договорилась созвониться с ней вечером.

— По-моему, он тебе не слишком понравился, — заметил Чандлер, когда они остались за столиком одни.

— Это так заметно? — смутилась Пэрис.

— Для тренированного глаза. Не забывай, у меня у самого есть сын, и я все это проходил. Порой приходится стиснуть зубы и делать вид, что ничего не замечаешь. Но такие типы, как правило, быстро пропадают с горизонта. Мне показалось, он страшно амбициозен; рано или поздно присосется к какой-нибудь девице, способной толкать вперед его карьеру.

Впервые Пэрис обрадовалась тому, что Мэг всего лишь помощник продюсера. Лишь бы только сердце дочери не оказалось разбитым. Энтони вполне был на это способен.

— Высокомерный, наглый, самовлюбленный тип! Я удивлена, что с ним еще было о чем поговорить.

— Разве все эти качества не обязательны для актера? — поддразнил ее Чандлер. — Он умный парень. Далеко пойдет. Она в него сильно влюблена?

— Надеюсь, что нет. Предыдущий был с приветом. А этот — просто катастрофа.

— Уверен, тебе еще много их предстоит повидать, пока она не успокоится. У меня был период, когда я стал путать подружек своего сына, так он их часто менял. Но как только я начинал впадать в панику из-за очередной девицы, она быстренько исчезала.

— У моих детей та же история. Точнее, у Мэг. Вим, мне кажется, более постоянен. Во всяком случае, так было в школе. Я совсем не хочу над ними кудахтать, но боюсь, что они выберут себе не того человека.

Чандлер пожал плечами:

— В любом случае им сначала нужно побеситься, поэкспериментировать. Могу поспорить, этот парень исчезнет, прежде чем ты об этом догадаешься.

— Будем надеяться, — произнесла Пэрис.

Когда они вышли из ресторана, у Пэрис было такое ощущение, будто она со своим семейством насильно ему навязалась. Но Чандлер как будто был не против. Наоборот, он вел себя так, словно ему это нравилось, и даже сказал, что получил большое удовольствие от знакомства с ее дочерью. Пэрис уже успела заметить, что он обладает тонкой интуицией и невероятной деликатностью.

Вторую половину дня они провели в картинных галереях, потом посетили музей округа Лос-Анджелес и только после этого вернулись в отель. Вечером Чандлер повел ее ужинать в «Оранжери» и заказал для нее икру. Он по-прежнему без устали ее баловал. Когда вернулись в отель, Пэрис чувствовала себя отдохнувшей и счастливой. Еще один вечер прошел чудесно. В этот день, прощаясь с ней на ночь, Чандлер поцеловал ее в губы долгим поцелуем, и она не сопротивлялась. Но дальше этого он не пошел, только взглянул на нее нежно и огорченно и пожелал спокойной ночи.

Пэрис расчесывала перед зеркалом волосы и спрашивала себя: «Что я делаю?» Она чувствовала, как медленно уплывает вдаль от Питера. Чандлер был первым мужчиной, кроме Питера, с которым она поцеловалась за двадцать шесть лет. Хуже того — ей это явно понравилось! Она уже готова была пожалеть, что они ночуют отдельно, и эта мысль почти до утра не давала ей уснуть. Пока ничего страшного не произошло, но Пэрис чувствовала, как отношения с Чандлером Фриманом медленно, но верно выходят из-под ее контроля.

Глава 19

В Сан-Франциско они вылетели в воскресенье в полдень, перед этим плотно позавтракав в гостинице. К половине третьего Пэрис уже была дома. Выходные прошли самым волшебным образом.

— Я теперь и впрямь как Золушка, — сказала она, когда Чандлер нес в дом ее багаж. — Вот сейчас возьму и превращусь в тыкву!

— Не превратишься. А если и так, то я мигом тебя обратно заколдую. — Он улыбнулся. — Я тебе позвоню, — сказал он и поцеловал ее на пороге.

Пэрис поспешно оглянулась, не видит ли их кто-нибудь. Ее с вещами доставил домой мужчина — слишком уж пикантная ситуация. С другой стороны — кого стыдиться? Соседей она не знает, кому какое дело, чем она занимается.

Вечером Чандлер позвонил, как и обещал.

— Я соскучился, — нежно произнес он, и у Пэрис моментально закружилась голова.

Стыдно было признаваться, но она тоже по нему соскучилась, и гораздо сильней, чем хотелось бы.

— Я тоже, — ответила она.

— Когда увидимся? Может, завтра?

— Завтра мы с Биксом допоздна работаем, — с сожалением проговорила она, и на сей раз это была правда. — Может быть, во вторник?

— Прекрасно. Не хочешь посмотреть, как я живу? Я бы приготовил ужин.

— Вот этого не нужно. Или давай так: я приеду к тебе и помогу.

— Отлично, — обрадовался он и пообещал позвонить утром.

На другой день Бикс ждал ее в офисе с видом строгого папаши и тут же потребовал отчета:

— Ну, как?

— Потрясающе! Лучше, чем я ожидала. Чандлер проявил себя безупречным джентльменом.

— Именно этого я и боялся, — угрюмо констатировал Бикс.

— Как это? Ты хотел, чтобы он меня изнасиловал?

— Нет. Но настоящие мужчины не ведут себя как безупречные джентльмены. Они брюзжат, устают, терпеть не могут таскаться с женщиной за покупками... Он, кстати, с тобой по магазинам не ходил?

— Ходил, — рассмеялась Пэрис. — И купил мне в подарок изумительную сумочку от Шанель.

— Еще не легче! Когда тебя последний раз мужчина возил по магазинам? Питер возил?

— Нет, он магазины на дух не выносил. Для него это было хуже зубной боли.

— Вот-вот! Пэрис, этот тип слишком правильный. Он меня пугает. Настоящие мужики неуклюжие, не умеют себя вести. Если только у них за плечами нет колоссального опыта охмурения женщин.

— Ну, девственником я его не считаю...

— Надо думать. Но мне кажется, он типичный плейбой.

— Он говорит, что еще не встретил своей женщины. Романы были, но настоящего — нет.

— Меня на это не купишь. В мире полно достойных женщин, которые жаждут познакомиться с достойным мужчиной. Если бы он захотел, уже давно бы нашел себе пару.

— Возможно. Но он говорит, это не так просто.

— Для такого, как он, это сущий пустяк. И «Феррари» тебе, и самолет, и денег куры не клюют. Неужели ты думаешь, ему трудно найти себе подходящую женщину?

— Хорошей женщине это может быть и не нужно. Завтра он собирается угостить меня ужином собственного приготовления.

— Меня уже тошнит! — Бикс с озабоченным видом откинулся на спинку кресла.

— А что плохого в том, что он продемонстрирует мне свою стряпню?

— А Питер готовил тебе ужин?

— В самом крайнем случае. — Пэрис вдруг стала серьезной. — Питер ушел от меня к другой женщине. Можно ли после этого считать его порядочным человеком? Думаю, вряд ли. — Она впервые произнесла это вслух. — А Чандлер сам побывал в моей шкуре. Я думаю, он просто осторожничает.

Пэрис начинало раздражать, что Бикс с таким недоверием относится к Чандлеру. Это было незаслуженно.

— А по-моему, совсем наоборот, — стоял на своем Бикс. — У меня был похожий парень, баловал меня до безумия. Задаривал часами, браслетами, кашемировыми пиджаками, в поездки возил... Мне казалось, я уже умер и попал в рай, пока не узнал, что он спит еще с тремя парнями и вообще распутник, каких свет не видывал. Бездушный и бессердечный. Как только я ему надоел, он даже перестал отвечать на мои звонки. Я был совершенно убит, пока не понял, в чем дело. Он был охотник. Боюсь, твой Чандлер такой же. Тот же тип, только предпочитает женщин. Не спеши ложиться с ним в постель.

Пэрис вздохнула. Она очень ценила дружбу с Биксом. Он казался ей умным человеком, способным тонко чувствовать. Бикс искренне хотел оградить ее от неприятностей, и Пэрис этим дорожила. Однако насчет Чандлера он ошибался.

Они действительно проработали допоздна, зато на следующий день Пэрис освободилась в шесть, и в половине восьмого Чандлер заехал за ней домой. Сегодня он был не на «Феррари», а на старом «Бентли».

— Какая дивная машина! — восхитилась она, и Чандлер пояснил, что почти на ней не ездит, а продавать жалко. — Я решил, что тебе будет любопытно прокатиться на такой старушке.

Его квартира произвела на Пэрис сильное впечатление. Это был пентхаус на Рашен-хилл, с круговым обзором. А терраса привела ее в бурный восторг. И все здесь было из белого мрамора, черного гранита или черной кожи. Эффектно и очень мужественно.

Кухня поражала новейшим оборудованием. Все уже было готово: устрицы, холодный омар, нежнейшая паста капеллини с икрой. От Пэрис уже не требовалось никакой помощи.

Они разместились на кухне, за длинным столом с черной каменной столешницей. Чандлер погасил верхний свет, зажег свечи и завел музыку в исполнении тех же артистов, которых они слушали на вечере Уолтера Фрая. Французское белое бордо было великолепным, ужин — изысканным, и Пэрис по-настоящему наслаждалась.

Потом они сидели в гостиной перед камином и любовались видом из окон. На улице заметно похолодало, и Пэрис с удовольствием согревалась рядом с Чандлером перед огнем очага. Она и не заметила, как оказалась в его объятиях, а его губы прижались к ее губам.

Они были знакомы всего три недели, и, вопреки своим правилам и предостережениям Бикса, Пэрис чувствовала, что влюбляется. Она уже не помнила, чем именно это плохо и почему она должна хранить вечную верность Питеру. «В конце концов, Питер теперь женат на Рэчел, и я ему ничем не обязана», — твердо сказала она себе.

Чандлер продолжал ее целовать и осторожно провел рукой по бедру, но не слишком настойчиво, словно пробуя почву. Забыв обо всем на свете, Пэрис положила руки ему на плечи и растаяла в его объятиях.

Казалось, прошла целая вечность. Когда Пэрис очнулась, она лежала с Чандлером в постели и одежды на ней не было.

— Пэрис, если ты не хочешь, я не стану этого делать, — мягко проговорил Чандлер.

— Хочу, — прошептала она и прижала его голову к груди.

Тела их сплелись и слились воедино, он уверенно и бережно овладел ею. Пэрис испытала такое наслаждение, о котором с Питером могла только мечтать. На ночь она осталась у Чандлера, а утром они снова предались страсти. Питер так никогда не поступал, и у Пэрис было странное чувство грехопадения. Но потом, за завтраком, ей стало легче. У Чандлера был счастливый и умиротворенный вид, он смотрел на нее и улыбался. И это был не сон, а явь.

После завтрака Чандлер отвез ее на работу и обещал позвонить.

Пэрис чувствовала себя целиком во власти его чар и Биксу на этот раз ничего не сказала. Это его не касается. Ночь, проведенная с Чандлером, все переменила. Теперь она принадлежала ему. Их отношения перешли в новую стадию.

Вечером Чандлер снова заехал за ней и повез к себе. Пэрис опять переночевала у него, а назавтра ей на работу позвонила встревоженная Мэг:

— Мам, с тобой все в порядке? Я тебе вчера звонила и накануне тоже, а тебя все нет и нет. Работала?

— Нет... Я была... с Чандлером.

— Что-нибудь случилось?

— Нет, конечно. Все хорошо, солнышко. Мы просто засиделись, разговаривали...

— Ну хорошо. Будь осторожна. Смотри не влюбись слишком быстро.

Она говорила, как Бикс, но Пэрис не придала этому значения. Она не помнила, чтобы когда-нибудь была так счастлива. Пэрис хотела поделиться с Анной Смайт, но времени так и не выкроила. В субботу они проводили сразу две свадьбы, так что даже с Чандлером ей увидеться не удалось. Свадьба — это не обычный прием, тут можно ожидать любой неожиданности и в любой момент. Приходится все время быть начеку и нести вахту до последнего гостя. Одна свадьба продолжалась до половины третьего, вторая и вовсе до четырех, и Пэрис не рискнула будить его своим звонком.

Чандлер не обиделся, а в воскресенье они отправились ужинать. Пэрис хотела познакомить его с Вимом, но у того были свои дела. Так что ужинали они вдвоем.

На сей раз они никуда не поехали и провели вечер у нее дома — мирно смотрели кино по видео, а потом занимались любовью. Среди ночи Чандлер уехал к себе, сославшись на утреннюю встречу.

Еще три недели они провели в своем уютном мирке. Все свободное от работы время Пэрис проводила с Чандлером. Она чаще ночевала у него, чем у себя, и одно можно было сказать наверняка: она больше не чувствовала себя одинокой.

У Пэрис было ощущение, что она попала в сказку. Такого мужчины, как Чандлер, она еще не встречала. Внимательный, чуткий, добрый, предупредительный, веселый.

Кроме того, он был в отличной форме, великолепно сложен и просто неподражаем в постели. Но, несмотря ни на что, Пэрис однажды ночью решила задать вопрос, который не давал ей покоя. Впрочем, ей казалось, что ответ она уже знает.

Она приподнялась на локте и с улыбкой посмотрела на него:

— Ты, надеюсь, не спишь с другими женщинами, а? Я имею в виду — теперь, когда мы вместе.

Он улыбнулся в ответ и провел пальцем по ее соску, отчего она немедленно возбудилась.

— А для тебя это важно?

— Конечно, — мягко произнесла Пэрис. — Я исхожу из того, что наши с тобой отношения носят эксклюзивный характер.

— Эксклюзивный? Слово-то какое, — усмехнулся он и, откинувшись на спину, уставился в потолок.

— Почему ты молчишь? — У нее упало сердце.

— А что ты хочешь от меня услышать? Да, с тех пор, как мы с тобой, я ни с кем другим не сплю. Но, надеюсь, ты понимаешь, что это вполне может произойти. Нам пока рано давать друг другу какие-то клятвы.

— Клятвы мне от тебя не нужны, — тихо произнесла Пэрис. — Но я рассчитываю, что, кроме меня, у тебя сейчас никого нет. Можешь называть как хочешь.

— Поскольку мы пользуемся презервативами, это не должно тебя беспокоить. Я не собираюсь подвергать тебя риску, Пэрис.

— Но хранить верность ты тоже не собираешься?

— Этого я тебе обещать не могу. Не хочу тебя обманывать. Мы взрослые люди. Все может случиться.

— То есть ты оставляешь за собой право встречаться с другими женщинами? — Пэрис опешила. Ей такое и в голову не могло прийти.

— Ты все равно не оставляешь мне для этого времени, — беспечно ответил Чандлер.

Но он же ездит в командировки! А сколько ночей она проводит дома после того, как работает допоздна...

Такого ответа Пэрис никак не ожидала. Ошарашенная, расстроенная, она села на постели и посмотрела на него сверху вниз. У нее и в мыслях не было, что она может быть у него не одна.

— Ты никогда не говорила, что придаешь этому такое значение, — недовольно сказал Чандлер.

— Я не думала, что об этом нужно специально говорить. Я решила, что ты тоже так считаешь. Ты говорил, я особенная, не такая, как все...

— Ты и есть особенная. Но я не собираюсь садиться на привязь. Мы с тобой не муж с женой. Мы оба знаем, что это далеко не главное.

— Нет, не оба! — жалобно проговорила Пэрис. — Я так не считаю. Я была верна своему мужу, а он был верен мне. Двадцать с лишним лет! Это — к слову. — Она вдруг осознала жестокую реальность. Это не брак, это — роман. — Я не хочу тебя ни с кем делить.

— Я не твоя собственность! — вдруг рассердился Чандлер.

— Мне этого и не нужно. Но я должна быть уверена, что, пока ты спишь со мной, у тебя нет никакой другой женщины.

— Пэрис, у нас пока не те отношения, чтобы на это претендовать. Мы взрослые люди, и мы свободны. Что, если ты встретишь мужчину, с которым тебе тоже захочется переспать?

— Пока мы с тобой встречаемся, этого не может быть. А если и случится, ты узнаешь первым.

— Весьма благородно с твоей стороны, — прагматично заметил Чандлер, — но я тебе такого обещания дать не могу. Всякое может случиться, когда и сам не думаешь...

— Но если бы случилось, ты бы мне рассказал?

— Необязательно. Пэрис, пойми, мы знакомы всего полтора месяца. Может, через полгода, в зависимости от того, как у нас будет складываться... Но до этого еще дожить надо.

— Поразительно, как у тебя все расписано! Что — через полтора месяца, что — через три, через шесть, через год... Кто же эти правила придумал?

— Все зависит от договоренности между мужчиной и женщиной, — невозмутимо парировал Чандлер.

Пэрис поняла, что он не даст ей на себя давить. Нечего и пытаться. «Эксклюзивность» явно никак не входила в его планы.

— И какая между нами договоренность? — спросила Пэрис, глядя ему в глаза.

— Официально — пока никакой. Мы хорошо проводим время, разве не так? Что еще нужно?

Не проронив ни слова, Пэрис встала и бросила на него взгляд через плечо.

— Мне нужно намного больше. Мне нужно быть уверенной, что в данный момент я у тебя одна — если не в жизни, то хотя бы в постели.

— Это же неразумно, — бесхитростно заявил Чандлер.

— А по-моему, очень даже разумно. Мне кажется, в этом и состоит жизнь. В честности, в заботе о другом человеке, в верности ему...

— Но ты же получаешь со мной удовольствие?

Он повернулся на бок и следил за ней взглядом. Пэрис одевалась.

— Да. Но жизнь состоит не из одних удовольствий.

— Так дождись, пока она не перейдет в другое русло. Рано еще рассуждать о таких вещах. Пэрис, ты все испортишь!

— Ты это сам уже сделал.

Впрочем, она готова была признать, что он хотя бы честен. Но не более того.

— Если не делать резких телодвижений, может, мы к этому и придем. Постепенно.

— А пока мы туда «идем», ты будешь спать с другими?

— Может, и нет. Пока этого не было. Но возможности такой не исключаю.

— Но я не хочу, чтобы меня постоянно преследовали подозрения. А это неизбежно. Теперь, зная твои принципы, я не смогу тебе верить. А ты мне всегда можешь доверять, даже не зная, где я и что. В этом вся разница.

— Но я от тебя верности не требую. Господи, это же элементарные вещи!

— Какие? Что каждый — сам по себе и волен трахаться с кем захочет? Как трогательно! И очень грустно. Мне нужно нечто большее. Я хочу любви и честности, без этого отношений не бывает.

— Я тебе никогда не лгал. И не стану.

— Да уж, — печально промолвила Пэрис. — Ты просто промолчишь. Так? — Он не ответил, и она смерила его долгим взглядом. — Если передумаешь, позвони. — Она чуть не сказала: «Если повзрослеешь». — Все было чудесно. Но если бы я узнала, что ты мне изменяешь, все стало бы совсем иначе. Для меня это означало бы конец. Я очень старомодная.

— Ты просто хочешь выйти замуж и держать меня на привязи! — цинично заявил Чандлер. — На худой конец — делать вид, что замужем. Так вот, ты не замужем! Могла бы радоваться тому, что есть. Но меня захомутать тебе не удастся!

Для него это было бы самое страшное, хуже не бывает.

— Я и радовалась, но недолго. Ты все испортил.

— Зря теряешь время, — раздраженно бросил он. — По твоим правилам давно никто не играет. Они канули в историю. Вместе с мрачным Средневековьем.

— Может, ты и прав, — тихо проговорила Пэрис. — Но в таком случае я тоже канула в историю. Спасибо за все.

Она вышла, закрыв за собой дверь, немного постояла в холле и медленно двинулась к лифту. Пэрис еще надеялась, что он бросится за ней, умоляя вернуться. Но в глубине души она понимала, что этого не будет.

Она получила еще один тяжелый урок. Пусть у Чандлера Фримана свои представления об отношениях с женщиной — она на них ни за что не согласится. И Чандлер это уже понял, и больше она ему не нужна. Биксби оказался прав.

Глава 20

Пэрис перестала встречаться с Чандлером в конце марта. Бикс спросил об этом лишь спустя две недели, хотя сразу почувствовал, что что-то произошло. Несколько дней Пэрис вела себя непривычно тихо, после чего вдруг развила бурную деятельность. В конце концов, когда они вместе трудились над организацией очередной свадьбы, Бикс задал ей вопрос в лоб:

— Я что-то пропустил? Или Чандлер действительно перестал звонить?

Пэрис немного помялась, но потом кивнула:

— Да, перестал.

— Вы что, поссорились? Или тебе надоело есть икру и разъезжать на «Феррари»?

За словом в карман Бикс не лез, и Пэрис невольно улыбнулась. Первые дни она была расстроена, но теперь понемногу приходила в себя. Обида в ее душе уступила место стыду. Какой же она оказалась дурой! И ведь все предупреждали, чем это кончится... А Чандлер так больше и не позвонил. Испарился, как дымок.

Пэрис сделала выводы, но радости не было. И, как ни грустно признаваться, ей не хватало Чандлера. Он был к ней так внимателен, а в постели просто неподражаем. Впервые за прошедший год Пэрис почувствовала себя женщиной, а не отвергнутой женой. В этом смысле роман с Чандлером пошел ей на пользу, но кусочек сердца он у нее украл. Хуже — она сама его ему отдала.

— Не сложилось. Я совершила ошибку.

После недолгого раздумья она ему все рассказала.

— Черт. Вот ничтожество!

— Ты правда так считаешь?

Пэрис искренне интересовалась его мнением. Бикс был на восемь лет моложе, но намного опытнее, и его суждениям она доверяла. Иногда ей казалось, что она очутилась в другой эпохе и в другом мире. И в каком-то смысле это так и было.

— Конечно. Полное ничтожество, — повторил Бикс. — Порядочные люди так не поступают. А вранья-то! Но тут таких, как он, полно. И мужчин, и женщин — это от пола не зависит. Когда вступаешь в близкие отношения с порядочным человеком, его не приходится спрашивать, не спит ли он с кем-то еще. Приличному человеку и в голову не придет спать сразу с несколькими партнерами. Я, например, так не делаю. И Стивен тоже. Но мне доводилось встречаться с такими. И твой Чандлер той же породы. Трахаются напропалую. И что им это дает? Любви как не было, так и нет. Впрочем, многие и не способны любить, даже самих себя.

— У меня иногда такое ощущение, будто у всех есть учебник, а у меня — нет. Он говорил вполне резонно и даже убедительно. Только меня не убедил. Я бы себя возненавидела, если бы согласилась жить по его правилам. Зато я извлекла урок, уяснила для себя, что ни за что на свете не стану спать с человеком, который меня не любит. Я-то думала, Чандлер любит! По крайней мере влюблен, как я влюблена в него... Теперь мне кажется, что это была не любовь. Обыкновенная похоть. И вот что из этого вышло.

— Зато у тебя появилась роскошная сумочка, — напомнил Бикс, и Пэрис рассмеялась.

— Это уж точно. Удачная сделка. Моя честь в обмен на сумочку.

— Но ты не жертвовала своей честью. Ты же не понимала, что на самом деле происходит.

— А думала, что понимаю. Наверное, в этом и есть моя главная ошибка.

— Ну, больше ты так не сделаешь. Зато лед тронулся. Ты лишилась целомудрия и теперь можешь пуститься на поиски достойного парня, — улыбнулся Бикс.

Пэрис вздохнула:

— Самое ужасное, что я больше не доверяю собственным суждениям. Сколько мне сначала придется жаб поцеловать?

— Нескольких, — невозмутимо ответил Бикс. — Все мы через это прошли. Если на губах вскочат бородавки, теперь их легко удаляют.

— Боюсь, у меня смелости не хватит проходить через это снова и снова. Это ужасно больно, — честно призналась она.

— Да, больно и очень грустно. Романы всегда сопряжены с разочарованием.

— Это Питеру спасибо! — Впервые в голосе Пэрис прозвучало ожесточение. — Поверить не могу, что он меня на это обрек!

Бикс кивнул. Так оно и бывает — один партнер отбывает «в сторону моря», а второй оказывается на помойке и вынужден выкарабкиваться самостоятельно. Не обрадуешься.

— Надеюсь, что настанет время, когда я перестану по нему тосковать. Пока что мне его страшно не хватает. Не хотелось бы, чтобы это продлилось всю жизнь. — В глазах Пэрис стояли слезы. — Не могу поверить, что в мои годы мне приходится бегать на свидания, как глупой девчонке. Это отвратительно. И жалко.

— Ничего жалкого в этом нет. Так устроена жизнь. Даже когда отношения складываются превосходно, один рано или поздно умирает, а второй остается в одиночестве и вынужден начинать все сызнова. Это грустно, но такова жизнь.

— Да, как у Стивена, — печально произнесла Пэрис, вспомнив, что партнер Бикса девять лет назад потерял прежнего супруга. — Но ему повезло. Он нашел тебя. — Она улыбнулась Биксу. У нее было такое чувство, будто они дружат уже сто лет.

— Никто не идеален, — загадочно произнес Бикс.

Пэрис удивленно взглянула на него, пытаясь угадать, уж не поссорились ли они.

— Что-то не так? — Она готова была оказать ему любую поддержку в ответ на его сочувствие. Он с первого дня их знакомства стал ей верным другом.

— Когда-нибудь все может случиться... Но пока все в порядке.

— Как это понимать?

— Понимать так, что у каждого своя чаша. Партнер Стивена умер от СПИДа. Стивен тоже ВИЧ-инфицирован. Он может жить так годами, а может и по-настоящему заболеть. Я знал об этом. И решил, что, сколько бы нам ни было отпущено, оно того стоит. И не ошибся. Не жалею ни об одной минуте, что мы вместе. Но мне хочется, чтобы он жил вечно.

Теперь слезы выступили на глазах Бикса. Пэрис молча обняла его, и они долго стояли, прижавшись друг к другу. Наконец Бикс сквозь слезы улыбнулся.

— Ты себе не представляешь, как сильно я его люблю. Он необыкновенный человек!

— Ты тоже, — Пэрис с трудом проглотила комок в горле. Как несправедлива жизнь!

— Знаешь, если бы я предпочитал женщин (слава богу, что это не так, мне и мужских заморочек хватает), то первой выбрал бы тебя.

— Это что, предложение? — поддразнила Пэрис.

— Да, но не эксклюзивное, ты уж меня прости. Я по-прежнему буду спать с мужчинами, и тебе придется смириться с тем, что ты у меня не одна. Подходит такой вариант?

— Где мне поставить подпись?

Оба рассмеялись, и Бикс помотал головой. Ему нравилось говорить с Пэрис. Она была ему как сестра.

— А ведь я тебя предупреждал: не связывайся с Чандлером!

— Я так и знала, что в конце концов ты это вспомнишь. Но он так красиво за мной ухаживал! Говорил, что с ним такое впервые за четырнадцать лет... Неужели все врал?

— Конечно. Это он тебя так завлекал. Подобные типы на слова не скупятся, лишь бы сработало. Не переживай. Когда встретишь настоящего человека — ты его не пропустишь. А с Чандлером было так, несерьезно.

— Судя по всему, да.

Они решили на сегодня закруглиться с делами. Оба чувствовали, что этот разговор по душам — откровенность Пэрис и признание Бикса о болезни Стивена — сблизил их еще больше.

Вернувшись домой, Пэрис позвонила дочери. И, к своему удивлению, застала ее в слезах.

— Что стряслось? С Энтони поссорились?

— Похоже на то. Представь себе, я узнала, что он встречается с другой девушкой! Даже не девушкой — женщиной. Она большая шишка в продюсерском мире, и он, оказывается, спит с ней уже два месяца.

В конечном итоге амбиции одержали верх над этим юношей. Еще один беспринципный тип! Однако на сей раз Пэрис не удивилась, и Мэг, как выяснилось, тоже. Она изначально понимала, с кем имеет дело, но надеялась продлить отношения хотя бы на какое-то время. Но красавчик продержался примерно столько же, сколько Чандлер. Полтора месяца.

— Девочка моя, как жаль! А знаешь, я с Чандлером тоже больше не встречаюсь... — Ей вдруг пришла в голову идея: — Не хочешь приехать домой на выходные?

Месяц назад Пэрис получила свою мебель и теперь чувствовала себя уютно. Ее жилище сильно преобразилось.

— А что такое с Чандлером? — удивилась Мэг.

— То же самое. Теперь я понимаю, что вела себя как наивная идиотка. Не спрашивала его, встречается ли он с кем-то еще. Но мне и в голову не приходило это уточнять!

— Со мной такое было в колледже, — голосом умудренной женщины прокомментировала Мэг. — Всегда нужно спрашивать.

— Почему же меня никто не предупредил?

— Тебя предупреждали, но ты ничего не желала слышать. В следующий раз непременно спрашивай. И если выяснится, что ты не одна, немедленно хлопай дверью. И вообще, надо стараться, чтобы не ты к нему приходила, а он — к тебе. Так проще.

— В следующий раз возьму тебя с собой — оговаривать условия моего контракта, — поддразнила Пэрис.

— Непременно. — Мэг вздохнула. — Господи, мам, до чего же мне плохо! Такое чувство, что на свете не осталось ни одного порядочного парня. Во всяком случае, здесь.

В голосе дочери слышалось отчаяние, и это — в двадцать четыре года! Что же тогда говорить о ней самой? В мае Пэрис должно было стукнуть сорок семь.

— В Сан-Франциско, по-моему, ненамного лучше.

— Как и везде. Мои подруги в Нью-Йорке то же самое говорят. Вокруг одни лжецы и плейбои. Или наоборот — такие, что признают только любовь до гроба. А попадется по-настоящему симпатичный парень — тут же выясняется, что он «голубой». Все, я сдаюсь!

— Ну, тебе еще рано. Ты наверняка найдешь себе подходящего парня. А мне, кажется, уже все равно. Стара я для этого.

— Мам, не говори глупостей. Ты еще совсем молодая. И выглядишь великолепно. Пожалуй, мне в самом деле лучше навестить тебя в выходные. А то у меня депрессия.

— У меня тоже. Будем сидеть вдвоем в постели, есть мороженое и смотреть телевизор.

— Скорей бы!

В пятницу вечером Пэрис встретила дочь в аэропорту. Эти выходные у нее были свободны, и они занимались тем, чем хотели, — обнявшись, сидели в кровати и смотрели по телевизору старые фильмы. Ни та, ни другая не причесывалась и не накладывала макияж, и им это очень нравилось.

В воскресенье к обеду явился Вим и был поражен, застав обеих в таком виде. К счастью, он пришел один.

— Вы что, заболели? — ахнул он. — Мэг, посмотри в зеркало! Ты выглядишь непотребно.

— Можешь не рассказывать, — улыбнулась Мэг. Она наслаждалась свободой в компании матери.

— У нас дни нравственного здоровья, — пояснила Пэрис.

— Это еще что такое?

— Мы смотрим старые фильмы, плачем и не вылезаем из постели. — Мэг усмехнулась. — И несем мужиков на чем свет стоит. Представь себе, мой парень наставил мне рога.

— Какой облом! — посочувствовал брат.

Пэрис налила обоим по чашке супа, а сама присела на диван. Она обожала быть с детьми.

— А у тебя как дела? — спросила Мэг. — Небось за модными девчонками ухлестываешь?

— За дюжиной сразу, — похвалился Вим. — У нас в общаге соревнование — кто скольких девчонок захомутает. Я за две недели с двенадцатью встречался! — невинным тоном произнес он, и Мэг замахнулась на него подушкой.

— Ну, ты и прохиндей! Ничего более мерзкого в жизни не слышала. Послушай, в мире и без тебя полно гнусных кобелей, мы не хотим, чтобы ты пополнял их ряды.

— А что вы от меня хотите? Чтобы я женился на первом же курсе? Я же еще ребенок! — добродушно пошутил Вим.

— Тогда хотя бы веди себя достойно, — не отставала сестра, и Пэрис ее всецело поддерживала. — Не делай подлостей, относись к женщинам с уважением. В мире недостает таких симпатяг, как ты.

— Да не хочу я быть симпатягой! Мне хочется поразвлечься...

— Только не за чужой счет, Вим! — взмолилась Пэрис. — Каждый человек должен чувствовать ответственность перед другим. По крайней мере — не совершать подлостей.

— Знаю, знаю. Но немного легкости тоже не помешает. Нельзя же все время быть ответственным!

— Нет, можно, — возразила сестра. — Начни прямо сейчас. Тебе уже почти девятнадцать, никогда не рано стать порядочным человеком. Я на тебя рассчитываю, Вим!

— А без этого никак нельзя? — Он доел суп и удивленно посмотрел на маму и сестру. Какие-то они сегодня странные!

— Нет, нельзя, — отрезала Пэрис. — В противном случае ты рано или поздно разобьешь кому-нибудь сердце.

Сама того не желая, она вспомнила об их отце. Вим этого не заметил, но Мэг все поняла.

Глава 21

После разрыва с Чандлером Пэрис и не помышляла о новом романе. С наступлением мая на них с Биксом навалились заботы о назначенных на июнь бесчисленных свадьбах. Если говорить точно, то их было семь.

В день ее рождения к Пэрис на одну ночь прилетела Мэг, чтобы умчаться назад первым же утренним рейсом. Молодец, что вырвалась: Пэрис была тронута. Бикс еще в конторе преподнес ей торт и очаровательный кашемировый шарф бирюзового цвета. Сказал, что с черным платьем он будет смотреться потрясающе. А через два дня Пэрис отправилась в Беркли, чтобы поздравить с днем рождения Вима. Да, месяц выдался суматошный.

Но при всей занятости ей не удалось забыть того дня, когда год назад от нее ушел Питер. С самого утра в тот день на нее навалилось тяжелое чувство, и Пэрис моментально вспомнила, какое нынче число. Весь день она хранила угрюмое молчание, а вернувшись с работы, дала волю слезам. За этот год с ней произошло немало хорошего, но, если бы сейчас ей вручили волшебную палочку, она не задумываясь вернула бы Питера. И не надо спрашивать почему. Жизнь ее изменилась необратимо, и далеко не в лучшую сторону.

Впрочем, были и хорошие перемены. Например, переезд в Сан-Франциско, дом, в котором она теперь жила, работа, в которой Пэрис нашла для себя спасение, дружба с Биксом и со Стивеном. Она за многое благодарила Господа, но по-прежнему тосковала по Питеру и уже начинала опасаться, что так будет всегда. Будет — и все тут. Пэрис уже не ждала, что кто-то заполнит эту пустоту, и даже не мечтала об этом.

Через несколько дней ей позвонила Сидни Харрингтон. У нее появилась идея. В Сан-Франциско должен был приехать один ее старый приятель, и Сидни задумала позвать по этому поводу гостей. Звонила же она потому, что решила непременно познакомить его с Пэрис, причем до приема. Он был художник из Санта-Фе. Точнее — скульптор, работал в глине. Сидни сказала, он чудесный человек и Пэрис будет интересно познакомиться с ним, даже если это знакомство ничем не кончится.

Первой реакцией Пэрис было немедленно отказаться, но Сидни распевала своему другу такие дифирамбы, что в конце концов она не устояла и согласилась на дружеский ленч. Пэрис чувствовала себя в долгу перед Сидни: ведь это она четыре месяца назад похлопотала о ней перед Биксом. Кроме того, Сидни была умная женщина, рассудительная, с хорошим вкусом и меткими суждениями. Не может же она водить дружбу с каким-то мерзавцем!

Днем Пэрис поделилась новостью с Биксом, и тот рассмеялся, закатив глаза.

— Ты что-то знаешь? — забеспокоилась она.

— Нет. Но мое отношение к свиданиям вслепую тебе известно. Любимая история — о том, как мне подсунули восьмидесятидвухлетнего старикашку, который явился с собственной сиделкой. Мне тогда было двадцать шесть. Приятель, который мне это устроил, решил, что я внесу некоторое разнообразие в жизнь несчастного. Может, я бы и внес, да только старик на протяжении всего обеда пускал слюни. Собеседник из него был никакой. Когда мы распрощались, я просто расплакался.

— Да, обнадежил! — вздохнула Пэрис. Ей сделалось не по себе. — Я не могла отказаться: Сидни так много для меня сделала... Кроме того, это ее старинный приятель.

— Людям свойственно заблуждаться насчет своих друзей. А где он живет?

— В Санта-Фе. Художник.

— Лучше забудь. В географическом плане это не вариант. Что ты станешь делать с мужчиной, который живет в Санта-Фе, будь он хоть гений?

— Господи, ну почему я опять дала себя втянуть? — запричитала Пэрис. — Три месяца назад я поклялась себе, что ни с кем больше не буду встречаться! А теперь из меня делают пушечное мясо для заезжих художников и еще бог знает кого. Что мне делать?

— Сходи на этот ленч. Порадуешь Сидни. А в июне, со всеми этими свадьбами, мы на ней отыграемся. — Сидни пообещала обеспечить еду на пять мероприятий и рассчитывала заработать на этом колоссальные деньги.

В день «свидания» Пэрис чувствовала себя измотанной и разбитой. С утра все не заладилось: фен коротнул и чуть не спалил весь дом, машина по дороге на работу сломалась, а кроме того, она была простужена.

— Может, проще наложить на себя руки? — с тоской спросила она Бикса. — Тогда и на ленч ехать не придется.

— Но ты же обещала Сидни. Так что будь паинькой.

— Лучше сам поезжай и скажи ему, что ты — это я.

— Было бы прикольно! — засмеялся Бикс.

Встреча была назначена в мексиканском ресторане в четырех кварталах от работы. К слову сказать, Пэрис терпеть не могла мексиканскую кухню. Приехав, она застала Сидни уже за столиком; ее приятель ставил машину на стоянку.

Должно быть, место нашлось только в соседнем графстве, потому что в зале он появился спустя полчаса. Он был в индейском пончо и ковбойской шляпе и передвигался неверной походкой, из чего Пэрис заключила, что он пьян. Сидни поспешила объясниться:

— У него проблемы со слухом. Это отражается на координации движений. На самом деле он прекрасный человек.

Пэрис вяло улыбнулась «ковбою», тот ответил неуверенной улыбкой и сел напротив нее. Пэрис невольно бросился в глаза толстый слой глины под его ногтями, будто он лет десять не брал в руки щетку и мыло. Вообще он был похож на американского туземца, но, когда Пэрис его об этом спросила, очень обиделся. Сказал, что ненавидит индейцев, что они настоящий бич Санта-Фе.

— Все как один пьяницы, — заявил он, и Пэрис содрогнулась.

Потом он отпустил длинную тираду насчет чернокожих. Почему-то из его поля зрения выпали евреи. Этот человек умудрялся бросить расистскую реплику в сторону любого, на кого упадет его взгляд, включая официанта-мексиканца. Тот, кстати, услышал, обернулся и смерил троицу ненавидящим взглядом. Пэрис не сомневалась, что он тайком наплюет им в еду, но винить его за это не могла.

— Сидни говорила, вы — художник? — вежливо проговорила она, решив, что это мероприятие просто надо пережить. Хотя, конечно, будет нелегко.

Все уважение к меткости суждений Сидни как рукой сняло, стоило появиться этому типу. Звали его Уильям Вайнштейн, что, по-видимому, объясняло его терпимость к евреям. Он родился в Бруклине, а десять лет назад переехал в Санта-Фе.

— Я принес фотографии кое-каких своих работ, — похвалился Билл.

Он вынул из кармана конверт, перебрал фотографии и протянул несколько штук Пэрис. Это оказались снимки трехметровых фаллических символов, изваянных из глины. У этого человека в голове были одни половые члены!

— Очень интересная работа. — Пэрис изобразила восхищение. — Вы лепите с натуры?

Проигнорировав насмешку, автор важно кивнул:

— С себя.

Он решил, что отпустил необычайно смешную шутку, и расхохотался так, что чуть не подавился кашлем. Мало того, что у него под ногтями было столько глины, что впору скульптуру лепить, так еще и пальцы были желтые от никотина.

— Вы любите ездить верхом? — неожиданно спросил он.

— Да, только давно не садилась. А вы?

— Я тоже. У меня на ранчо есть конюшня, вы должны ко мне приехать. Правда, у нас там ни электричества, ни канализации. Отсюда два дня верхом.

— Так вам, наверное, трудно выбираться?

— Мне такая жизнь по вкусу, — ответил Билл. — Вот жена ее ненавидела. Все мечтала вернуться в Нью-Йорк. В прошлом году умерла.

Пэрис кивнула и похолодела от мысли, что Сидни преследовала тайную цель их свести.

— Соболезную вам.

— Да, это грустно. Мы были женаты без малого пятьдесят лет. Сейчас мне семьдесят три.

Наконец принесли еду. Пэрис заказала квесадилью — наименее острое из всего, что было в меню. «Художник» выбрал себе какое-то зловещее блюдо, увенчанное горой бобов, и с удовольствием его поглощал, приговаривая, что это его любимая еда.

— Бобы — это лучшее, что можно придумать. Самая здоровая пища! Неважно, что после них портишь воздух. Вы любите бобы?

Пэрис подавилась, а Сидни сделала вид, что не расслышала. Она сказала, что Билл дружил с ее отцом, который тоже был художник и обожал жену Билла. Пэрис представила себе, в каком аду жила бедная женщина — на глухом ранчо наедине с этим животным. Ей даже пришло в голову, что та, скорее всего, покончила жизнь самоубийством — ведь иного спасения у нее не было.

Почувствовав, что больше не может сидеть с ним за одним столиком, Пэрис извинилась и вышла в дамскую комнату. Заперев кабинку, она достала мобильный телефон и позвонила Биксу.

— Ну как, классный мужик? — жизнерадостно поинтересовался он.

— Если ты меня отсюда не вызволишь, я убью Сидни, прежде чем нам подадут десерт. Или себя.

— Значит, не очень классный?

— В голове не укладывается! Неандерталец в ковбойском костюме, который лепит трехметровые изваяния собственного члена.

— Послушай, если у него член такого размера, может, и стоит поехать в Санта-Фе? И я бы с тобой за компанию.

— Может, помолчишь? Слушай, позвони мне через пять минут. Я скажу, что меня срочно вызывают на работу.

— Это по какому, интересно, делу?

— Неважно. Меня надо срочно спасать из этой компании!

— Ты что-то разволновалась. Он тебе фотографий своего пениса не показывал?

— В некотором роде. Ничего омерзительнее этих скульптур я в жизни не видела.

— Бездарный художник вполне может быть неплохим человеком, — рассудительно заметил Бикс.

— Да ты что?! Он хуже твоего слюнявого старца! Ну, как мне тебе объяснить?.. — Ее все больше охватывала паника. — Короче, позвони мне на мобильный через пять минут.

— Хорошо-хорошо. Позвоню. Только причину придумай сама. Сидни не проведешь, она тебя вмиг раскусит.

— Твоя Сидни — полная дура, если решила меня свести с таким типом. Просто психопатка. Может, она меня за что-то невзлюбила?

— Ничего она тебя не невзлюбила. На днях она мне сама говорила, как ты ей симпатична. Послушай, Пэрис...

— Что?

Она уже готова была кого-нибудь убить. Если нужно — даже Бикса.

— Привези мне фотографию его члена.

— Прекрати сейчас же! Я серьезно! Ты, главное, позвони, иначе я уволюсь.

Она вернулась за столик со свежей помадой на губах, и художник оторвался от тарелки.

— А помада вам к лицу. Цвет приятный.

— Благодарю, — пробормотала Пэрис и одарила его улыбкой.

Как только она принялась за еду, зазвонил телефон.

— Ненавижу эти штуки, — проворчал Билл, а Пэрис тут же нажала кнопку приема, немного послушала и нахмурилась.

— Что ты сделал? — переспросила она с притворным ужасом и бросила обеспокоенный взгляд на Сидни. — Бикс, какой ужас! Мне очень жаль. Что? Сейчас?! Я... Понимаешь, я в ресторане с Сидни и ее другом... Ну хорошо, хорошо, успокойся. Сейчас приеду. Ничего без меня не предпринимай.

Она отключила телефон и растерянно взглянула на Сидни.

— Что стряслось? — заволновалась та.

— Ничего особенного. Это Бикс. Ты же знаешь, какой он нытик. — Она перевела взгляд на Билла и улыбнулась, решив на прощание созорничать. — Он «голубой», — объяснила она.

— Не выношу педиков! — объявил тот и рыгнул.

— Я почему-то так и думала. — Она повернулась к Сидни: — Ему вступило в спину.

— Не знала, что у него проблемы со спиной.

Сидни моментально прониклась сочувствием; Пэрис знала, что у нее у самой больная спина и она даже носит корсет, когда работает.

— Лежит на полу, не в силах шевельнуться. Просит отвезти его к мануальному терапевту. Говорит, если я не приеду, позвонит в службу спасения.

— Могу его понять. У меня у самой позвоночная грыжа. Когда обостряется, я неделями ходить не могу. Может, нам с тобой вместе поехать?

— Не беспокойся, я справлюсь. Но мне надо бежать.

— Всех педиков надо перестрелять! — заявил художник и опять рыгнул.

— Мне очень жаль вас бросать, — извинилась Пэрис и попрощалась с Биллом за руку. — Желаю весело провести время. Было приятно познакомиться. Успехов вам в работе. Пока, Сидни. Спасибо за угощение.

Она помахала рукой и выбежала из зала, вне себя от негодования. Даже вернувшись в контору, Пэрис еще продолжала кипеть. Бикс поджидал ее с ехидной усмешкой.

— И где она?

— Кто? Убила бы всех!

— Фотография члена.

— Заткнись! Я больше не разговариваю ни с тобой, ни с Сидни! Подсунуть мне такого идиота! К твоему сведению, он терпеть не может педиков и считает, что их нужно перестрелять. И еще он ненавидит черных и индейцев.

— Отлично, мне это нравится. А как он выглядит?

— Как зомби. Живет на ранчо без электричества и канализации.

— Что ж удивляться, что бедняга ваяет из глины собственный пенис. Чем ему еще заняться?

— Если ты скажешь еще хоть слово, я тебя убью! Больше никогда в жизни, до гробовой доски, не соглашусь пойти на свидание вслепую!

— Да-да, понимаю. — Бикс со смехом откинулся на спинку кресла. — Я тоже так говорил. И знаешь что? Ходил, и еще как! И ты пойдешь.

— Иди к черту! — выругалась Пэрис и прошла к себе в кабинет, с таким грохотом хлопнув дверью, что бухгалтерша с испуганным лицом выскочила из своей комнатки.

— С Пэрис все в порядке?

— Все отлично, — ответил Бикс, продолжая хохотать. — Просто она ходила на свидание вслепую.

— И ничего не вышло? — спросила женщина сочувственно.

Бикс расплылся и покрутил головой:

— Нет, миссис Симпсон, не вышло. Вечная история с такими свиданиями!

Глава 22

В мае Пэрис с Биксом были страшно заняты. В июне, себе на удивление, они вышли живыми из семи свадеб. За всю жизнь Пэрис так напряженно не работала. Бикс, по его собственному признанию, тоже. Но все свадьбы прошли великолепно, невесты были на седьмом небе от счастья, мамаши лучились гордостью, а папаши безропотно оплачивали астрономические счета. Для компании «Биксби Мейсон инкорпорейтед» месяц выдался знаменательный.

В следующие за последней свадьбой выходные из Лос-Анджелеса прилетела Мэг. Для Пэрис это была единственная возможность повидаться с дочерью, поскольку уже через неделю им предстояли два гигантских приема по случаю Дня независимости.

Они сидели в саду у Пэрис и непринужденно беседовали о работе, о жизни, о поездке Вима в Европу — накануне он улетел туда с друзьями. Потом Мэг как-то неуверенно взглянула на мать и замолчала.

— Что ты мнешься? — спросила Пэрис. — Что такое?

— Хочу кое-что спросить, но не знаю, с чего начать.

— Ох, как загадочно! У тебя новый парень?

— Да нет...

Обе уже давно ни с кем не встречались, и Пэрис всякий раз подчеркивала, что ей это и не нужно. То свидание, которое устроила ей Сидни, было последней каплей. Но она не сомневалась, что в какой-то момент Мэг встретит хорошего человека.

— На днях я говорила с одной подругой по колледжу — мы с ней довольно давно не виделись. Она, оказывается, уже замужем, у нее скоро будет ребенок, что вообще-то довольно необычно. Она мне поведала грустную историю. Мы не виделись со дня нашего выпуска, у нее тогда тяжело болела мать. Так вот, два года назад она умерла. Кажется, рак груди. Я не хотела расспрашивать.

Пэрис никак не могла сообразить, к чему Мэг ей это рассказывает. Помочь она никак не могла. Может, этой девушке нужно с кем-то посоветоваться, особенно теперь, когда она беременна? Если так, Пэрис готова была помочь.

— И как у нее дела? — обеспокоенно спросила она.

— Кажется, все в порядке. Она сильная. И муж у нее очень хороший. Я сама в него когда-то была влюблена. — При этом воспоминании Мэг улыбнулась, потом с серьезным видом снова повернулась к матери: — Мы с ней говорили о ее отце. Видишь ли, он страшно одинок. Вот я и подумала, может... Я с ним несколько раз виделась. Между прочим, очень приятный человек. Думаю, он бы тебе понравился.

— О господи... — простонала Пэрис. — Мэг, только не начинай! Говорю тебе, не собираюсь я ни с кем знакомиться. — В голосе Пэрис звучала не просто твердость, но категоричность. Хватит с нее Чандлера Фримана и скульптора из Санта-Фе. Больше ни на какие свидания ее не заманишь.

— Мам, это же глупо! Тебе только сорок семь лет. Ты не должна себя хоронить. Это неправильно.

— Я не собираюсь себя хоронить, но прекрасно могу жить и без мужчины. Никто мне не нужен.

На самом деле мужчина нужен, как ни крути, но найти подходящего слишком трудно. А тот, в ком она действительно нуждалась, теперь принадлежал другой.

— А что, если ты отказываешься от уникального шанса? Он банкир. И человек очень порядочный. Не какой-нибудь котяра.

— А ты откуда знаешь?

— Я же с ним говорила! — не унималась Мэг. — И кроме того, он недурен собой.

— Неубедительно. Ты же с ним не на свидание ходила. Мужчину можно узнать только тогда, когда начинаешь общаться с ним близко. Да и то не всегда. Вдруг окажется, что он похож на твоего Пирса?

Мэг расхохоталась:

— Ничего подобного, можешь мне поверить! Он похож на нашего папу. Тот же тип. Рубашка, галстук, костюм в тонкую полоску, хорошая стрижка, приятные манеры, вежлив, умен и хороший отец. Все, что ты любишь.

— Мэг, не уговаривай!

— Ну, почему?

— Потому.

— Ничего не выйдет, — безапелляционно заявила дочь. — Я обещала, что сегодня мы идем с ними ужинать. Она тоже приехала домой на выходные, с отцом повидаться.

— Да ты с ума сошла! Мэг, как ты могла?!

— Мам, ты должна пойти, иначе все сочтут меня обманщицей. С хорошими людьми только так и знакомятся. По сговору. Раньше это делали родители, а теперь дети знакомят разведенного отца или мать с новым партнером.

— Но я не собираюсь становиться «новым партнером» этому человеку!

Пэрис была в ярости, но ей не хотелось ставить дочь в неловкое положение, и поэтому в конце концов она уступила.

— Надо обследоваться у психиатра, кажется, я совсем спятила, — пробормотала она, сдаваясь.

Отца подруги звали Джим Томпсон; Мэг сообщила, что ресторан, который он выбрал, славится своими бифштексами. «Это лучше, чем ярый вегетарианец», — подумала Пэрис, но про себя решила, что при первой же возможности улизнет. Она надела старенький, мрачноватый черный костюм, волосы завязала в хвост и не стала краситься.

— Может, хоть чуточку оживишь лицо? — предложила Мэг, наблюдая, как мать одевается. — Ты выглядишь как похоронный агент.

— Вот и хорошо. В следующий раз ему не захочется со мной встречаться.

— Ты мне совсем не помогаешь! — посетовала Мэг.

— И не собиралась.

— Но ведь именно так большинство женщин знакомятся со своими вторыми мужьями.

— А мне не нужен второй муж. Я еще от первого не отошла. А на свидания вслепую у меня аллергия.

— Знаю, знаю. Помню, как у тебя это было в прошлый раз. Но тот тип явно был исключением.

— А вот и нет. Бикс мне рассказал еще более жуткую историю, — буркнула Пэрис и погрузилась в мрачное молчание.

Приехав в ресторан, они обнаружили, что оба представителя семейства Томпсон уже на месте. Джим оказался высоким худощавым мужчиной с седыми волосами и серьезным лицом, в серых брюках и блейзере. С ним была его хорошенькая дочка на сносях. Звали ее Салли; Пэрис тут же вспомнила, как однажды привозила ее к ним домой на выходные. На Джима она даже не взглянула, пока не сели за стол, однако мало-помалу между ними завязался разговор.

Пэрис заметила, что глаза у него красивые и печальные. Сразу было видно, что он перенес большое горе, как и она, и что он хороший человек. Сама того не желая, Пэрис прониклась к нему глубоким сочувствием.

Они негромко беседовали, а дочери тем временем болтали и смеялись, вспоминая своих старых друзей. Джим рассказал о том, как уходила из жизни его жена, а Пэрис неожиданно для себя стала говорить об уходе Питера. Обменявшись трагическими воспоминаниями, оба загрустили. Это было не похоже на оживленную беседу за обеденным столом, и дочери забеспокоились.

— О чем это вы разговариваете? — подозрительно спросила Салли, заметив знакомую тоску в глазах отца.

Джим нахмурился. Он много раз выслушивал призывы дочери и сына перестать плакаться в жилетку незнакомым людям, и все равно такое случалось с ним нередко. Спустя два года после смерти жены он все не мог примириться с утратой.

— Мы говорим о наших детях, — отмахнулась Пэрис. Она знала, что брат Салли на год старше Вима и учится в Гарварде. — О том, какие вы у нас непослушные и как мы с вами мучаемся, — пошутила она и заговорщицки переглянулась с отцом Салли.

Джим ответил благодарным взглядом. Ему понравилось говорить с Пэрис, он сам этого не ожидал. Он тоже не хотел идти в этот ресторан и всячески отговаривал дочь, но теперь был рад, что поддался на уговоры.

Потом разговор зашел о предстоящем Дне независимости. Салли с мужем планировали куда-нибудь поехать, ведь для них это, скорее всего, будут последние выходные до появления ребенка. Джим с приятелями собирался участвовать в парусной регате, а Пэрис ожидала работа — на них висели два пикника по случаю праздника. Джим, улыбнувшись, заметил, что, на его взгляд, ее работа — одно сплошное развлечение. Сам он явно не был большим любителем гулянок и производил впечатление тихого, замкнутого человека. Трудно было сказать, что это — следствие обстоятельств или характер. Пэрис он признался, что с момента кончины жены пребывает в депрессии. Правда, он не отрицал, что, когда позволяет себе расслабиться, ему становится легче.

На прощание девушки расцеловались, а Джим потихоньку спросил у Пэрис, можно ли ей как-нибудь позвонить. Он был такой старомодный, такой церемонный, что Пэрис засомневалась, но в конце концов кивнула. Может, если не он ей, так она ему сумеет помочь. Как мужчина, он ее не привлекал, но видно было, что ему нужен собеседник, а человек он был симпатичный. Просто в данный момент у него разлад с собой. У Пэрис даже мелькнула мысль, не сидит ли он на успокоительных лекарствах.

Наблюдая, как Джим идет к выходу под руку с дочкой, она подумала, что он похож на человека ниоткуда. Даже сутулость плеч выдавала его скорбь.

— Ну, что скажешь? — спросила Мэг, едва сев в машину.

У нее было ощущение, что новый знакомый маме симпатичен, хоть она и не желает в том признаваться. Обнимая подругу на прощание, Салли шепнула, что после смерти матери отец впервые так оживлен.

— Он мне понравился. Но не в том смысле, как ты думаешь или как вы с Салли задумали, негодницы. — Пэрис улыбнулась. — Просто он одинокий человек, которому не с кем поговорить. И, по всей видимости, глубоко порядочный. Он очень тяжело пережил болезнь и смерть жены.

— Салли тоже досталось, — вставила Мэг и строго посмотрела на мать. — Мам, ему нужен не психотерапевт, а женщина. Не надо все время оглядываться на его трагедию.

— Я не оглядываюсь. Я ему сочувствую.

— Не нужно. Просто общайся с ним в свое удовольствие.

Пока что никакого «удовольствия» в новом знакомстве Пэрис не находила. Весь вечер Джим говорил о докторах, о болезни и смерти жены, о том, какие получились красивые похороны и какой он ставит ей памятник. Все дороги ведут в Рим, и, какой бы темы ни касалась Пэрис, все опять возвращалось к несчастной Филлис. Пэрис понимала, ему нужно выбраться из этого порочного круга, как в свое время ей требовалось освободиться от наваждения под названием «Питер». Судя по всему, пережить смерть намного труднее, чем развод или предательство. По ее убеждению, Джим имел на это право, и она была готова его слушать. К тому же эти переживания не были ей чужды. В каком-то смысле она больше ощущала себя вдовой, чем разведенной, поскольку все произошло так внезапно и ее мнения никто даже не спросил. С таким же успехом Питер мог и умереть.

— Он обещал мне позвонить, — сказала она дочери, и та воспряла духом.

А еще больше Мэг обрадовалась, когда наутро подошла к телефону и услышала голос Джима. Тот вежливо поздоровался и попросил позвать к телефону маму. Пэрис взяла трубку, они немного поболтали, потом Пэрис что-то записала в блокноте, кивнула и сказала, что с радостью сходит с ним в ресторан.

— Он назначил тебе свидание? — изумилась Мэг. — Так быстро? И когда же? — Она сияла до ушей, и Пэрис рассердилась:

— Ты ничего не понимаешь. Речь не идет ни о каких романтических отношениях.

— Скажешь это недели через три, когда начнешь с ним спать! — посмеялась Мэг. — Только не забудь на этот раз заранее убедиться, что ты у него одна.

Так или иначе, обе были согласны с тем, что Джим Томпсон совсем не похож на плейбоя. Салли говорила, после смерти жены он на женщин даже не глядел, и Пэрис этому верила. Ей даже казалось, что он и на нее-то не очень смотрит. Просто ему нужен собеседник. Чтобы было кому поплакаться о своей утрате.

— Так когда вы с ним встречаетесь? — Мэг не терпелось все вызнать. В ней взыграли материнские чувства, и очень хотелось, чтобы роман состоялся.

— Во вторник идем ужинать в ресторан.

— Он хотя бы воспитанный человек и не поведет тебя в такие заведения, куда меня таскают мои ухажеры, — вздохнула Мэг. — Либо это суши-бар в каком-нибудь экзотическом подвале, где наверняка отравишься, либо что-нибудь вегетарианское, либо притон с такими посетителями, что и войти-то страшно. Почему-то никто из моих кавалеров не считает нужным сводить меня в приличное заведение.

— Может, тебе нужен мужчина постарше? — предположила Пэрис, хотя сама в молодости не воспринимала зрелых мужчин. Они ее не привлекали. Она всегда предпочитала сверстников, а иногда и на пару лет помоложе. Но в таком случае приходилось мириться с их инфантильностью.

— Позвони мне потом. Расскажешь, как пройдет свидание с мистером Томпсоном, — прощаясь, напомнила Мэг.

Пэрис посвятила остаток дня стирке — делу не слишком увлекательному, зато полезному. А в понедельник они с Биксом начали вовсю готовиться к мероприятиям по случаю Дня независимости, до которого оставалось всего ничего. К вечеру вторника у Пэрис голова уже так распухла, что она чуть не забыла о приглашении Джима Томпсона. Вспомнила в самый последний момент и спешно прервала вечернее совещание с Биксом, сказав, что ей надо бежать домой переодеваться.

— У тебя свидание? — опешил Бикс.

Она ничего не говорила о новом ухажере и в последнее время всячески подчеркивала, что ни за что больше не станет ни с кем встречаться. Уверяла, что еще не остыла после знакомства с типом из Санта-Фе и что это достаточно веский довод, чтобы провести остаток жизни в одиночестве.

Сейчас на вопрос Бикса Пэрис ответила весьма туманно:

— Не совсем.

— Как это понимать?

— Я выполняю роль психотерапевта для отца одной подруги Мэг. У нее два года назад от рака груди умерла мама. То есть его жена.

— Печально, — Бикс сразу проникся сочувствием. — И что он за человек?

— Очень правильный, честный, симпатичный. Нормальный.

— Превосходно. А сколько лет?

— Пятьдесят девять или шестьдесят.

236

— То, что нужно! Берем. Отправляйся.

— Не обольщайся. Он говорит только о своей жене. Он на ней помешан.

— Ты это изменишь. Когда мы познакомились со Стивеном, он был таким же. В какой-то момент мне стало казаться, что, если он еще раз расскажет о своем умершем друге, я начну кричать. Это требует времени, но в конце концов все проходит. Дай ему время. Или какой-нибудь возбуждающий препарат. Например, виагру.

— Перестань, Бикс! Мы с ним просто поужинаем. Это психотерапия, а не секс-терапия.

— Называй как хочешь. Удачно тебе провести вечер! — бросил он вслед.

Через полчаса Пэрис вышла из-под душа, заплела в косу еще влажные волосы, надела черные брюки со свитером и сунула ноги в туфли. В этот момент раздался звонок в дверь. Пэрис бросилась открывать и, запыхавшись, впустила Джима Томпсона.

— Я не рано? — смутился он, увидев несколько удивленное выражение на лице у хозяйки.

Пэрис, отдышавшись, улыбнулась гостю.

— Нет-нет. Просто я только недавно пришла с работы. Неделя сумасшедшая. Впрочем, у нас всегда что-то происходит. Не Четвертое июля, так Валентинов день или День благодарения. Или чей-нибудь юбилей, день рождения, свадьба или просто «небольшая вечеринка» — человек на сорок посреди рабочей недели. Все это довольно интересно, но расслабляться не приходится.

— Похоже, вам повезло с работой. Счастливая! А банковское дело — штука скучная. Хотя, полагаю, без него тоже не обойтись.

Он присел на диван в гостиной, и Пэрис налила ему бокал вина. Вечер был чудесный, теплый и ясный.

В Сан-Франциско нередко летними вечерами прохладнее, чем весной.

— Какой у вас красивый дом, Пэрис, — похвалил Джим, разглядывая антикварные вещицы, свидетельствующие об отменном вкусе. — Филлис обожала старину. Куда бы мы ни ехали, непременно шли в антикварный магазин. Больше всего ей нравились английские вещи.

Как и при первой встрече, в центре внимания моментально оказалась Филлис. Пэрис попробовала перевести разговор на детей и спросила Джима о сыне. Оказалось, что тот, как и Вим, только что уехал с приятелями в Европу.

— С тех пор как он уехал учиться на Восток, я его мало вижу, — пожаловался Джим. — Он теперь редко наведывается домой, и винить его нельзя. Наш дом стал не самым веселым местом.

— Вы куда-нибудь собираетесь летом? — спросила Пэрис, делая очередную попытку перевести разговор на другую тему.

Джима необходимо было отвлечь от его горя, тогда он снова сможет наслаждаться жизнью. И даже стать интересным собеседником. В нем не было никаких очевидных изъянов. Умный, образованный человек, с респектабельной работой, и дети у них одного возраста. Для начала этого более чем достаточно; главное — изгнать дух Филлис. Для Пэрис это стало делом чести, она твердо решила одержать верх — не только ради себя, но и ради Джима. Бикс вполне справедливо сделал вывод, что Джим Томпсон на сегодняшний день — самый подходящий претендент на ее сердце. Он был очень похож на Питера, и Пэрис поняла, что это для нее важно. Оставалось аккуратно задвинуть Филлис в могилу, чтобы не маячила в мире живых.

После непринужденного разговора Джим повез ее ужинать в небольшое французское бистро со столиками на улице. Местечко было дивное, но на Джима снова нахлынули воспоминания. Они с женой обожали Францию и часто бывали в Париже. Филлис даже говорила по-французски, причем свободно.

Остановить этот поток воспоминаний было невозможно, и в конце концов Пэрис неожиданно для себя заговорила о Питере. О том, как они были близки, какой она испытала шок, когда он ушел. Весь вечер они с Джимом делились самыми тяжкими переживаниями, так что, попав наконец домой, Пэрис чувствовала полное изнеможение. После развода она еще ни с кем так долго и подробно не говорила о Питере.

— Я бы хотел снова вас увидеть, — робко произнес Джим, прощаясь с ней у дверей.

В дом Пэрис его не пригласила. Она не хотела слышать очередную историю о Филлис или снова возвращаться к разговору о Питере. Ей хотелось похоронить их обоих. И подмывало взять с Джима обещание, что если они станут видеться, то не должны вспоминать своих «бывших». Но сказать это вслух Пэрис не решилась — ведь они были еще так мало знакомы.

— Я с радостью угощу вас своей стряпней, — предложил Джим.

— С удовольствием отведаю, — улыбнулась Пэрис, хотя ей уже заранее делалось жутковато от перспективы провести вечер в доме, где еще витает образ его покойной жены.

Она по-прежнему считала Джима милым человеком, но от нее весь вечер требовались титанические усилия, чтобы переводить разговор на нейтральные темы. Что бы они ни делали, куда бы ни направлялись, о чем бы ни говорили — будь то антиквариат, дети или путешествия, — за углом всякий раз караулила Филлис. От нее не отставал и Питер. Пэрис ничего так не жаждала, как похоронить эти воспоминания.

— Но в эти выходные у меня работа, — напомнила она.

— Может, в воскресенье вечером? — с надеждой спросил он.

Она ему действительно нравилась, такого чуткого, сострадательного слушателя еще поискать. Джим и сам не ожидал, что проникнется к ней такой симпатией.

— Замечательно, — согласилась Пэрис и, помахав рукой на прощание, закрыла за собой дверь.

Джим действительно оказался очень милым человеком, но она вынуждена была признать, что дома, наедине с собой и без компании Филлис и Питера, ей куда лучше.

— Ну, как? — накинулся на нее Бикс, едва Пэрис на следующий день переступила порог кабинета. — Безудержный секс до самого рассвета? Тебя уже охмурили?

— Не совсем, — усмехнулась Пэрис. — Пока что продолжаю сеансы психотерапии в еще больших масштабах.

Бикс покачал головой:

— Не хватит ли? Если так и дальше пойдет, ты его никогда от этого не отучишь. Он просто начнет воспринимать тебя как ее.

В свое время со Стивеном ему пришлось пойти на уговор: тот будет упоминать своего прежнего партнера не чаще одного раза в день. И это сработало. Теперь Стивен говорил, что это помогло ему взять себя в руки и очень способствовало развитию их отношений. Сейчас Стивен вспоминал о своем бывшем друге с грустью, но без боли, а Джим Томпсон пока явно находился на предыдущей стадии, хотя минуло уже два года.

Пэрис приуныла.

— Сама не пойму, зачем мне все это? Как ты думаешь?

Бикс пожал плечами:

— Никому не захочется терпеть поражение от призрака. А поскольку мягкие намеки не срабатывают, я бы тебе посоветовал перейти к более решительным действиям. Думаю, оральный секс тут бы подошел, — с серьезным видом заявил он, и Пэрис рассмеялась.

— Отлично! В следующий раз, как только он появится у меня на пороге, я ему это предложу.

— Лучше сначала впусти в дом, а то соседи в очередь выстроятся!

Пэрис не успела ничего ответить — их разговор был прерван телефонным звонком. Звонки не умолкали весь день, а точнее — всю неделю. Но оба пикника прошли без сучка, без задоринки. Как обычно, они поделили мероприятия между собой, тем более что места их проведения были друг от друга далеко и курсировать между двумя точками не представлялось возможным. Но в своей помощнице Бикс не сомневался. В этот раз вместе с Пэрис работала Сидни Харрингтон, которая в очередной раз принялась извиняться за своего приятеля из Санта-Фе. Пэрис сказала ей, чтобы не принимала все это близко к сердцу и что он, вполне возможно, человек неплохой.

— Знаешь, иногда с близкого расстояния трудно заметить чудаковатость своих друзей, — вздохнула Сидни. — А когда взглянешь со стороны... Честно признаться, мне в тот раз показалось, что он немного не в себе.

Пэрис не стала говорить, что это еще мягко сказано, и обе вернулись к работе.

В воскресенье Пэрис до вечера провалялась в постели. Ей требовался отдых — она несколько недель подряд работала практически без выходных. Сейчас, когда ей не надо было никуда мчаться, Пэрис блаженствовала.

В шесть часов она поехала к Джиму. Тот жил в красивом старинном доме в Сиклифе. В этом районе был более влажный микроклимат, в воздухе висел туман, и, возможно, от этого на душе становилось горше, чем в более солнечной восточной части города. Но особняк был спроектирован знаменитым архитектором, а из окон открывался фантастический вид на мост Золотые Ворота и залив. Пэрис его оценила сразу, как вошла.

Вплотную к дому тянулась полоска Чайна-Бич, где Джим, по его признанию, любил прогуляться. И Филлис любила.

— Мы с Питером тоже всегда любили море, — машинально произнесла Пэрис и прикусила язык. Что она делает?! Джим Томпсон ей очень симпатичен, но почему он выуживает на свет ее самые худшие черты? По крайней мере, самые тяжелые воспоминания. Не успела она снять плащ, а Филлис уже была с ними. И Питер наступал ей на пятки.

Пэрис припомнила наказ Бикса и дала себе слово говорить о Питере не чаще одного раза в день. Это было довольно странно: ведь она несколько месяцев о нем почти не вспоминала. А теперь благодаря Джиму и Филлис возвращалась к нему без конца. Так плохо ей не было уже давно.

Джим немало потрудился у плиты. Он затеял ростбиф с пюре из спаржи и жареной картошкой. Пэрис знала, какими словами он это прокомментирует: что они с Филлис очень любили готовить. И содрогнулась, увидев на крючке у двери в сад старую соломенную шляпку хозяйки дома. Два года прошло, а она так и висит! Интересно, сколько еще вещей покойной жены он хранит? Очевидно, все. Ему давно надо было от них избавиться, но он, по-видимому, и не собирался.

Мясо было великолепным, а овощи — еще вкусней. Он оказался на удивление умелым кулинаром. Хотя Филлис, несомненно, готовила еще лучше.

— Для меня одного этот дом слишком велик, — посетовал Джим, когда они перешли к десерту. — Но дети его обожают, да и я тоже. Они здесь выросли, я не могу себя заставить расстаться с этим домом.

«И с Филлис», — подумала Пэрис, затаив дыхание. Ну вот, теперь она стала считать, сколько раз он не упомянул о своей жене. Это было похоже на болезнь, но Пэрис никак не могла перестать отмечать про себя, как часто в разговоре возникает тема Филлис.

— У меня была такая же проблема с нашим домом в Гринвиче, — подхватила она. — После ухода Питера я места себе не находила. А отъезд Вима в Беркли меня чуть не доконал. Поэтому я и перебралась сюда.

— А дом продали? — заинтересовался Джим.

— Нет, сдала на год. Я хотела сначала убедиться, что приживусь здесь.

— И прижились? — с неподдельным интересом спросил Джим.

Они сидели в уютном уголке кухни, откуда открывался такой же прекрасный вид на море. Дом можно было бы считать идеальным, если бы не мрачноватая обшивка стен, которая, впрочем, вполне соответствовала настроению хозяина.

— Мне здесь нравится, — улыбнулась Пэрис. Она начала успокаиваться, чувствуя, как призраки отступают. Но все равно ей было странно находиться в доме Филлис, рядом с ее шляпой. — Я в восторге от работы. Я ведь никогда не работала, пока была замужем. Это, конечно, не нейрохирургия, но зато очень творческое дело. Мой работодатель стал мне настоящим другом. Он в своей области корифей. Переезд на новое место перевернул всю мою жизнь; впрочем, на это я и рассчитывала.

— А какая у вас была специальность в колледже? — спросил Джим.

— Экономика. Я была на курсе единственной девушкой, если не считать двух сестер-китаянок с Тайваня. У меня диплом по деловому администрированию, только я никогда не работала по специальности. Посвятила себя мужу и детям.

243

— Как и Филлис. У нее был диплом искусствоведа, она мечтала преподавать, но так и не сложилось. Сидела дома с детьми. А потом заболела...

Пэрис сделала над собой усилие, чтобы не поморщиться. Это они уже проходили.

— Да, я помню. А вы? Расскажите о своей регате. — Она помнила, что он накануне участвовал в гонках и его яхта пришла третьей. — У вас собственная яхта?

— Была когда-то. Небольшая, десятиметровая. Я ее продал два года назад. — Пэрис знала, что сейчас прозвучит. — Мы с Филлис обычно выходили в море на выходные. Лучшего матроса я в жизни не встречал. Дети тоже любили ходить под парусом.

— Может, вам стоит купить себе новую яхту? Будет чем заняться в выходные дни.

Она считала, что он должен найти себе какое-то конструктивное занятие вместо того, чтобы сидеть дома и вспоминать Филлис.

— Хлопотное это дело, — вздохнул Джим. — В особенности когда один. Я не потяну. В моем возрасте лучше уж быть в чьей-то команде.

Пэрис уже знала, что Джиму шестьдесят один, а выглядел он еще старше своих лет. По-видимому, его сломило горе. Что говорить, это большая сила; от горя, случается, даже умирают. Но Джим еще не настолько стар, чтобы не оправиться. Главное — захотеть; вот в этом Пэрис была уверена.

— А вам нравится ходить под парусом? — спросил он.

— Это зависит от обстоятельств. В Карибском море — да, а в такие волны, как здесь, — нет. Я ужасная трусиха, — честно призналась она с улыбкой.

— Не думал... Вы мне показались очень сильной женщиной.

Джим сказал, что в конце лета планирует навестить друзей в Мендосино. Его зовут и в Мэн, но это слишком далеко, ему не хочется ехать. Потом он рассказал, как однажды они с Филлис и детьми провели лето в одном симпатичном местечке. Пэрис тут же принялась перечислять все поездки, какие они совершили с Питером и детьми. Таким образом все ее благие намерения рассыпались в прах.

Несмотря ни на что, Пэрис чудесно провела время, помогла Джиму убрать со стола и вымыть посуду, а около десяти уехала домой. Но, как и в прошлый раз, придя к себе, она почувствовала полное опустошение. В Джиме было что-то неимоверно печальное, и это ее угнетало. Кроме того, Пэрис заметила, что он весьма активно прикладывался к бутылке. Казалось бы, неудивительно, в его-то настроении, вот только почему-то алкоголь его не развеселил. Наоборот, чем больше он пил, тем мрачнее становился и тем больше говорил о жене. В этом отношении он был безнадежен.

На другое утро Джим позвонил ей на работу, и они договорились через пару дней сходить в кино. Он предложил самый грустный фильм из текущего репертуара, который, впрочем, имел отличные отзывы в прессе. Пэрис это предложение решительно отвергла и выбрала самую разудалую комедию.

— А знаете, Пэрис, моя дочь правильно сделала, что нас познакомила. Вы на меня хорошо действуете, — сказал Джим, с нежностью глядя на нее.

Весь фильм Джим безостановочно хохотал, и, когда после сеанса они отправились в пиццерию, оба продолжали улыбаться. Он и в самом деле был в приподнятом настроении. Впервые между ними не стояли Филлис с Питером. Ни разу за весь вечер их имена даже не всплывали. Но Пэрис знала, что без этого все равно не обойдется.

— Вы производите впечатление абсолютно счастливого человека, — с восхищением проговорил Джим. — Я вам завидую. Сам я уже два года как в депрессии.

— А вы не пробовали лечиться? — с сочувствием спросила Пэрис и тут же вспомнила предостережение Мэг не слишком поддаваться настроению собеседника. Сострадание — это одно, спасение — совсем другое. Но порой разграничить их не удается.

— Пробовал. Не помогло. Целую неделю пил лекарства.

— Недели мало, — тихо сказала Пэрис, жалея, что познакомилась с ним сейчас, а не через год-другой. Правда, у нее не было уверенности, что с течением времени он преодолеет свою тоску, если только не приложит к тому серьезных усилий. — Тут требуется терпение. Я лечусь с того самого момента, как Питер ушел.

По правде сказать, в последнее время она разговаривала с Анной примерно раз в месяц, и то больше для страховки. Пэрис больше не чувствовала в этом нужды. Да и времени не было. Впрочем, в последние дни у нее стало появляться желание пообщаться с психотерапевтом снова. И виной тому были разговоры с Джимом, в которых Питер всплывал слишком часто.

— Я восхищаюсь вами, — повторил Джим. — Но мне это не подходит. Первые пару месяцев я посещал специальные занятия для людей, переживших горе, но от этого только хуже стало.

— Может, вам рано было ходить на такие занятия? Вы бы теперь попробовали...

— Нет, — помотал головой Джим и улыбнулся. — Сейчас со мной все в порядке. Я уже примирился с положением дел и практически сжился с мыслью о кончине Филлис. А вы так не считаете?

Пэрис уставилась на него во все глаза. «Это что, шутка?» Он же выставил Филлис в красном углу и таскает с собой повсюду. Все их встречи — это сплошные «выходные у Филлис»! Он и не начал свыкаться со своим новым статусом, напротив, он его наотрез отвергает!

— Вам лучше знать, как вы себя ощущаете, — вежливо сказала Пэрис и стала перебирать в памяти только что увиденную картину, чтобы немного отвлечься.

В этот вечер впервые, отвезя Пэрис домой, Джим поцеловал ее на прощание. Ее поразила его страстность, и она ответила на поцелуй, тая в его объятиях. Одно из двух: либо ему еще более одиноко, чем кажется, либо старая поговорка про тихий омут верна. Но Джим оказался куда более сексуальным, чем она предполагала, и, когда он прижимал ее к себе, Пэрис почувствовала, что он возбужден. Это был хороший признак. По крайней мере, Филлис не унесла сексуальность мужа с собой в могилу.

— Пэрис, вы очень красивая женщина, — прошептал он. — Меня к вам влечет, но я не хочу сделать что-то такое, о чем мы оба будем жалеть. Я знаю, как вы любили своего мужа, а я... Я ни разу не был с женщиной с тех пор, как моя жена...

Пэрис об этом догадывалась. Ей вдруг стало стыдно, что после развода у нее уже был один роман. Она боялась, что Джим сочтет ее распутницей. Но зато с психикой у нее все было в порядке. Да и с организмом в целом. А вот в Джиме она не была столь уверена. Глубокое горе подчас оказывает на человека странное воздействие. Джим сам говорит, что уже два года как не выходит из депрессии. Душевная организация мужчины — очень тонкая штука. Пэрис боялась его спугнуть.

— Мы никуда не спешим, — мягко сказала она.

Джим поцеловал ее еще раз и откланялся. Пэрис сочла это обнадеживающим знаком, он все больше начинал ей нравиться. Ей импонировали его идеалы, его отношение к детям, его честность, доброе сердце. Если удастся отвадить Филлис, все у них еще может сложиться. Но пока что Филлис явно не собиралась уходить в тень. Вернее, Джим не торопился ее отпустить. Наоборот, он словно цеплялся за нее, хотя, если судить по поцелую, хватка понемногу ослабевала.

Следующие пару месяцев они продолжали видеться, ходили в кино, ужинали в ресторанах или у нее дома. Пэрис сочла, что так будет легче для Джима: здесь хотя бы не было на стене шляпы Филлис.

Однажды вечером, сев рядышком на диване, они сами не заметили, как перешли в лежачее положение. У Пэрис играла музыка, которую она подобрала по вкусу Джима; рядом с ней он казался счастливым человеком — намного счастливее, чем во все предыдущие месяцы. И все-таки в тот вечер их отношения дальше не пошли — оба решили, что еще не время.

Через пару дней Бикс спросил:

— Ты все еще девственница? Или оно уже произошло?

— Не будь таким любопытным.

Ей хотелось оградить Джима от сплетен. В ней зарождалось к нему серьезное чувство. Они все ближе узнавали друг друга, и Пэрис уже не видела ничего из ряда вон выходящего в том, чтобы по-настоящему его полюбить. У него был один неоспоримый козырь — он был очень чувственным мужчиной. Просто его чувства слишком долго спали.

— Уж не влюбилась ли ты? — приставал Бикс.

— Все может быть, — загадочно проговорила Пэрис.

— Ясно...

Бикс был за нее рад. Мэг тоже. Разговаривая с матерью по телефону, она по голосу слышала, что у нее в жизни происходят какие-то радостные события. Салли уже успела родить, и, общаясь между собой, девушки пришли к выводу, что все идет прекрасно. Салли сказала, что отец без ума от Пэрис и не перестает восхищаться ее красотой. Если он еще не влюблен, то сильно увлечен. То же самое можно было сказать о Пэрис, хотя она и не афишировала своих чувств.

К середине августа у Мэг в личной жизни тоже произошли изменения. На самом деле она еще в День независимости познакомилась с одним человеком, и они уже больше месяца встречались. Но Мэг не была уверена, что мать одобрит ее новый роман, и поэтому поначалу помалкивала. Этот мужчина был намного ее старше, и даже на год старше ее мамы.

— А какой он из себя? — дружелюбно поинтересовалась Пэрис, еще не зная о его возрасте.

Ее удивило, что Мэг целый месяц держала свой роман в тайне. Это было на нее совершенно не похоже.

— Симпатичный. Очень и очень симпатичный. Он адвокат из мира шоу-бизнеса. Работает со звездами первой величины.

— А как вы с ним познакомились?

— На вечеринке по случаю Четвертого июля. — Мэг не стала говорить, что он — отец одной ее подруги, поскольку все еще опасалась маминой реакции.

— Надеюсь, он в моем вкусе? Или у него волосы дыбом и серьги в ушах?

— Никаких серег. Он похож на нашего папу. В каком-то смысле.

— А сколько ему лет? — спросила Пэрис без всякой задней мысли.

Обычно Мэг встречалась со своими ровесниками, и Пэрис подумала, что этот, должно быть, только-только со студенческой скамьи. Но тогда странно, что у него уже важные клиенты.

— Эй, ты где там? — Пэрис решила, что связь прервалась, поскольку Мэг молчала в трубку.

— Я тут, мам. Он старше, чем мои предыдущие кавалеры.

— Что значит «старше»? Не девяносто, я надеюсь? — пошутила Пэрис. По меркам дочери, «старше» должно было означать двадцать девять или тридцать.

Мэг набрала побольше воздуха и выпалила:

— Ему сорок восемь. Он в разводе, и у него дочь моя ровесница. Так я с ним и познакомилась.

— Сорок восемь? — опешила Пэрис. — Вдвое старше тебя? Мэг, что ты делаешь?! Он же тебе в отцы годится! — Пэрис очень расстроилась.

— Нет, не годится. Мне с ним хорошо. Он, по крайней мере, не вытворяет никаких глупостей.

— Это я должна была бы с ним встречаться, а не ты!

Пэрис не могла оправиться от шока и сразу ощетинилась. Должно быть, какой-то плейбой наподобие Чандлера, иначе с чего бы ему встречаться с такой молоденькой?

— Да, ты права, — согласилась Мэг. — Он тебе понравится. Он потрясающий человек.

— Ну, еще бы! — съязвила Пэрис. — Обычно девчонки не влюбляются в мужчин, которые им в отцы годятся.

— Такое бывает. Я не думаю, что возраст тут имеет принципиальное значение. Важно, какой человек.

— Представь себе: тебе будет сорок пять, а ему — почти семьдесят, если, конечно, до этого дойдет. Вот о чем надо задуматься!

— Пока еще до этого далеко, — тихо проговорила Мэг, хотя на самом деле такой разговор уже был.

— Надеюсь. Пожалуй, мне следует приехать и взглянуть на него.

— Мы собирались в Сан-Франциско первого сентября.

— Да уж, сделайте одолжение! Хочу, чтобы этот человек отдавал себе отчет, что ты не сирота, что у тебя есть мать, которая не даст ему спуска. Как его зовут?

— Ричард. Ричард Боулен.

Пэрис не находила слов. Дочь встречается с мужчиной сорока восьми лет! Ей это не нравилось. Но она постаралась справиться с эмоциями. Не хотела, чтобы из желания его защитить Мэг увязла еще глубже.

Вечером Пэрис обсудила новость с Джимом. Он тоже встревожился, но был склонен согласиться с мнением Мэг, что главное — не возраст, а сам человек, его порядочность и надежность.

— Не делай поспешных выводов, — посоветовал он. — Сначала посмотри на него.

— Я бы хотела, чтобы ты тоже с ним познакомился, — сказала Пэрис, и Джим почувствовал себя польщенным.

Если не считать этой неприятной новости, вечер прошел замечательно, и Джим пригласил Пэрис поехать на выходные в Напа-Вэлли. Пэрис сразу поняла, что это важный этап в их отношениях. Они встречались уже два месяца, но еще ни разу не делили постель. Поездка в Напу могла все изменить.

— Два номера или один, мистер Томпсон? — лукаво спросила Пэрис, глядя ему в глаза.

— А ты бы как хотела? — нежно произнес он.

Пэрис уже давно была готова ко всему, но не хотела его пугать.

— Тебе будет хорошо одному в номере, Джим?

Единственное, чего она хотела избежать, — это участия в поездке Филлис. Или Питера. Она уже созрела для того, чтобы задвинуть Питера в шкаф, где ему и место. Вместе с Рэчел. Но Филлис — совсем иное дело. Ее должен был убрать в шкаф Джим, когда будет готов. Пока же этого не наблюдалось. Филлис то и дело встревала между ними, и Джим ей в этом не препятствовал.

— Думаю, мне будет очень хорошо в одном номере с тобой, Пэрис, — улыбнулся он. — Забронировать?

В этот момент он показался ей особенно красивым и сексуальным.

— Да, пожалуйста! — Пэрис просияла.

Через два дня они поехали в Напа-Вэлли, где в отеле «Оберж дю Солей» их ждал двухместный номер. И только войдя внутрь, Джим сказал Пэрис, что это то самое место, где они с Филлис провели последнюю годовщину свадьбы, всего за несколько месяцев до ее кончины.

— Почему ты мне не сказал? — возмутилась Пэрис, когда он наконец сообщил ей сей многозначительный факт. — Можно было остановиться в любом другом месте!

И надо было бы. Теперь ее пугал этот уютный номер с большой кроватью и камином, где она бы, наверное, прекрасно себя чувствовала, если бы не Филлис. Но та уже была с ними и успела устроиться раньше, чем Пэрис распаковала вещи.

Джим в деталях поведал Пэрис о последней годовщине своей свадьбы, о том, куда они ходили, чем занимались и что ели. Он словно пытался отгородиться от своих чувств к Пэрис и использовал Филлис в качестве щита от нахлынувших эмоций. Чувство вины пересиливало в нем любовное влечение.

Вечером они поужинали в ресторане, причем Джим осушил почти целую бутылку шампанского. Вернувшись в номер, он зажег камин, повернулся к Пэрис, и ей вдруг показалось, что он видит не ее. Джим ни словом не обмолвился о Филлис, но ее присутствие физически ощущалось в этой комнате.

— Устала? — тихо спросил он, и Пэрис кивнула.

На самом деле она была бодра, но очень нервничала. Что чувствует сейчас Джим, понять было невозможно. Весь вечер он держался очень тихо, и Пэрис втайне надеялась, что он готовился отпустить Филлис на волю. Может, он приближается к прозрению, которое ему давно необходимо? Она молилась, чтобы так и было. Пора бы уже.

В строгой атласной сорочке, легкими складками ниспадающей с плеч, Пэрис вышла из ванной. Джим уже лежал в постели, на нем была свежая льняная пижама. Он причесался и побрился, специально для нее. Пэрис чувствовала себя невестой в первую брачную ночь и была охвачена теми же страхами, что и любая воспитанная в старых традициях женщина перед мужчиной, с которым еще никогда не была в постели. «Наверное, надо было относиться к этому проще, — думала она, — и завалиться с ним в постель еще там, дома. Но сейчас мы здесь, и ничего уже не изменишь».

Она легла, он выключил свет и поцеловал ее. И внезапно вся страсть, какую они питали друг к другу, вышла на поверхность. Джим моментально возбудился, они с жаром набросились друг на друга. Пэрис даже не рассчитывала на такую пылкость и сейчас испытывала колоссальное облегчение.

Она скинула сорочку на пол, Джим стянул пижаму, и они оказались в неведомом краю, где существовали только руки и губы. Джим уже почти начал входить в нее, как вдруг все изменилось. Он оцепенел, жить продолжало только его мужское естество.

— Что случилось? — испуганно прошептала Пэрис.

— Я чуть было не назвал тебя Филлис...

Пэрис почувствовала, что Джим вот-вот заплачет.

— Все в порядке, дорогой... Я тебя люблю... Не волнуйся. Все будет хорошо.

Она нежно погладила его по спине, но Джим отстранился. Даже в полумраке было видно, что он охвачен паникой. Пэрис очень хотелось ему помочь: Джим был ей не безразличен и как мужчина, и как человек. Но она не знала, что делать.

— Я не могу с ней так поступить, — прохрипел он. — Она меня никогда не простит.

— Думаю, она бы хотела, чтобы ты был счастлив, — мягко произнесла Пэрис. — Давай я сделаю тебе массаж, а ты ни о чем не думай. Мы сегодня не будем заниматься любовью. Мы ведь никуда не спешим...

Но она чувствовала, что сейчас Джиму хочется быть подальше от нее. И поближе к Филлис. Словно уползти назад, в прошлое, и снова оказаться рядом с любимой женой. Вместо того чтобы дать ей сделать себе массаж, Джим встал и нагишом прошел в ванную. Для его возраста у него было прекрасное тело, но от этого Пэрис легче не стало: ведь он не захотел поделиться им с нею.

Когда Джим вышел из ванной, на нем был костюм, в котором он ходил на ужин. Пэрис испытала шок, но постаралась не подать виду. Джим с трагическим выражением смотрел на нее.

— Пэрис, я не хочу так поступать с тобой. Но я не могу здесь находиться. Я хочу вернуться в город.

В нем словно что-то умерло. Перед ней стоял сломленный человек.

— Сейчас?

Пэрис села и уставилась на него. Ей казалось, что она видит какой-то дурной сон.

— Я понимаю, ты считаешь меня сумасшедшим. Я, наверное, и вправду сошел с ума. Просто я не готов, а скорее всего, никогда не буду готов. Я слишком сильно и слишком долго любил ее, мы столько пережили вместе... Я не могу ее оставить, не могу предать.

— Но ведь она тебя оставила, — мягко произнесла Пэрис, откинувшись на спинку кровати. — Она этого, конечно, не хотела, но выбора у нее не было. Ее больше нет, Джим. Ты не можешь умереть вместе с нею.

— Думаю, я все же умер. Умер в ту же ночь в ее объятиях. Я просто этого не понял. Прости, что поступаю так с тобой. Я не могу быть с женщиной. Ни сейчас, ни когда бы то ни было.

Именно этого она и опасалась с самого начала, хотя все время надеялась, что это пройдет. Но — не проходило. Джим просто не желал выздоравливать. Он сделал выбор в пользу смерти. И Пэрис никак не могла этого изменить.

— Может, нам все-таки провести ночь вместе? Просто полежать рядом. Совсем не обязательно заниматься сексом. Вот увидишь, утром тебе станет легче.

254

Джим медленно покачал головой:

— Нет, я не смогу. Если нужно, я пешком вернусь в город, а машину оставлю тебе.

Он избегал даже смотреть на нее, и Пэрис поняла, что она для него больше не существовала.

— Я оденусь, — тихо проговорила она, стараясь не думать о том, что произошло.

Ей было страшно грустно и обидно, она чувствовала себя отверженной. Она не сердилась на Джима и понимала, что дело не в ней, но от этого обида не проходила. Ей было горько, что их роман закончился столь бесславно.

Через десять минут Пэрис в джинсах и свитере с наспех собранным чемоданом спустилась к машине. Джим молча сунул вещи на заднее сиденье, Пэрис села спереди, и уже через пять минут они мчались по дороге. Расплачиваться с отелем не было необходимости, поскольку там имелся оттиск с его кредитки. Платить по счетам надо было только перед самим собой.

Всю дорогу Джим молчал, а когда Пэрис взяла его за руку, никак не отреагировал. Он словно был во власти могущественного демона — его вновь призвала к себе Филлис.

— Я больше не стану тебе звонить, — неживым голосом объявил Джим, высаживая ее возле дома в половине третьего утра. — Нет смысла, Пэрис. Я не могу это продолжать. Прости, что напрасно потратила со мной время.

Можно было подумать, что он сердится на нее, но Пэрис знала: он страшно зол на себя.

— Я не напрасно потратила с тобой время, — ласково произнесла она. — Мне за нас обоих обидно. Надеюсь, когда-нибудь ты с этим справишься, для своего же блага. Ты не заслуживаешь того, чтобы до конца дней страдать в одиночестве.

— Я не одинок. Со мной Филлис, память о ней. Мне этого достаточно. — Он повернулся к ней, и Пэрис сжалась при виде его глаз, пылающих болью. Джим так истерзался, что от него осталась горстка пепла. — А у тебя есть Питер, — добавил он, словно желая увлечь ее с собой в эту пучину страдания.

Но Пэрис покачала головой.

— Нет, Джим, — возразила она. — Это у Рэчел есть Питер. А у меня есть только я.

С этими словами она тихо вышла из машины, взяла вещи и поднялась на крыльцо. Не успела она отпереть дверь, как послышался шум мотора.

Больше Пэрис никогда не слышала о Джиме Томпсоне.

Глава 23

Как и обещала, на первое сентября Мэг приехала в Сан-Франциско с Ричардом Боуленом. Он снял номер в «Риц-Карлтон», а Мэг решила пожить у матери. Ричард не возражал. Напротив, он считал, что так ему будет легче познакомиться с мамой своей подружки, в противном случае Пэрис неизбежно будет испытывать ревность.

Это было мудрое решение, хотя все равно Мэг сразу почувствовала, что Пэрис относится к Ричарду с недоверием. Она ходила вокруг него кругами и принюхивалась, как собака к незнакомому дереву, терзала вопросами, испытующе смотрела и заставила выложить о себе все, начиная от детства и кончая работой. К счастью, Ричард был готов к этому испытанию и стойко его выдержал. Проведя три дня в обществе Ричарда Боулена, Пэрис вынуждена была признать, что он ей очень понравился. Правда, она невольно думала о том, что с таким мужчиной следовало бы встречаться ей, но он, как на грех, нашел себе молоденькую. Хуже того — ее собственную дочь! Ситуация была стара как мир, Пэрис прекрасно понимала это и не держала на него зла.

В день отъезда они сидели в саду, Мэг зачем-то пошла наверх, и Пэрис повернулась к Ричарду с озабоченным выражением лица.

— Не хочу выглядеть назойливой, Ричард, но вас не беспокоит разница в возрасте?

— Я стараюсь об этом не думать, — честно признался он. — Вообще-то, я раньше всегда встречался со своими ровесницами. И жена была одного возраста со мной, мы с ней еще в колледже познакомились. Но ваша дочь совершенно особенная девушка, вы, наверное, и сами это знаете.

Пэрис вздохнула. Ричард казался моложе своих лет и, как ни странно, был чем-то похож на Мэг — те же зеленые глаза и белокурые волосы. Они прекрасно подходили друг другу. Рядом с ним Мэг расцветала и выглядела совершенно счастливой. Она сказала матери, что чувствует себя с ним как за каменной стеной, да Пэрис и сама видела, что у них все серьезно.

— Не хочу казаться старомодной мамашей, — извиняющимся голосом произнесла Пэрис, — но прошу вас, Ричард: не играйте с ней. — Она чувствовала некоторую неловкость, тем более что говорила материнским тоном практически со своим сверстником. — Я понимаю, вам пока рано говорить о своих намерениях, но я не хочу, чтобы с ней позабавились, а потом разбили девочке сердце. Она этого не заслужила.

Пэрис подумала о Чандлере Фримане. Тот мог позабавиться с молоденькой девушкой и уйти, даже не оглянувшись. Но Ричард вроде бы не из той породы.

— Вы намного старше и умнее ее. Если вы не имеете в виду ничего серьезного, не подавайте ей ложных надежд. Не обижайте ее.

— Обещаю, Пэрис, — тихо произнес он, — я ее не обижу. А вы не допускаете мысли, что у меня могут быть серьезные намерения? Если я попрошу ее руки, вы не будете против?

— Не знаю, — честно призналась Пэрис. — Надо подумать. Вы настолько ее старше... Я только хочу, чтобы моя дочь была счастлива.

— Счастье редко имеет отношение к возрасту, — резонно заметил Ричард. — И даже наоборот. Возраст тут совсем ни при чем. Я люблю ее, и все тут, — бесхитростно заключил он. — Я ни к одной женщине не испытывал того, что чувствую к Мэг. За исключением разве что моей бывшей жены.

Эти слова отозвались в душе Пэрис тревожным звонком, и она серьезно посмотрела на него. Ей мигом пришли на память все предостережения Бикса.

— Давно вы разведены?

— Три года, — негромко ответил Ричард.

У Пэрис камень свалился с плеч. По крайней мере, он не двадцать лет гарцует на свободе.

— До сих я не встретил женщину, которая могла бы занять важное место в моей жизни, — продолжил Ричард. — Если честно, с Мэг я тоже не ожидал, что выйдет что-то серьезное. Они с моей дочкой приятельницы.

— Никогда не знаешь, где встретишь свою любовь. А когда она приходит, неизвестно, во что это выльется. В каком-то смысле я рада, что с Мэг это произошло.

Он ей определенно нравился. Просто странно было видеть свою дочь в обществе своего ровесника. Зато ничто не мешает им дружить, и это намного легче, чем было с Энтони или Пирсом, которые, по существу, еще совсем мальчишки. Вот Ричард — мужчина. И, судя по всему, хороший человек.

Позже Пэрис так и сказала Мэг, и та страшно обрадовалась. Она была безумно влюблена. И Ричард, кажется, тоже.

Они уехали, и Пэрис задумалась над странностями жизни. Дочь встречается с мужчиной, с которым в самую пору встречаться ей. А ее удел — руины наподобие Джима Томпсона, плейбои типа Чандлера Фримана или неандертальцы вроде скульптора из Санта-Фе. «Неужели, — думала Пэрис, — больше мне рассчитывать не на что и все хорошее теперь не для меня? Может, если поискать, найдется еще один Ричард Боулен? Очень сомнительно, а в таком случае уж лучше быть одной...»

Она готова была с этим примириться. Одиночество больше не казалось ей смертным приговором. Просто фактом жизни. Если ей не суждено больше полюбить, значит, она станет жить одна. И с ней все будет в порядке. Лучше быть одной, чем неведомо с кем. У Пэрис не было ни сил, ни интереса к устройству своей личной жизни. Любовь во что бы то ни стало дается слишком дорогой ценой.

На другой день она рассказала Биксу о Ричарде.

— Рад за Мэг, но вообще-то такой мужик нужен тебе, — рассудительно заметил он. — А тебе все попадаются какие-то чудики и прохиндеи. Мне иногда кажется, что нормальных людей вокруг вообще не осталось.

— Мне тоже. Но ты-то хоть на свидания не ходишь. А я? Приличные люди, как этот Ричард Боулен, ищут себе молоденьких. Ко мне у них возникнет интерес, когда им будет лет сто.

— Вряд ли. Тебе вполне подойдет пятидесятилетний. Дело за небольшим — найти приличного человека.

— Желаю удачи! — хмыкнула Пэрис.

— Думаешь, он на ней женится? — спросил Бикс.

— Не знаю. Вполне возможно. Еще неделю назад я бы сказала: «Надеюсь, что нет». Сейчас я так не думаю. Конечно, он для нее староват, но им хорошо вдвоем, они друг друга любят, так почему бы и нет? Может, мы зря придаем такое значение возрасту?

— А мы и не придаем. Посмотри на меня и Стивена. У нас почти такая же разница в возрасте, но нашему счастью любой позавидует.

— Может, мне в самом деле нужен старик... — усмехнулась Пэрис. — Предположим, на двадцать четыре года старше меня — стало быть, ему будет семьдесят один. Пожалуй, не такая плохая мысль!

Бикс пожал плечами:

— Все зависит от человека. В наше время можно оставаться молодым и в восемьдесят. У меня есть знакомая в Лос-Альтосе, ее мужу восемьдесят шесть лет, и она клянется, что с половой жизнью у них лучше, чем когда-либо. А два года назад у них родился ребенок.

— Вот здорово! — с энтузиазмом откликнулась Пэрис.

— Что? Восемьдесят шесть? Так я тебе такого мигом найду. Они на тебя роем полетят! — рассмеялся Бикс.

— Я говорю о ребенке. Я была бы счастлива еще родить. Понимаешь, Бикс, что у меня действительно хорошо получается, так это растить детей. — У нее вдруг загорелись глаза.

— Я тебя умоляю! Я взял тебя на работу, потому что ты взрослая женщина, одна, не какие-то семеро по лавкам. Короче, никакой беременности и родов на производстве! Иначе я тебя просто убью!

Пэрис, разумеется, не собиралась беременеть. Но, все больше примиряясь со своим одиночеством, она подумывала о том, чтобы кого-нибудь усыновить. Правда, пока она никому в этом не признавалась, даже Мэг, и уж тем более Биксу. Он бы пришел в ужас. Пэрис еще и сама не знала, серьезные ли это планы или только мечты, с помощью которых она надеется обмануть время и убедить себя, что еще молода. Завести сейчас малыша было бы настоящим испытанием, пойти на которое она пока могла лишь в мечтах. Но такая мысль ее посещала.

Через неделю тема детей снова возникла, и Пэрис испугалась, не появилась ли у нее навязчивая идея. Но на этот раз все было в ином контексте. Ей позвонила Мэг и сообщила, что Рэчел беременна и должна родить в мае. По словам Мэг, Питер был на седьмом небе от счастья.

Положив трубку, Пэрис долго сидела и смотрела перед собой, переваривая услышанное. Это конец. Теперь ясно, он ушел окончательно. И навсегда связал свою жизнь с Рэчел. Пэрис казалось, что у нее открылась старая рана и сердце снова кровоточит...

К ее удивлению, на другой день позвонил Вим. Он был крайне возмущен предстоящим появлением у него сводного брата или сестры и позвонил специально, чтобы выговориться. Он считал это безумной затеей, называл отца полным идиотом и к тому же слишком старым для того, чтобы заводить нового ребенка.

Мэг так резко не высказывалась, хотя тоже не была в восторге. Оба чувствовали в этом какую-то угрозу для себя, чему Пэрис была немало удивлена, особенно учитывая их возраст. Оба уже вступили в самостоятельную жизнь, расправили крылья, и вряд ли им придется часто иметь дело с новым ребенком отца. Но для них, как и для Пэрис, это был четкий сигнал: Рэчел завладела отцом навсегда, она очень многое для него значит.

Пусть даже только из преданности матери, но ни один из них не питал к этой женщине теплых чувств. Им казалось, что она высосала из их отца всю энергию и внимание и крепко привязала его к двоим своим сыновьям, которые родного отца даже не знали. Мэг сказала, Питер собирается их усыновить.

Что и говорить, за последние полтора года жизнь их семьи разительно переменилась. Отрицать это было бессмысленно. Но почему-то только теперь, несмотря на наличие двух обожаемых детей, Пэрис так остро почувствовала себя никому не нужной. В один прекрасный день у Вима и Мэг появится своя жизнь. Да, собственно, она уже появилась. Питер с Рэчел строят новую семью, с нуля. А она совершенно одна. И пережить это очень трудно.

Как всегда, когда на душе лежала тяжесть, Пэрис с головой ушла в работу. Им были заказаны мероприятия по случаю открытия сезона в опере и в филармонии, два чуть ли не самых торжественных вечера в году, и еще целая уйма празднеств, приуроченных к началу светского сезона. Половина мероприятий уже была отработана, когда Бикс как-то вошел к ней в кабинет и нерешительно остановился в дверях.

Они так давно и тесно работали вместе, что превратились в двух сиамских близнецов, и Пэрис его видела насквозь.

— Так, что это за покаянный вид? Что ты опять натворил? — набросилась она на него. — Судя по твоему лицу, ты подписал контракт на четыре свадьбы в один день, так?

Бикс никому не мог отказать, и порой выходило, что они одновременно проводят по четыре-пять мероприятий. В таких случаях оба сходили с ума от множества дел, которые надо было делать все разом.

— А вот и не угадала. Мне просто пришла в голову одна мысль...

— Сейчас угадаю. Ты хочешь поехать на карнавал в Рио и взять на себя организацию всего праздника? Или устраиваешь вечеринку на весь городской парк?

Бикс засмеялся и покрутил головой:

— Ничего подобного. Я намереваюсь кое-что сделать, но знаю, что тебе это не понравится.

Пэрис выпучила глаза.

— Джейн выходит на работу? Ты меня увольняешь?

В последнее время ее пугало только одно — потерять работу, которую она так полюбила.

— Да нет же! Мне кажется, она опять беременна. В последний раз, когда мы с ней общались, какие-то намеки звучали. Она уже не вернется, а тебя я не отпущу. Но я хочу, чтобы ты кое-что для меня сделала. Обещай, что согласишься, и мы все обсудим.

— Нужно будет раздеваться на публике? — с подозрением произнесла Пэрис, но Бикс, усмехнувшись, опять покачал головой. — Хорошо, обещаю. Я тебе доверяю. И что же?

— Я хочу отправить тебя на свидание с незнакомым мужчиной! Постой-постой, сначала выслушай. Ты знаешь, я сам ненавижу эти вещи; все, кто утверждает, что именно так познакомились со своими будущими мужьями и женами, бессовестно врут. Мне на таких свиданиях ни разу не попадались приличные люди, одни психопаты и ничтожества. Но этот парень — настоящая находка. Он известный писатель, наш клиент — заказал нам день рождения своей матушки. Невероятно умный. И стильный. Мне кажется, это именно то, что тебе нужно. Он пять лет как овдовел, по-прежнему вспоминает о жене с теплотой, но без параноидальных проявлений. Трое взрослых детей. Он живет то тут, то в Англии. С виду очень домашний. Полгода назад расстался с женщиной примерно твоего возраста. Поразительно адекватный мужик!

— Это еще надо доказать. Ты его не спрашивал, он в женское платье не переодевается?

— Думаешь, я бы сразу этого не понял? Серьезно, Пэрис! Я, как только его увидел, сразу о тебе подумал. Так как, познакомишься? Необязательно даже на ужин ходить. Я ему о тебе ничего не говорил. Ты можешь просто пойти на нашу следующую встречу. Хочешь — со мной, хочешь — одна. Только познакомься, больше ни о чем не прошу.

Пэрис была заинтригована. Она не хотела ни с кем знакомиться, но Бикс заронил в ее душу сомнение.

А когда он назвал его фамилию, Пэрис вспомнила, что прочла три книги этого автора. Писал он действительно хорошо и всегда занимал первые строчки в списке авторов бестселлеров.

— Хорошо, съезжу с тобой за компанию, — пообещала Пэрис, на сей раз проявив редкую терпимость к безнадежной затее. В конце концов, это же не свидание. Это деловая встреча. — Когда вы встречаетесь?

— Завтра утром, в половине десятого. — Бикс очень обрадовался, что она поддалась на уговоры.

Пэрис кивнула и больше ничего не сказала.

Наутро Бикс заехал за ней в четверть десятого. Писатель, к которому они ехали, — звали его Малкольм Форд, — жил всего в нескольких кварталах. Его особняк произвел на Пэрис большое впечатление. Внушительное кирпичное строение в районе, именуемом Золотой Берег. Элитный квартал. Однако хозяин дома держался очень просто. У него были пепельные волосы с проседью и серо-голубые глаза. Одет он был в старенькие джинсы и свитер. Он проводил гостей в дом, убранство которого Пэрис нашла красивым, но без излишеств. Они разместились в библиотеке, где стояло по стеллажам множество редких книг и первых изданий, а на полу горой были навалены современные книжки.

Хозяин принялся деловито обсуждать предстоящий юбилей матери. Он хотел, чтобы вечер получился элегантным и сердечным, но не слишком вычурным. А поскольку жены у него не было, пришлось обратиться к профессионалам. Старушке-маме исполнялось восемьдесят, самому же Малкольму было шестьдесят. Пэрис он сразу понравился, и она поведала, что с большим удовольствием читала его книги. Форд был явно доволен. На письменном столе стояла фотография его покойной жены, но в разговоре он о ней не вспоминал. Была и фотокарточка его последней подружки, тоже известной писательницы. Малкольм упомянул, что у него еще есть дом в Англии.

В целом он производил впечатление совершенно нормального человека, со своими достоинствами и недостатками, и держался поразительно просто для фигуры такого масштаба. У него не было ни «Феррари», ни своего самолета; он сказал, что по выходным ездит в Соному, и тут же признался, что его загородный домик превращен в настоящий хламовник, но ему так больше нравится.

Абсолютно все говорило в его пользу, и, когда встреча закончилась, Бикс посмотрел на Пэрис торжествующе. Он считал, что нашел ей настоящий бриллиант, однако Пэрис встретила его взгляд безучастно.

— Ну что, я был прав? — не выдержав, спросил Бикс по дороге в контору.

Он в него чуть сам не влюбился, что и неудивительно: Малкольм чем-то напоминал Стивена.

— Отличный мужик, правда?

— Да, — согласилась Пэрис, но этим и ограничилась.

— И? — Бикс уже видел, что она чем-то недовольна. — Что ты от меня утаиваешь? Выкладывай!

Он был заинтригован ее молчанием, но Пэрис как будто и сама была не в силах разобраться, что ее не устраивает.

— Не знаю. Ты, конечно, сочтешь меня сумасшедшей... Он очень милый, прекрасно выглядит и, судя по всему, очень умен. Дом мне тоже очень понравился. Но Форд меня совершенно не привлекает как мужчина. Вообще! Искры нет, понимаешь? Ничто во мне даже не шелохнулось. Я ничего не чувствую. Мне кажется, столкнись я с ним в компании — вообще прошла бы мимо. Он во мне ни одной струны не задевает.

— Черт! — расстроился Бикс. — В кои-то веки я нашел тебе приличного мужика, так ты его не хочешь.

Впрочем, он сам прекрасно понимал, что если нет влечения — ничего не выйдет. Когда и почему возникает неуловимая искра, никто объяснить не может, но без этого все дохлый номер.

— Что ж поделаешь, — вздохнул Бикс. — Но ты уверена? Ты что-то очень быстро сделала выводы.

— Абсолютно уверена. Мне кажется, я вообще больше никого не хочу. Мне вполне хватает себя.

— Ага, вот тут-то обычно и появляются хорошие парни. По крайней мере, так в народе говорят. Стоит тебе наплевать на весь мир, как к тебе начинают слетаться красавцы, как мухи на мед. Если бы этот Малкольм был «голубой», а я — свободен... — мечтательно протянул Бикс.

— Он был бы рад это услышать, — засмеялась Пэрис. — Вообще-то не думаю, что он «голубой». Просто он не для меня. Мне кажется, у него ко мне тоже ничего не возникло. Никакой искры, никакого шевеления внутри.

— Что ж, значит, начнем все сначала.

Он очень хотел видеть ее счастливой, и Пэрис была ему благодарна.

— Не думаю, что надо вообще что-то начинать. Во всяком случае, не сейчас. Мне кажется, я перегорела.

Бикс молча кивнул. Он понимал, почему Пэрис так считает. Роман с Джимом Томпсоном стал для нее настоящим разочарованием. Пэрис подсознательно боялась нового отказа, и Бикс не хотел бы, чтобы она его снова пережила. Хватит с нее душевной боли.

Они вернулись в контору и принялись за работу — у них каждый месяц был насыщен мероприятиями.

Как-то в начале октября они сидели вдвоем у Бикса в кабинете и прорабатывали детали предстоящей свадьбы. Невеста была француженка, и ее родители хотели пригласить фотографа из Франции. В остальном же все было как всегда, и пока все шло гладко. Невеста была как фарфоровая кукла, платье ей прислали из Парижа, от Бальмена. Эта свадьба должна была стать самым пышным торжеством в сезоне.

— Нам не нужно забронировать фотографу номер в отеле? — спросила Пэрис, пробегая глазами свои записи.

— Я уже об этом позаботился. Я выбрал для него «Сэр Фрэнсис Дрейк» — там дают хорошую скидку. Он везет с собой двоих ассистентов. Прибудет заранее, хочет сделать семейные портреты.

Из Европы ожидалось не менее десятка родственников и вдвое больше друзей, причем много титулованных. Всем были забронированы номера в «Рице». Последние детали они уже согласовали; единственное маленькое осложнение заключалось в том, что заказанный для фотографа микроавтобус надо было забрать в городе, а не в аэропорту.

— Ничего страшного, на такси доедет, — сказал Бикс.

Самолет должен был приземлиться уже через час.

— Я могу за ним съездить, — вызвалась Пэрис. — Он, может, и по-английски-то не говорит. Не хватало нам избалованного французского фотографа, который запутается в аэропорту, а потом спустит на нас всех собак. Я сегодня свободна. Встречу его.

— Ты уверена? У тебя что, нет более интересных занятий, чем работать шофером?

Бикс не хотел ее этим нагружать. Но Пэрис предпочитала предусмотреть все до последней мелочи, даже если приходилось брать на себя дополнительные обязанности.

Через пять минут она выехала в аэропорт. Теперь все зависело от того, поместится ли аппаратура французов в ее универсал. В противном случае придется отправить одного из ассистентов на такси. Но в любом случае маэстро не будет чувствовать себя брошенным на произвол

267

судьбы. Знает она этих французов. Тем более — фотографов.

Стоял бодрящий октябрьский день, Сан-Франциско был красив, как никогда. Пэрис была рада, что поехала в аэропорт — по крайней мере получила небольшую передышку. Она поставила машину на стоянку и прошла в зал прилета. Самолет из Парижа только что приземлился, и надо было ждать, пока пассажиры, измученные одиннадцатичасовым перелетом, заберут багаж и пройдут таможню. Пэрис решила, что узнает «своих» по аппаратуре. Фотографа звали Жан-Пьер Бельмон, она видела его работы во французском издании «Вог», но понятия не имела, как он выглядит.

Пэрис во все глаза высматривала людей с вещами, похожими на кофры с фотокамерами. И наконец увидела. Их было трое, один — постарше, седовласый, с двумя огромными серебристыми саквояжами, и двое совсем молодых: один ярко-рыжий, лет четырнадцати, и другой ненамного старше, со взъерошенными черными волосами, озорной улыбкой и бриллиантовой серьгой в ухе. Юноши были в кожаных куртках и джинсах, а «маэстро» — в солидном пальто с кашне.

Пэрис стремительно двинулась им навстречу.

— Добрый день, — с улыбкой окликнула она. — Меня зовут Пэрис Армстронг. Я от фирмы «Биксби Мейсон». Вы мсье Бельмон? — обратилась она к тому, что постарше.

Парнишка с рыжими волосами фыркнул, а мужчина смутился и покачал головой. Было видно, что он ни слова не понимает по-английски.

— Вам нужен мсье Бельмон? — переспросил «панк» с серьгой.

Судя по всему, этот юноша единственный в компании мог изъясняться по-английски, хотя и с сильным акцентом. Он был ненамного выше ее ростом, но при ближайшем рассмотрении выглядел старше, чем ей сперва показалось. Она думала, ему лет восемнадцать-двадцать, но теперь видела, что он примерно ровесник Мэг.

— Да, — вежливо сказала Пэрис и едва заметно повела головой в сторону старшего. — Это он?

Конечно, он, кто же еще? Единственный взрослый из этой троицы.

— Нет, — ответил юноша, и Пэрис испугалась, что все напутала и теперь неизвестно, где их искать. — Мсье Бельмон — это я! — с восторгом пояснил паренек. — А вас действительно зовут Пэрис?

Она кивнула и обрадовалась, что все же не совсем ошиблась, хотя поверить в то, что этот пострел — знаменитый французский фотограф, было нелегко.

— Но это же мужское имя, — удивился он. — Так звали одного греческого бога.

— Я знаю. Это длинная история. — Пэрис не собиралась вдаваться в подробности своего зачатия во время медового месяца, который родители проводили в Париже. — Все ваши вещи с вами? — любезно поинтересовалась она, все еще пытаясь разобраться, кто есть кто в этой компании. Если Бельмон — этот мальчишка, тогда те двое — его ассистенты, один из которых годился ему в отцы.

— Да, все тут. — Он говорил с акцентом, но на вполне удобоваримом английском. — У нас вещей немного, только камеры.

Он показал на багаж, и Пэрис кивнула. В нем было какое-то необъяснимое обаяние. Может, акцент, прическа или серьга? А может, улыбка. Всякий раз при взгляде на него ей хотелось рассмеяться. Рыженький и вовсе казался ребенком, хотя, как выяснилось, ему уже было девятнадцать лет и он был двоюродным братом маэстро. Сам же Бельмон являл собой воплощенную вечную молодость и был парижанином до мозга костей.

Пэрис попросила подождать и пошла за машиной, а когда вернулась, все трое так ловко и проворно загрузили вещи в ее универсал, будто выполняли хорошо отработанный трюк. В считаные мгновения маэстро уже сидел на правом кресле, его помощники — сзади, и машина тронулась в направлении города.

— Мы сначала в отель или сразу к невесте? — спросил Бельмон.

— Насколько мне известно, вас ждут к шести. Так что у вас есть время разместиться, отдохнуть с дороги, перекусить, принять душ...

Она старалась говорить медленно и отчетливо, чтобы он ее понял. Парень кивнул, продолжая с любопытством смотреть в окно. Только через несколько минут он снова заговорил:

— А вы чем занимаетесь? Вы секретарь, ассистент или, может, мама невесты?

— Нет, я занимаюсь организацией свадьбы. Фирма «Биксби Мейсон». Цветы, музыка, оформление — это все мы. Нанимаем всех, кто будет обслуживать свадьбу.

Он опять кивнул, давая понять, что ее функции теперь ясны. «Смышленый парень, — подумала Пэрис. — И очень живой». Глядя в окно, он раскурил «Голуаз», и по салону моментально распространился ни с чем не сравнимый запах французских сигарет.

— Не возражаете? — спросил он, спохватившись, что американцы не столь терпимы к курению, как французы.

— Курите, курите, — успокоила его Пэрис. — Я сама какое-то время назад курила. Запах приятный.

— Мерси, — небрежно бросил он и повернулся к своим товарищам.

Пэрис немного знала французский, но из их разговора не поняла ни слова — слишком уж быстро они тараторили. Потом Жан-Пьер опять обратился к ней:

— Хорошая свадьба будет? Платье красивое?

— Очень, — заверила она. — И девушка красивая, и платье. Жених тоже замечательный. Прекрасная пара. Торжество будет в музее Почетного легиона. Семьсот человек.

Семейство Делакруа владело крупными предприятиями текстильной промышленности во Франции, а после прихода к власти социалистов переехало в Сан-Франциско, желая оградить свои богатства от безжалостных французских налогов. Но они по-прежнему проводили много времени на родине.

— Богачи, да? — спросил фотограф, и Пэрис с улыбкой кивнула.

— Еще какие! — Она не стала говорить, что за свадьбу родители невесты выложат два с половиной миллиона долларов.

Пэрис доставила фотографа в отель и договорилась, чтобы кто-то забрал из проката их фургон и подогнал к гостинице. Им оставалось только предъявить права и расписаться, где положено. Она выдала Жан-Пьеру карту города и показала, где им следует быть в шесть часов вечера.

— Надеюсь, справитесь? — улыбнулась Пэрис и протянула свою визитку. — Если что-то понадобится, звоните.

Француз затушил сигарету, помахал ей рукой, и вся компания ввалилась в лифт.

Пэрис вышла на улицу и зашагала к машине. Находиться рядом с Жан-Пьером было равносильно тому, что попасть в водоворот. Жизнь вокруг него била ключом. Выразительная жестикуляция, клубы дыма, обрывки разговора, которые она не понимала, беспрестанное движение, всклокоченные волосы и большие карие глаза — все это был Жан-Пьер. Он походил на какого-нибудь приятеля Мэг, если не считать, что его окружал невероятный французский колорит. Притом что он казался таким юным, было видно, что командует парадом он.

Пэрис вернулась в машину, где еще витал запах его сигарет, и поехала в офис, чтобы забрать папку с бумагами и проверить, какие поступили сообщения.

Бикс оказался еще на работе.

— Все в порядке? — спросил он, подняв на нее глаза.

Пэрис кивнула и пробежала глазами свои записи. К сегодняшнему вечеру все было готово.

— Все отлично, — доложила она и рассказала о Жан-Пьере Бельмоне. — Ему можно дать двадцать лет. Ну, может, чуточку больше.

— Я думал, он старше, — удивился Бикс.

— Я тоже. Француз до мозга костей! Жаль, что у Мэг уже есть кавалер, он бы ей понравился.

На самом деле Пэрис не жалела, что Мэг увлеклась Ричардом. Прекрасная пара. Они встречались уже три месяца и были совершенно счастливы.

Вечером Бикс с Пэрис поехали в особняк Делакруа, где давали семейный ужин на тридцать персон — гости уже начали прибывать из Франции. Пэрис скромно стояла в углу и наблюдала работу фотографа. Ариан Делакруа, позировавшая в подвенечном платье, была неотразима. При виде заразительной улыбки фотографа она засмеялась; перехватив взгляд Пэрис, Бельмон подмигнул и тут же вернулся к работе. Ассистенты подавали ему то один аппарат, то другой, меняли пленку. Он сделал несколько семейных портретов, а когда невеста поднялась к себе, чтобы переодеться в вечернее платье и сняться вдвоем с матерью, подошел к Пэрис.

— Сфотографировать вас? — чопорно предложил он.

Пэрис быстро помотала головой — это было бы вопиющим нарушением всех правил.

— Нет-нет, спасибо, — с улыбкой отказалась она.

— У вас красивые глаза.

— Благодарю.

Он снова улыбнулся, и под его взглядом Пэрис вдруг прошла молния. Это была полная противоположность тому, что она чувствовала рядом с Малкольмом Фордом. С этим юношей она едва могла разговаривать, да и возрастом он был вдвое ее моложе, но весь его облик был пронизан таким жизнелюбием и сексуальностью, что пробуждал в ней самые первобытные инстинкты. Пэрис не сумела бы объяснить это словами, да и не хотела. В нем не было ничего мягкого, утонченного или деликатного. Наоборот, все было яркое, бьющее энергией, напористое — от вздыбленной прически и искрящихся глаз до серьги в ухе.

Вернулись невеста с мамой, Жан-Пьер вновь взялся за работу, а Пэрис удалилась. Ее всю потрясывало.

— Ты себя нормально чувствуешь? — забеспокоился Бикс — ему показалось, вид у нее какой-то странный.

— Да, все хорошо, — ответила Пэрис.

Она снова столкнулась с Жан-Пьером, когда тот со своей командой покидал «площадку», а они с Биксом провожали гостей к столу. Француз улыбнулся ей, и Пэрис подумала, что ни один мужчина так не флиртовал с ней глазами. Тем более мужчина ее возраста.

— Какой чувственный, — заметил Бикс, и это было верное слово. — Будь я помоложе, я бы по нему с ума сходил.

— Аналогично, — вздохнула Пэрис, и оба рассмеялись.

Она шутила, но не почувствовать исходящую от молодого парижанина энергию было невозможно.

В последующие несколько дней их пути то и дело пересекались. Француз без устали трудился — то ползал у кого-то в ногах, то чуть не падал откуда-то сверху, то вплотную придвигался к чьему-то лицу. Он все время находился в движении, что не мешало ему всякий раз при появлении Пэрис обмениваться с ней взглядами. После того как невеста удалилась со свадебного пира, Бельмон наконец позволил себе немного расслабиться и сразу направился к Пэрис.

— Отлично! — воскликнул он. — Превосходная свадьба. Красивые фотографии... красивый декор... А цветы!

В аранжировке цветов Бикс в этот раз превзошел самого себя. Были только розы и ландыши — нежные мелкие цветы, которых Пэрис раньше никогда не видела. Их за баснословные деньги доставили из Африки, Франции и Эквадора. А освещение было достойно Версаля.

Пэрис и Жан-Пьер стояли под звездным небом в два часа ночи, и она совершенно не чувствовала усталости.

— Поедемте куда-нибудь, выпьем? — предложил он.

Пэрис хотела отказаться, но неожиданно для себя кивнула. Почему бы нет? Все равно через несколько дней он улетает.

— Я вас отвезу на своей машине, — сказала она. — Через десять минут буду ждать у выхода.

Она доложила Биксу, что уходит, тот тоже собирался откланиваться. Все родственники успели разъехаться, осталось всего несколько гостей. Им здесь делать уже было нечего.

— Отлично получилось, правда? Мы на славу потрудились.

Бикс был измотан, но сиял, довольный результатом своих усилий.

— Не мы, а ты. Я лишь осуществляю общий надзор и проработку кое-каких деталей. Главная заслуга — твоя, Бикс. Ты просто гений!

Он расцеловал ее в знак признательности, Пэрис пошла на стоянку за своей машиной, а в следующую минуту они с Жан-Пьером уже мчались в ночь. В это время все рестораны уже были закрыты, но они нашли небольшое ночное кафе, которое сразу понравилось Жан-Пьеру. Он тут же бросился щелкать камерой под разными ракурсами и будто невзначай снял и Пэрис тоже. Они устроились в отдельной кабинке, и француз заказал блинчики и омлет — он весь вечер крошки в рот не брал.

— Я в восторге от Америки, — заявил он радостным голосом и стал еще больше похож на эльфа, свалившегося с другой планеты. Бельмон был среднего роста, чуть повыше Пэрис, но очень худой и жилистый. Как мальчик. — Вы замужем? — спросил он.

У Пэрис было отчетливое ощущение, что наличие у нее мужа его на самом деле мало волновало.

— Нет. Я в разводе. — Она улыбнулась.

— Это счастье или горе?

— Что, развод? — уточнила она.

Он кивнул, и Пэрис задумалась.

— И то и другое. Поначалу — большое горе. Очень большое. Но теперь, мне кажется, я стала счастливее.

— А дружок у вас есть?

Она не поняла. Тогда француз обхватил себя руками, изображая страстное объятие, и Пэрис рассмеялась.

— Возлюбленный? Нет. Такого друга у меня нет.

Было смешно, что он об этом спрашивает: она же вдвое его старше. Но ей вдруг захотелось выяснить то же самое у него.

— А у вас есть подруга?

— Моя подружка... моя возлюбленная... Она уехала. Я очень грустил. — Он сделал трагическое лицо и показал, как по его лицу бегут слезы. — А теперь я очень-очень счастлив. С ней было много хлопот. А дети у вас есть?

У него был трогательный акцент, забавные гримасы и жестикуляция, и он был полон жизни. Языкового барьера для него не существовало.

— У меня двое детей, взрослых. Сын и дочь. Думаю, моя дочка старше вас. Вам сколько лет? — спросила Пэрис, и теперь засмеялся Жан-Пьер. Видимо, редко кому удавалось угадать его возраст, и он находил это смешным.

— Тридцать два, — ответил он.

Пэрис удивилась:

— Выглядите вы моложе.

— А вам? Тридцать пять?

— Мерси, — со смехом сказала она. — Мне сорок семь.

Он поклонился очень по-французски.

— Браво. Вы очень молодо выглядите. — Опять этот акцент. И чертики в глазах. — Вы из Калифорнии?

— Из Нью-Йорка. А потом жила в Коннектикуте. Сюда я переехала всего девять месяцев назад, из-за развода. У меня дети здесь, — пояснила она.

— Сколько им лет?

— Дочери двадцать четыре, сыну — девятнадцать. Он студент, а она живет в Лос-Анджелесе и работает на киностудии.

— Актриса?

— Нет, ассистент продюсера.

Он кивнул, и разговор продолжался, причем Жан-Пьер умудрялся одновременно жевать свою яичницу и блины. Пэрис пила чай с булочкой. Она не была голодна, но получала удовольствие от его общества.

— Вы долго еще пробудете? — поинтересовалась она.

«Было бы приятно пообщаться с ним еще», — подумала Пэрис и тут же устыдилась. Хоть он и старше, чем она считала, все равно — совсем молодой. Для нее — слишком молодой.

— Не знаю, — ответил он. — Три-четыре дня. Может быть, съезжу в Лос-Анджелес, немного поработаю там. У меня виза на полгода. Может, задержусь на месяц. Не знаю пока. Мне хочется... попутешествовать, — по-французски сказал он и руками показал, как будет рулить. — Еще можно поснимать для «Вог» в Нью-Йорке. Но вообще-то я жутко устал. Слишком много тут было работы. Мне теперь нужен небольшой отдых. Посмотрю.

Жан-Пьер то и дело сбивался на родной язык, но на этот раз Пэрис его понимала, потому что он говорил медленно. Со своими людьми он так тараторил, что понять ничего было нельзя.

Они покинули ресторан в четвертом часу. Пэрис завезла его в отель, он расцеловал ее в обе щеки, и она уехала домой, где немедленно разделась и рухнула на постель. Несколько минут она лежала, глядя в потолок, и думала о Жан-Пьере. Глупо, но ее безумно к нему влекло. Такой талантливый мальчик и так полон жизни и обаяния... Если бы было возможно, она убежала бы с ним на край света, хотя бы на день или два. Разумеется, она понимала, что все это нереально. Что ж, и в сорок семь лет не возбраняется мечтать...

Глава 24

Утром у Пэрис зазвонил телефон. Она повернулась на бок, сняла трубку и с удивлением услышала голос Жан-Пьера. Он сказал: «Бонжур», и одного этого слова было достаточно, чтобы она его узнала.

— Как ты? — спросила она, улыбаясь.

— Отлично. А ты?

— Устала, — призналась она и потянулась.

— Я разбудил? Прости. Чем ты сегодня занимаешься?

— Пока не знаю, — по-французски ответила она. — Не знаю.

Никаких планов у Пэрис на это воскресенье не было, она хотела просто отдохнуть после напряженной недели.

— Я еду смотреть Саусалито. Хочешь со мной?

Пэрис улыбнулась. Идея казалась безумной, но ей понравилась. Да и само местечко живописное, на берегу залива. В Жан-Пьере было столько жизни, столько радости, ей с ним было хорошо. Полная противоположность Джиму Томпсону, тяжеловесному и угрюмому, все — через «не могу». И даже Чандлеру, при всей его утонченности и лоске. Этот мальчик был сама естественность, а иначе как мальчика она его не воспринимала. Такой живой, непосредственный... С ним все было ясно и понятно, чем бы ни заниматься.

— Так что, едем в Саусалито вместе? — спросил он, и Пэрис подумала, что будет неплохо сводить его на ленч в плавучий ресторанчик с открытой верандой, куда ее однажды возила Мэг.

— Прекрасно. Я заеду в полдень.

— Полдень? Где это? — Он не понял английское слово.

— Двенадцать часов, — пояснила она, и Жан-Пьер рассмеялся.

— О'кей!

Ей нравилось, как он это произносит. Ей все в нем нравилось, и это было самое опасное.

Пэрис сполоснулась под душем, надела красный свитер и джинсы и захватила теплую куртку. Она знала, что для Жан-Пьера наряжаться не нужно. Себе она сказала, что это будет всего лишь безобидная турпоездка и никому не повредит. Почему не полюбоваться достопримечательностями и не получить от этого удовольствие? Все равно через несколько дней он уедет.

Жан-Пьер бойко запрыгнул в машину. Он тоже надел джинсы и свитер, а поверх — черную кожаную куртку. На плече у него висел фотоаппарат, но серьга и торчащие волосы делали его похожим на рок-звезду. Пэрис попыталась это объяснить, и Жан-Пьер рассмеялся.

— Петь я не умею, — возразил он и сделал жест, похожий на удушение.

Пэрис вела машину в сторону Саусалито. Француз на ходу фотографировал город. День был прозрачный, а выбранный Пэрис ресторанчик привел Жан-Пьера в восторг. Мешая английские и французские слова, он стал рассказывать, что фотографирует с детства. Родители умерли рано, и его растила сестра, к которой он испытывал большую нежность. В двадцать один год женился, у него десятилетний сын, но они почти не видятся. Мальчик живет с матерью, а Жан-Пьеру не хочется встречаться с ней лишний раз.

— Печально, — прокомментировала Пэрис.

Он показал ей снимок очаровательного ребенка, в котором безошибочно угадывался юный француз.

— А где они живут?

— В Бордо. Не люблю Бордо. Вино хорошее, а городишко паршивый.

Пэрис рассказала о своих детях, о работе у Бикса и даже о том, что Питер бросил ее ради другой женщины. Жан-Пьер поделился планами сделать как можно больше снимков в Штатах и сказал, что ему очень понравился Сан-Франциско.

Они прогулялись по живописному городку, потом Жан-Пьер предложил съездить в Соному и очень обрадовался, когда Пэрис согласилась. Дорога вилась мимо виноградников, забиралась все выше и вскоре спустилась к долине Напа. Дело шло к ужину, и они заехали в маленькое бистро, где все говорили по-французски. Жан-Пьер очень оживился и углубился в длинную беседу с официантом, так что в обратный путь они двинулись уже к девяти. В Сан-Франциско приехали в половине одиннадцатого, оба — невероятно довольные удачно проведенным днем.

— Пэрис, а завтра ты чем занята? — спросил он, когда она высаживала его у отеля.

— Работаю, — вздохнула она. — А ты?

Она хотела пригласить его в офис, показать, чем они занимаются, но Жан-Пьер сказал, что утром едет в Лос-Анджелес. На своем микроавтобусе.

— А потом вернешься?

— Не знаю. Если вернусь, позвоню... — Он посмотрел ей в глаза, и Пэрис смутилась. — Будь умницей.

«Как странно, — подумала Пэрис, — с ним я совсем не чувствую себя старше. Может, и у Мэг с Ричардом так?.. Да нет, это даже нелепо. Мне просто было интересно повозить его по окрестностям, строя из себя туристку, но в романтическом плане я о нем совсем не думаю. Да, скорее всего, он и не вернется».

Жан-Пьер, поцеловав ее в обе щеки, выпрыгнул из машины, она помахала рукой и тронулась с места. Взглянув в зеркало заднего вида, Пэрис заметила, что он стоит на крыльце и смотрит ей вслед.

Весь вечер ее преследовали мысли о нем. Она вспоминала, что он говорил, с каким выражением смотрел на нее, как учил ее французским словам, которые теперь вертелись у нее в голове.

На следующий день Пэрис была как в тумане, словно перебрала наркотиков или мучилась похмельем. Общение с Жан-Пьером подействовало на нее как любовный напиток, и объяснить это было невозможно. От него исходили флюиды, равносильные колдовству. Впервые в жизни Пэрис начинала понимать, почему зрелых женщин порой так тянет к молодым мужчинам. Но с ней этого не случится!

Они с Биксом работали над несколькими проектами, и весь день Пэрис чувствовала себя разбитой, словно телу вдруг стало тесно в его привычной оболочке. Это было безумие, но ей действительно его не хватало. Она твердо решила не поддаваться слабости и не стала звонить ему на мобильник, хотя номер он ей оставил.

Спать легла пораньше, а на другой день опять напряженно трудилась.

К среде Пэрис стало лучше. Вечером позвонила Мэг и посвятила ее в свои планы на День благодарения. В этом году дети решили провести праздник с отцом, а к ней должны были приехать на Рождество.

Пэрис ни разу не спросила Мэг, как дела у Рэчел, ее это не интересовало. Не спрашивала она и о том, как себя чувствует в этой связи Питер, вышло ли это случайно или было запланировано. Ей было невыносимо думать о новой семье Питера, а у Мэг хватило такта не рассказывать самой, пока мама не спросит.

В четверг, в восемь вечера, Пэрис возвращалась домой, как вдруг зазвонил ее мобильный телефон. Она предположила, что это Бикс или Мэг, больше ей на мобильник никто не звонил. Повернув к дому, она ответила на звонок — и в тот же миг увидела у себя на крыльце Жан-Пьера с мобильником в руке.

— Ты где? — по-французски спросил он.

Пэрис испытала неловкость оттого, что так сильно обрадовалась его голосу.

— Уже здесь, — ответила она и вышла из машины.

Она поднялась на крыльцо и хотела было по-матерински поцеловать его в щеку, но Жан-Пьер стремительно привлек ее к себе и ожег поцелуем. Не успев опомниться, Пэрис ответила ему с такой же страстью. Ее словно подхватила и понесла волна чувственности. Она не понимала, что делает, с кем и зачем. Ей хотелось одного: чтобы это никогда не кончалось.

— Я очень соскучился, — бесхитростно сказал он и вновь стал похож на мальчика, хотя вел себя совершенно по-мужски. — Вчера ездил в Санта-Барбару, но мне не понравилось. Похоже на Бордо — очень красиво, но слишком уж тихо.

— Согласна, — ответила она и открыла дверь. Сердце ее готово было выпрыгнуть из груди.

Оказалось, адрес он узнал в конторе — позвонил и сказал, что должен показать ей кое-какие отпечатки.

Жан-Пьер проследовал за Пэрис в дом и снял свою видавшую виды куртку.

— Поужинаешь? — предложила Пэрис.

Он с улыбкой кивнул и прошел к окну полюбоваться видом. Она занялась готовкой, а Жан-Пьер принялся ее фотографировать.

— Не надо, я жутко выгляжу, — смущенно попросила Пэрис и убрала со лба выбившуюся прядь.

Она поставила на стол разогретый суп, холодную курицу со свеженарезанным салатом и вино, а Жан-Пьер включил музыку. Он держался вполне непринужденно и время от времени, пока она хлопотала вокруг стола, подходил к ней и целовал. Пэрис становилось все труднее сосредоточиться на деле.

Они сели за кухонный стол и заговорили о музыке. Оказалось, что Жан-Пьер хорошо разбирается в классике. Он сказал, что его мама была художником, а отец — дирижером. Сестра работала в Парижском кардиохирургическом центре.

Жан-Пьер поинтересовался, на кого она училась в колледже, и Пэрис объяснила, что значит «мастер делового администрирования».

— Понимаю. У нас тоже есть такие вузы. Наподобие вашего Гарварда. — Он рассмеялся. — Но фотографу диплом не нужен.

После ужина Жан-Пьер снова ее поцеловал, и Пэрис пришлось приложить усилие, чтобы не дать себя захлестнуть волне страсти. Безумие! Нельзя же, чтобы человеком владели животные инстинкты. С ней такое было впервые. Она в смятении взглянула на Жан-Пьера.

— Господи, что мы делаем?! Мы ведь совсем незнакомы. Это же сумасшествие...

— Иногда совсем неплохо сойти с ума, разве нет? Думаю, да. Я для тебя схожу с ума.

— Не «для» тебя, а «по» тебе.

— Вот именно.

— Я чувствую то же самое. Но через несколько дней ты уедешь, и мы будем жалеть, что так глупо себя вели.

Он приложил руку к сердцу и покачал головой:

— Нет. Я всегда буду тебя помнить. Вот здесь.

— Я тоже. Но, может быть, потом мы будем раскаиваться...

Пэрис боялась того, что вот-вот должно было произойти. Устоять перед ним было невозможно.

— Но почему раскаиваться?

— Потому что сердце очень легко разбить, — вздохнула она. — А мы совсем мало знаем друг друга.

Жан-Пьер снова покачал головой.

— Я тебя очень хорошо знаю. Я знаю, где ты училась, какие у тебя дети, какая работа, как ты была замужем, как ты горевала... Ты понесла большую утрату... Но люди не только теряют, они и находят. Помнишь книжку «Маленький принц» Антуана де Сент-Экзюпери? Там сказано: «Зорко одно лишь сердце. Самого главного глазами не увидишь». Замечательная книжка!

— Я ее читала детям. Но она очень грустная — ведь Маленький принц в конце погибает.

— Да, но он навечно переселяется к звездам.

Жан-Пьеру понравилось, что Пэрис знала эту вещь. Он лишний раз убедился, что она необыкновенная женщина. И в глазах ее, которые ему все время хотелось фотографировать, тоже было что-то необыкновенное.

— Всегда нужно смотреть сердцем. И тогда ты навечно останешься со звездами.

Пэрис сама не понимала, почему эти слова так тронули ее.

Они проговорили до глубокой ночи. Пэрис чувствовала, что он бы хотел остаться, но не решается попросить. А сама она не предложила — боялась разрушить то хрупкое, что возникло между ними.

На другой день Жан-Пьер позвонил, потом приехал к ней на работу, и Бикс встретил его удивленным взглядом.

— Жан-Пьер, ты еще тут? — радушно улыбнулся он. — Я думал, ты еще в воскресенье уехал.

— Я уезжал. Ездил в Лос-Анджелес. — Он произнес название города на французский манер, и Бикс опять улыбнулся. — А вчера вернулся.

— Долго пробудешь?

— Может, месяц, может, больше.

В этот момент из своего кабинета вышла Пэрис и увидела гостя. Они не сказали друг другу ни слова, но Бикс все мгновенно понял. Он пригласил Жан-Пьера пообедать вместе с ними в офисе, и они ели сандвичи и пили капучино в комнате, где обычно принимали клиентов. Потом Жан-Пьер поблагодарил и откланялся. Объявил, что направляется в Беркли. Он не сказал Пэрис ничего определенного, но она каким-то образом поняла, что позже он заедет к ней.

Проводив гостя, Бикс смерил помощницу пристальным взглядом.

— Интересно, я все выдумал или между вами действительно что-то есть?

Пэрис пожала плечами:

— Не совсем. Мы вместе провели воскресенье. Я возила его в Саусалито и Соному. Вчера вечером он сам ко мне заехал. Но ты не думай, ничего не было. Я же не совсем из ума выжила!

Пэрис и сама чувствовала, что противостоять искушению делается все трудней. Останься Жан-Пьер вчера чуть подольше, она бы не смогла сопротивляться. Но пока ей удавалось держать себя в руках.

— А я бы выжил из ума, — вздохнул Бикс, глядя на нее. — Ты что, Пэрис?! Он же очаровашка, а ты ни перед кем и ни в чем не должна отчитываться!

— Ошибаешься. Я отчитываюсь перед собой. Он еще ребенок, на пятнадцать лет моложе меня.

— А с виду не скажешь. Ты сама как девочка, а он на самом деле старше, чем выглядит. Да если бы он на меня бросал такие взгляды, я бы его живым не отпустил!

Пэрис засмеялась. Она готова была согласиться с Биксом и все-таки роман с Жан-Пьером воспринимала как неоправданное баловство.

— Предлагаю его похитить и приковать к кровати, пока он не вернулся в свой Париж, — беззлобно посоветовал Бикс.

Пэрис снова расхохоталась.

— Ты Стивена именно так захомутал? — пошутила она.

— Это было не нужно. Вот он меня действительно захомутал! Ну, нет, преувеличиваю, — признался Бикс. — Мы очень быстро почувствовали влечение друг к другу. А вы двое... От ваших взглядов чуть пожар не случился. Я даже поперхнулся. Думал, сейчас он на тебя набросится и распластает прямо на столе. Сегодня встречаетесь?

— Не исключено, — ответила Пэрис, опустив глаза. — И вообще, давай больше не будем об этом, распутник несчастный!

— Но почему? Живем один раз. Будь у меня такая возможность, я бы не пропустил ночь с этим живчиком.

«Говори, говори! — подумала Пэрис. — А то мы не знаем, что ты своего Стивена ни на кого не променяешь».

Приехав к себе, она, как и накануне, обнаружила на ступеньках Жан-Пьера. Он устроился как дома и с аппетитом грыз яблоко, одновременно листая журнал. На дорожке перед домом стоял его микроавтобус.

Едва заметив Пэрис, он просиял от радости. Они были знакомы ровно восемь дней, но, кажется, успели узнать друг друга лучше, чем многие люди за долгие годы. Однако этим все равно нельзя было оправдать и даже объяснить ее влечения к нему. То, что было между ними, определялось одной природой. Гормонами, феромонами. Искрой. От них тут ничто не зависело, хоть Пэрис и прилагала усилия к тому, чтобы удержать вожжи и не дать воли чувствам.

— У меня в холодильнике пусто, — сообщила она, входя вместе с ним в дом.

Не дав ей продолжить, Жан-Пьер забрал у нее сумку и портфель, ногой закрыл входную дверь и впился в ее рот таким страстным поцелуем, что у Пэрис перехватило дыхание. Когда он отпустил ее, она долго не могла отдышаться. Никогда в жизни ее так не целовали, даже накануне вечером было не то.

— Пэрис, я сошел с ума! — в отчаянии произнес он и снова ее поцеловал.

Не отрывая губ, Жан-Пьер снял с нее куртку, затем блузку и бюстгальтер, и она не сделала ничего, чтобы его остановить. Она не хотела его останавливать. Она хотела, чтобы он продолжал. И он продолжал.

Она тоже начала его раздевать. Расстегнула рубашку, ремень на джинсах, «молнию»... В считаные мгновения они стояли обнаженные в прихожей, тесно прижавшись друг к другу. Не говоря ни слова, Жан-Пьер подхватил ее сильными руками и уверенно понес наверх, в спальню, словно делал это уже тысячу раз.

Он опустил Пэрис на постель и долго смотрел, а потом издал звериный стон и принялся целовать ее. Он касался ее трепещущими пальцами, и Пэрис тоже трепетала от неземного блаженства. Она повернулась, желая доставить удовольствие и ему, сомкнула губы и проделала такое, отчего он со стоном запрокинул красивую голову с мальчишеской шевелюрой и закричал. Потом он лег рядом с ней, и у них был такой секс, какого Пэрис еще не знала. Это был ураган страсти, увлекший обоих в губительный водоворот, они не могли остановиться и готовы были продолжать без конца.

Потом они лежали в объятиях друг друга. Гладя ее по шелковистым волосам, Жан-Пьер сказал, что любит, и Пэрис сразу поверила этому едва знакомому человеку.

— Je t'aime*, — хрипло прошептал он и снова кинулся ее целовать.

Он был не в силах оторваться от нее, а она — от него. Лишь спустя много часов они заснули, а очнувшись на рассвете, снова занялись любовью, но уже не так бурно.

Пэрис знала, что эту ночь ей не забыть никогда. Она вся была во власти чар Жан-Пьера.

Глава 25

К счастью, первые дни их романа пришлись на выходные. Двое суток напролет они провели в постели и ни разу не оделись. У Пэрис было единственное желание — быть с ним.

В субботу они заказали пиццу и намазали себе хлеб арахисовым маслом. Жан-Пьер терпеть не мог казенную пищу, но умял все это, даже не заметив. Для удовлетворения ему была нужна только Пэрис.

В воскресенье вечером они наслаждались гидромассажной ванной, когда позвонила Мэг. Пэрис разговаривала с дочерью, но ни словом не упоминала о своем новом мужчине. Жан-Пьер почувствовал, что она не хочет это обсуждать, и на протяжении всего разговора не издал ни звука. Когда через час позвонил Вим, история повторилась.

Пэрис не спрашивала Жан-Пьера, что они теперь станут делать. Ясно было, что ничего. Он хотел быть с ней, пока будет можно, и оба были готовы получить

---

* Я тебя люблю (*фр.*).

столько удовольствия, сколько им было отпущено. Они рассматривали это как короткий, но бурный эпизод. У Пэрис такое было впервые, и она ничего больше не ждала от этих отношений. Она совершенно не собиралась превращать их во что-то более серьезное, вытягивать из него обещания или клясться в чем-то самой. Она не задавала вопросов и не ждала ответов. Пусть короткое, но это было счастье, подарок судьбы. Больше ей ничего не было нужно. Она догадывалась, что Жан-Пьер того же мнения.

Но уже в понедельник, уходя на работу, она спросила, чем он намерен сегодня заняться. Жан-Пьер взглянул на нее отсутствующим взором.

— Надо съездить в редакцию одного журнала. Мне про него еще в Париже рассказывали. Хочу посмотреть, на что они способны.

— Вечером тебя ждать?

— Постараюсь.

Он улыбнулся и поцеловал ее. Номер в отеле продолжал числиться за ним, хотя он уже три дня там не появлялся. С той минуты, как в пятницу он вошел в ее дом, одежда ему ни разу не понадобилась — они по большей части ходили по дому голые и лишь иногда набрасывали махровый халат или полотенце. Пэрис совершенно его не стеснялась, и оба не могли насытиться друг другом.

Перед уходом она протянула Жан-Пьеру запасную связку ключей и показала, как управлять сигнализацией. Ее нисколько не смущало, что малознакомый человек станет хозяйничать в доме в ее отсутствие. Она готова была доверить ему не только дом, но и себя саму. Ей было с ним очень легко.

— *Merci, mon amour**, — сказал он и взял ключи. — Пока.

Он послал ей воздушный поцелуй и вышел из дома вскоре после нее.

---

* Благодарю, любимая (*фр.*).

— Как прошел уик-энд? — поинтересовался Бикс, едва Пэрис переступила порог.

Та рассеянно повернула голову и повесила куртку на вешалку.

— Прекрасно. А у тебя?

— Этим ты не отделаешься! — Он слишком хорошо ее знал. — Жан-Пьер еще не уехал?

— Думаю, нет, — с невинным видом ответила Пэрис, и на этот раз Бикс ничего не увидел в ее глазах. Она так устала, что с трудом держала их открытыми.

Вечером, когда Пэрис приехала домой, Жан-Пьер был уже там и даже начал готовить ужин. Он запек в духовке баранью ногу со стручковой фасолью, купил сыра и французский батон. Получился великолепный ужин. Только усевшись за стол на кухне, Пэрис вспомнила, что он ездил в редакцию.

— Как твой визит? — спросила она с набитым ртом.

Оба изголодались — ведь они почти три дня толком не ели.

— Было интересно, — ответил он. — Журнал небольшой, но работают они со вкусом. Это новое издание.

— Ты что-нибудь будешь делать для них?

Жан-Пьер кивнул и, пристально глядя на нее, задал прямой вопрос:

— Пэрис, ты хочешь, чтобы я остался или уехал? Если я останусь на месяц или два, это не слишком осложнит твою жизнь?

Она долго испытующе смотрела на него, а потом честно сказала:

— Я бы предпочла, чтобы ты остался.

Она сама подивилась своим словам, но это была правда.

Жан-Пьер просиял. Он был готов на все, лишь бы ей угодить.

— Тогда я остаюсь. Виза у меня на полгода. Но как только ты скажешь, я уеду.

Это уже был уговор, который, впрочем, ее совершенно устраивал. Никто не знает, что он здесь, и все ночи и выходные принадлежат им.

Из-за занятости Мэг теперь почти не приезжала, а у Вима были промежуточные экзамены, и свободное время он все больше проводил с друзьями. У них в распоряжении был целый месяц, а потом на один день приедет Мэг — она хотела попрощаться с матерью перед тем, как лететь к отцу на День благодарения. Жан-Пьер давно выписался из отеля, но сказал, что с удовольствием удалится на то время, когда у нее будет Мэг.

— Да, так будет лучше, — согласилась Пэрис.

Она не хотела шокировать дочь и даже не знала, как будет перед ней оправдываться, если та узнает.

Мэг прилетела вечером во вторник. Вим тоже приехал с ночевкой. Пэрис обожала, когда дети дома, расстаралась с ужином, чего не делала даже для Жан-Пьера. А наутро оба улетали в Нью-Йорк. Ричард оставался в Лос-Анджелесе с дочкой.

— Мам, ничего, что мы уезжаем на праздник?

Мэг знала, что Пэрис приглашена к Биксу со Стивеном, но это же только один вечер; она боялась, что маме будет тяжело одной в такие дни. У нее пока не так много друзей в Сан-Франциско, а о наличии мужчины Мэг не подозревала.

— Все в порядке. Ведь вы же будете со мной на Рождество, это самое главное.

И лишь позднее, когда они с Мэг готовились ко сну, а Вим сидел внизу один, Пэрис поделилась с дочерью своим секретом, и то лишь отчасти. Она не привыкла иметь секреты от Мэг, а то, что с ней происходило в последний месяц, было во всех отношениях из ряда вон выходящим. Пэрис рассказала, что встречается с новым мужчиной, что он француз. Но не стала говорить, что он живет у нее и на пятнадцать лет моложе. Для одного раза достаточно.

— Какой он?

Мэг обрадовалась за мать. Как всегда, когда в жизни Пэрис происходило что-то хорошее.

— Очень милый. Он фотограф. Он здесь по работе, на несколько месяцев.

— Плохо, — огорчилась дочь. — И когда ему возвращаться?

— Не знаю. Пока мы прекрасно проводим время, а что будет дальше, одному богу известно, — философски заметила Пэрис.

— Он вдовец или разведен?

— Разведен. Сыну десять лет.

Она не стала говорить, что Жан-Пьер и сам недавно вышел из детского возраста.

— Странно, сейчас так много немолодых мужчин, у которых маленькие дети.

Мэг имела в виду собственного отца. Про маминого приятеля она решила, что он просто поздно обзавелся семьей.

Пэрис пробурчала что-то невразумительное и сделала вид, будто рот у нее полон зубной пасты. Она понимала, что рано или поздно придется признаться по меньшей мере в том, что разница в возрасте существует. Ее саму это нисколько не волновало, Жан-Пьера тоже, тем более что его бывшая жена тоже была старше, правда, всего на пять лет. Но как это воспримут дети, Пэрис не знала, и это ее тревожило. Она теперь чувствовала себя обманщицей, в особенности после реплики о немолодых отцах. Жан-Пьера никак нельзя было назвать немолодым...

На другой день в офисе Пэрис не выдержала и поделилась своей тревогой с Биксом.

— Мне кажется, в наши дни этому не придают значения, — успокоил ее Бикс. — Старше, моложе, ровесники — какая разница? У пятидесятилетних женщин двадцатипятилетние любовники, семидесятилетние

291

старики женятся на тридцатилетних и заводят детей. Мир переменился. Многие вообще не считают нужным вступать в брак и рожать детей. Одинокие мужчины и женщины сплошь и рядом берут на усыновление. Старые нормы канули в Лету. По-моему, сейчас можно делать все, что хочется. Или почти все. Никто тебя не осудит. Надеюсь, твои дети отнесутся к этому нормально.

Но Пэрис он не убедил.

В День благодарения она после недолгих колебаний позвонила детям, которые гостили у отца. К телефону подошла Рэчел, и Пэрис сразу попросила позвать Мэг. Дочери она ничего нового не сказала, лишь обменялась с ней ничего не значащими фразами, а Вима попросила поздравить от нее папу с праздником. Она знала, что со дня приезда Вима в колледж они с Питером практически не общались — не было повода, да так оно и проще.

После этого они с Жан-Пьером отправились к Биксу со Стивеном и чудесно отметили праздник. Для Жан-Пьера это был первый День благодарения, и ему было интересно. А в последовавшие выходные они ходили в кино и посмотрели целых три картины — две французские и одну американскую. Жан-Пьер обожал кино.

Следующий месяц они провели в своем замкнутом раю, как близнецы в материнской утробе. Они чувствовали себя защищенными от неприветливого внешнего мира и были абсолютно счастливы. Правда, Пэрис по-прежнему ходила на работу, и они с Биксом провели несметное количество рождественских праздников, а Жан-Пьер много снимал для нового журнала. В редакции не верили своему счастью и на всю катушку использовали заезжую знаменитость, так что Жан-Пьеру пришлось дать немало объяснений по поводу того, как это он на целых два месяца выпал из поля зрения парижских и нью-йоркских издателей. Утешить их ему было нечем — он пока не знал, когда вернется к своему обычному ритму. Виза у него была до апреля, а потом надо будет либо оформлять вид на жительство, что сопряжено с массой сложностей, либо возвращаться домой. Но пока все в их мире было безоблачно и просто. Пэрис никогда не была так счастлива.

Она пригласила Ричарда тоже приехать к ней на Рождество и вдруг осознала, что для того, чтобы с ними был и Жан-Пьер, придется объясняться с сыном и дочерью. Но рано или поздно это все равно должно было произойти. Пэрис решила, что от судьбы не уйдешь, и за неделю до Рождества позвонила дочери. Правда, набирала номер она дрожащей рукой. Пэрис придавала большое значение поддержке и одобрению со стороны детей и сейчас боялась их реакции. Вдруг скажут, что их мамочка совсем спятила?

Она немного поболтала с Мэг и наконец решилась запустить свою бомбу.

— Мэг, у меня произошло кое-что необычное... — начала она.

Не дождавшись продолжения, дочь спросила:

— Ты все еще встречаешься со своим французским фотографом?

Она интуитивно догадывалась, что речь именно об этом.

— Да, встречаюсь. Если ты не против, я бы хотела, чтобы на Рождество он был с нами. Он здесь больше никого не знает, если не считать коллег и Бикса со Стивеном.

— Мам, и чудесно!

Мэг была благодарна матери за то, что она пригласила Ричарда, и очень хотела, чтобы у нее тоже все было хорошо.

— Думаю, мне надо тебя кое о чем предупредить.

— Что, он со странностями? — насторожилась Мэг.

— Нет, никаких странностей... — Пэрис ничего не оставалось, как выложить всю правду. — Просто он не такой, как я. В смысле возраста. Он моложе.

В трубке воцарилось молчание, и Пэрис показалось, что они с дочерью поменялись ролями — теперь ей приходилось оправдываться.

— И намного?

Пэрис перевела дух:

— Ему тридцать два года.

Ну вот, она наконец сказала.

Мэг явно была ошарашена и ответила не сразу:

— Ого! Очень даже намного...

— Да. Но он вполне зрелый мужчина.

Пэрис рассмеялась про себя. «Зрелый»! Да он совсем пацан, в строгом соответствии с возрастом, и порой в ней пробуждались материнские чувства — только, конечно, не в постели.

— Ну, может, не совсем так, — уточнила она. — Он просто совершенно нормальный тридцатидвухлетний мужчина. Не то что я, старая дура. Но мне с ним очень хорошо.

Это была чистая правда. Она не притворялась.

— Это замечательно.

Мэг старалась сохранять благоразумие, но Пэрис слышала по голосу, что дочь в шоке. Да уж, обычной ситуацию никак не назовешь. Не только для Мэг это было большой неожиданностью.

— Ты влюблена? — встревоженно спросила дочь.

— Кажется. По крайней мере, в данный момент. Но рано или поздно ему придется уехать. Это не может продолжаться вечно. Вообще-то он и сейчас уже многим жертвует, это тоже не может долго продолжаться. Работает здесь на один крохотный журнальчик, тогда как ему место в «Харперс Базар» или «Вог». Но мы замечательно проводим время.

— Мам, самое главное, чтобы ты была счастлива. Просто не делай резких движений. Например, не выходи за него замуж.

Мэг не верила в такой брак. Правда, у них с Ричардом разница в возрасте была куда больше, но это казалось более нормальным — мужчина старше женщины. Мэг была в шоке от одной мысли, что ее мать завела роман с каким-то мальчишкой. Только поговорив с Ричардом, она немного успокоилась. Он не верил, что ее мать может совершить какую-нибудь глупость, а такие пары — зрелая женщина и молодой мужчина — встречались на каждом шагу, особенно в кругу знаменитостей.

В настоящем шоке оказался Вим.

— Сколько, ты говоришь, ему лет? — переспросил он дрогнувшим голосом. — Но это же все равно, что я буду встречаться с четырехлетней девочкой!

Пэрис поняла, что он крайне расстроен.

— Нет, не все равно, — спокойно сказала Пэрис. — Жан-Пьер — взрослый человек.

— А зачем ему женщина твоего возраста? — с юношеской бестактностью воскликнул Вим.

Ему казалось, что весь мир сошел с ума. Отец бросил маму и ушел к женщине чуть старше Мэг, а скоро у них еще и ребенок родится. Это же глупо, дурной тон! А теперь и мать завела шашни с мальчишкой, чуть не вдвое ее младше. Да, молодым везде у нас дорога. Родители точно чокнулись.

— Это ты у него сам спроси, — ответила Пэрис по возможности спокойно.

Ей не хотелось выглядеть глупо в глазах детей, а основания для этого были. К счастью, Жан-Пьер вел себя так, словно его это все не касается. Стоило ей завести разговор о возрасте, как он небрежно отмахивался, и Пэрис тут же переставала замечать эту проблему. Как ни странно, у них и в самом деле все шло прекрасно.

Посторонним они казались красивой парой. Никто на них не таращился, пальцем не показывал, и Пэрис испытывала от этого большое облегчение.

Дети прибыли накануне сочельника, и Пэрис готова была провалиться сквозь землю, когда знакомила их с Жан-Пьером. Со стороны это выглядело как стая собак, обнюхивающих чужака.

Пока Пэрис колдовала над ужином, Ричард пытался растопить лед. В конце концов это ему удалось, и не успела Пэрис и глазом моргнуть, как все уже хохотали и подшучивали друг над другом, а к концу вечера и вовсе стали друзьями. Даже Вим наутро уже играл с Жан-Пьером в сквош, а к моменту, когда стали усаживаться за праздничный стол, казалось, что он не столько ее приятель, сколько друг ее детей. Все сомнения и тревоги куда-то испарились.

Это было дивное Рождество! Даже мысль о том, что Мэг встречается с мужчиной, который годится ей в отцы, а сама она крутит любовь с молодым, который ненамного старше ее детей, вызывала у Пэрис только улыбку.

— Твои дети мне очень понравились, — с теплотой в глазах сообщил Жан-Пьер, когда они поднялись в ее спальню. — Хорошие. И ко мне так мило отнеслись. Они на тебя не сердятся?

— Нет. Спасибо, что ты все понимаешь.

Пэрис сознавала, что для него все это тоже непросто. Живет в чужой стране, язык знает неважно, работает в журнале намного ниже того уровня, к какому он привык, живет с женщиной, которая годится ему в матери — ну, почти, — и к тому же ее взрослые дети устраивают ему смотрины. Но Жан-Пьер держался великолепно. В постели он с улыбкой протянул ей маленький свёрточек, и, развернув нарядную упаковку, Пэрис обнаружила изящный золотой браслет от Картье с изображением Эйфелевой башни. Браслет был украшен маленьким золотым сердечком, на одной стороне стояли ее инициалы, на другой — его. Поверх сердечка было выгравировано по-французски: «Я тебя люблю».

— С Рождеством, любовь моя! — шепнул он.

Со слезами на глазах Пэрис протянула ему свой подарок. Оказалось, они покупали их в одном магазине. Пэрис выбрала для Жан-Пьера часы от Картье. Что бы теперь ни случилось, она знала, что это Рождество навечно останется у нее в сердце.

Они упивались каждым отпущенным им мгновением и продолжали жить в своем магическом шаре. Но постепенно он наполнялся более осязаемыми вещами. Теперь в этом шаре были и ее дети, и по крайней мере сейчас все у них было хорошо. Да здравствует Рождество!

Глава 26

Мэг с Вимом и Ричардом пробыли у Пэрис неделю, а в Новый год всей компанией отправились кататься на лыжах в Скво-Вэлли, где остановились в большом отеле. Жан-Пьер оказался превосходным лыжником и лихо гонял с горы, как подросток. Вим с удовольствием катался с ним, а Ричард, Мэг и Пэрис выбирали себе менее крутые склоны. Вечером все вместе шли куда-нибудь ужинать.

Отдых для всех получился великолепный. Пэрис даже удалось в новогоднюю ночь не думать о том, что это годовщина свадьбы Питера с Рэчел и что через пять месяцев у них появится малыш. Зато она отлично помнила, каким тяжелым был для нее этот день год назад, когда она окончательно убедилась, что Питер ушел от нее навсегда и отныне принадлежит Рэчел.

Одеваясь к ужину, она задумалась, и это не укрылось от Жан-Пьера.

— Тебе грустно?

— Нет, просто задумалась. Все в порядке.

Она улыбнулась, а Жан-Пьер мгновенно догадался, что у нее на душе, и нахмурился. Пэрис знала, что он не любит, когда она вспоминает Питера. Почему-то это его обижало. Он начинал думать, что она любит его меньше, чем бывшего мужа. На самом деле все было куда сложнее. Ведь речь шла о ее прошлой жизни, о воспоминаниях, о сердцах, которые, по ее представлению, были связаны навеки, что бы там ни написали юристы в своих бумагах. Однажды она попыталась объяснить это Жан-Пьеру, после чего он два дня ходил мрачный. Он воспринимал чувства Пэрис к Питеру как предательство, и объяснять что-либо было бесполезно. Пэрис сделала вывод, что есть слова, которые лучше не произносить. Он не понимал, какое значение для нее имел распад семьи. Наверное, в силу своей молодости.

Временами, несмотря на все его обаяние и теплоту, Пэрис начинала ощущать разницу в возрасте. Жан-Пьер смотрел на жизнь глазами молодого человека и жил сегодняшним днем. Никаких планов не строил и терпеть не мог загадывать наперед. Он был человек сиюминутных страстей и поступал так, как ему казалось лучше в данный момент, не задумываясь о последствиях, что порой раздражало Пэрис.

В Рождество Жан-Пьер позвонил сыну, но тут же признался, что они почти чужие и утраты он не ощущает. Он с самого начала мало с ним общался. И не позволял себе его любить, что, по мнению Пэрис, было неправильно. Она считала, что у Жан-Пьера есть перед ребенком обязательства, однако тот не разделял ее мнения. Он был убежден, что ничем не обязан сыну, и бесился от того, что приходится посылать деньги на его содержание.

Мать мальчика он ненавидел и откровенно в том признавался. Собственно, они поженились лишь затем, чтобы ребенок родился в браке, и очень быстро развелись. Никакой привязанности ни к мальчику, ни к его матери он не испытывал. Считал их обузой и старался не замечать. Короче, сына он избегал, и это очень огорчало Пэрис. Она говорила, что это безответственно — ведь другого отца, кроме Жан-Пьера, у мальчика нет. Но он, казалось, был рад, что не испытывает никаких чувств к сыну, поскольку в свое время мать мальчика пыталась им манипулировать. Всякий раз, как об этом заходил разговор, Пэрис высказывала убеждение, что так нельзя, что долг перед ребенком должен быть сильней ненависти к его матери, но из этого ничего не выходило. Жан-Пьер давно вычеркнул их из своей жизни. В конечном итоге страдал ребенок, и Пэрис это тревожило.

Но их с Жан-Пьером взгляды на эту проблему не совпадали и, скорее всего, никогда не совпадут. И Пэрис перестала об этом говорить. Зачем зря ссориться, расстраивать себя? Она осталась при том мнении, что Жан-Пьер недостаточно внимания уделяет сыну и ведет себя по отношению к нему эгоистично. Но, может быть, он просто слишком молод?

Были и другие вопросы, по которым их мнения расходились. Например, Жан-Пьер намного проще относился к работе и сослуживцам, общался с более молодыми людьми, и Пэрис от этого испытывала неловкость. Она привыкла проводить досуг с людьми ее возраста, а он то и дело приводил домой двадцатилетних, отчего Пэрис начинала чувствовать себя динозавром.

Не совпадали их взгляды и на такую важную вещь, как брак. Жан-Пьер часто говорил на эту тему, а Пэрис, напротив, старательно ее избегала. Временами она задумывалась и приходила к выводу, что с Жан-Пьером у нее длительные отношения не сложатся. На это указывало множество кое-каких мелких признаков — его выбор друзей, его мальчишество, граничащее с инфантильностью, даже его политические убеждения, куда более либеральные, чем у нее, хотя к социалистам он себя не относил.

Богатство в любой форме Жан-Пьер считал оскорбительным. Все буржуазные ценности отрицал. Не выносил старомодных идей, традиций и бессмысленных, с его точки зрения, обязательств перед другими людьми. Он обладал исключительной свободой мысли и страстно ненавидел все элитарное. Его неизменно бесили устраиваемые Биксом и Пэрис мероприятия — он считал их воплощением людских амбиций. Отчасти так и было, но Пэрис и Биксу нравилось устраивать людям праздники, а элитарность составляла существо их бизнеса.

Пэрис понимала, что в какой-то мере воззрения Жан-Пьера объясняются тем, что он француз. А главное — что он так молод. В этом вся суть. Единственная давняя традиция, которую он принимал, был брак, поскольку Жан-Пьер был романтиком и ценил преданность. За это Пэрис любила его еще больше. Полная противоположность Чандлеру Фриману, для которого такого понятия, как верность, вовсе не существовало.

Жан-Пьер был не такой, он все чаще наседал на нее с вопросом, выйдет ли она за него замуж, пусть не сейчас. И грозил уйти, если она не согласится. Пэрис не давала никаких обещаний, но иногда эта мысль посещала и ее, хотя не так часто, как его. И она всегда приходила к противоположному выводу. Ей казалось, что со временем разница в возрасте и восприятии жизни скорее разведет их в разные стороны, чем наоборот.

Перед отъездом из Скво-Вэлли Мэг задала ей тот же вопрос. В тот день она все-таки отважилась выйти с братом и Жан-Пьером на более сложный склон, предоставив маме и Ричарду осваивать безопасные горки. А вечером подступилась к матери с вопросом о ее возлюбленном:

— Мам, ты не думаешь выйти за него замуж?

В ее глазах угадывалась тревога.

— Нет. А что?

— Да так, ничего... Просто мы с ним сегодня вместе были на подъемнике, и он сказал, что хочет жениться. И надеется следующим летом отправиться всей компанией в путешествие по этому случаю. Я не поняла — это его идея или твоя.

Она явно была обеспокоена.

— Его, — вздохнула Пэрис и погрустнела.

Она понимала, что в один прекрасный день жизнь возьмет свое. Она не видела себя рядом с таким молодым мужчиной ни через пять, ни тем более через десять лет. Временами он казался ей мальчишкой, хотя не выносил, когда она его так называла. Но это была правда. Беззаботный, независимый — и очень молодой...

Обладая столь вольнолюбивым характером, Жан-Пьер терпеть не мог что-то планировать и всюду опаздывал. Порой его трудно было воспринимать как взрослого человека. У него не было того чувства ответственности, каким обладала Пэрис, он понятия не имел о каких-то обязанностях. Зачем обманывать себя? Время, история, опыт — эти понятия никто не в силах отменить, их надо брать в свою копилку, и тогда они обогатят тебя, как патина на старинной бронзе. Это происходит не сразу, но, когда ты их имеешь, никто их у тебя не отнимет. Пэрис понимала, что до зрелости и ответственности Жан-Пьеру еще очень далеко, если вообще ему это суждено.

— Мам, он классный, мне он очень понравился, — призналась Мэг, стараясь не обидеть мать. — Но он во многом напоминает мне Вима. Немного шалопай, немного сумасшедший... Они оба не воспринимают жизнь в комплексе, для них главное — весело провести время. Ты — другое дело. Ты тоньше чувствуешь людей, хорошо в них разбираешься, всегда знаешь, что им нужно и зачем. А он порой ведет себя как мальчишка.

Беда была в том, что Пэрис вполне разделяла ее точку зрения.

— Спасибо, — с теплотой произнесла она.

Пэрис была тронута. Все те изъяны, какие подметила в Жан-Пьере Мэг, она видела в нем сама. Неотразимый, обаятельный, сладкий мальчик. Но все же — мальчик. С нежным и любящим сердцем, но в то же время страшно безответственный. Он понятия не имел, что значит отвечать за другого человека, а Пэрис это знала хорошо.

К тому же она была убеждена, что рано или поздно ему следует обзавестись детьми — настоящими, а не такими, как существующий отдельно от него мальчик где-то в другом городе. А она не собиралась рожать ему детей, хотя он не раз об этом заговаривал. Жан-Пьер считал, что со временем они созреют для ребенка. Пэрис плохо себе это представляла и не была уверена, что это будет возможно просто физически. Даже если забеременеть прямо сейчас, к моменту рождения ребенка ей стукнет сорок восемь, что уже непросто. Стало быть, откладывать нельзя, иначе может вовсе ничего не выйти. Нельзя ждать лет пять, когда Жан-Пьер остепенится и осядет на одном месте.

В общем, брак представлялся во всех отношениях нереальным. Зато как было хорошо его просто любить! Но, так или иначе, через четыре месяца у него кончится виза. Жизнь заставит принимать решения, которые обоим принимать не хочется. И Пэрис старалась об этом не думать.

— Мэг, на этот счет не волнуйся, — успокоила она дочь.

— Мам, я просто хочу, чтобы ты была счастлива. Во что бы то ни стало. Ты это заслужила. Особенно после папиного предательства. Если ты считаешь, что всегда будешь счастлива с Жан-Пьером, — выходи за него. Мы все ему симпатизируем. Просто мне кажется, для длительных отношений он плохо подходит.

Ей хотелось, чтобы рядом с мамой был человек, способный о ней позаботиться, а в отношении Жан-Пьера на этот счет были большие сомнения. Ему это даже в голову не приходило. Конечно, Пэрис была вполне в состоянии сама о себе позаботиться, а также и о нем. Порой она воспринимала Жан-Пьера как свое третье чадо.

— Мне тоже кажется, он мне не вполне подходит, — печально проговорила Пэрис. — А жаль.

Насколько было бы легче! А то опять придется окунаться в большой враждебный мир. Эта мысль была ей невыносима. Жан-Пьер с ней так нежен, никто к ней так не относился, как он. Даже Питер. Но одной нежности мало. Даже любви, в сущности, недостаточно, если говорить о спутнике жизни. В мире слишком много жестокости, кому, как не Пэрис, это знать...

В тот вечер, лежа с ним в постели, Пэрис не могла отделаться от одной мысли: как пережить разрыв с Жан-Пьером. Даже представить было страшно. Да, много предстоит решений. Но не сейчас. Позже.

Они возвращались в город и чувствовали себя одной большой семьей, включая Жан-Пьера. Пэрис смотрела, как он кувыркается в снегу, как ведет микроавтобус, который она по этому случаю взяла напрокат, и все больше убеждалась, что он по своему отношению к жизни гораздо ближе к ее детям, чем к ней.

Она понимала, что имела в виду Мэг. Жан-Пьер устраивает веселые розыгрыши, рассказывает анекдоты, и это ей в нем очень нравится. Он заставляет ее молодеть душой, но не настолько, чтобы сравняться с ним возрастом. В Скво-Вэлли они с Вимом то и дело затевали игру в снежки, и, в точности как Вим, Жан-Пьер никогда не знал меры. Они забрасывали друг дружку снегом до изнеможения, игнорируя все увещевания и призывы, являлись все мокрые и разбрасывали одежду по полу. Двое мальчишек. Даже Мэг в свои двадцать четыре была более взрослым человеком. Иногда, когда «мальчики» о чем-то говорили, Пэрис с Ричардом переглядывались поверх их голов и тогда становились похожими на родителей, приехавших в бойскаутский лагерь навестить своих детенышей. Спору нет, Жан-Пьер был очаровательный «детеныш». Она любила его не меньше своих детей. И не могла себе представить, что когда-нибудь они расстанутся.

Пока же Пэрис и Жан-Пьер по-прежнему были сказочно счастливы. Шестого января они отмечали Крещение, и Жан-Пьер купил праздничный кекс с запеченной в нем запиской. В записке оказалось одно слово: «Младенец», которое привело его в восторг. Это была французская традиция, и он объяснил Пэрис ее смысл.

Они ездили в Кармель и Санта-Барбару, исходили пешком Иосемитский заповедник, побывали у Мэг и Ричарда в Лос-Анджелесе. В День святого Валентина Мэг, задыхаясь от счастья, позвонила матери — но сюрприза не получилось: накануне звонил Ричард и просил у нее руки дочери. Пэрис их благословила. Свадьбу решено было играть в сентябре. По случаю помолвки Ричард подарил Мэг кольцо с большим камнем. Теперь ей не терпелось похвалиться перед мамой.

К своему испугу, Пэрис тоже получила кольцо от любимого, не такое крупное и изысканное, но с тем же подтекстом, хотя на словах Жан-Пьер предложения не делал.

Пэрис недоставало ее обручального кольца, она до последнего момента его не снимала — пока Питер не женился на другой. И вот теперь колечко, преподнесенное Жан-Пьером, — тонкая золотая полоска с крошечным бриллиантовым сердечком, — вновь согрело ей и руку, и сердце, заставило в который раз задуматься, не связать ли свою жизнь с этим юношей. Случаются ведь и более невероятные браки.

Обсуждая с Биксом предстоящую свадьбу Мэг, она спросила, что он думает по поводу ее и Жан-Пьера.

— Послушайся сердца, — посоветовал Бикс. — Чего тебе самой хочется?

Пэрис сказала первое, что пришло в голову:

— Не знаю. Наверное, надежности.

После предательства Питера этот аспект отношений вышел для нее на первый план. Конечно, Пэрис понимала, что в жизни всякое бывает и ничего нельзя знать наверняка. Гарантий тут никто не дает. В чем-то рискуешь больше, в чем-то меньше, но с Жан-Пьером риск явно был велик. В феврале ему исполнилось тридцать три, что на слух воспринималось уже чуточку солиднее. Но ей-то самой в мае стукнет сорок восемь! Через каких-то два месяца. Господи, какая старая... А он — такой молодой! И взгляды, и строй мысли, и идеалы у него как у молодого. До зрелости ему еще очень и очень далеко, и даже будь они ровесники, все равно с точки зрения образа жизни, идеалов и ценностей их разделяла бы пропасть.

Ей импонировала его нежность, они любили друг друга. Но Пэрис лучше многих других знала, что одной любви мало. Когда-нибудь он повзрослеет, изменится и полюбит другую. Ведь Питер же полюбил! Питер поколебал ее веру в людей. Теперь все, что она любила, к чему прикасалась и во что верила, было окрашено этим ощущением зыбкости.

— Ты его любишь?

— Да, — без малейших колебаний ответила Пэрис. — Я только не уверена, что люблю его достаточно.

— А что, по-твоему, значит «достаточно»?

— Это значит вместе состариться, вместе переживать все неудачи и разочарования, какие тебе преподносит жизнь.

Оба знали: чего-чего, а ударов в жизни хватает, и тут все зависит от того, как крепко ты любишь другого человека. И надо быть готовым ко всему. Вот Питер не сумел. А сумеет ли Жан-Пьер? Этого Пэрис не знала, Бикс тоже. Наверное, Жан-Пьер и сам этого не знал, хотя думал, что знает.

В марте он сделал ей предложение. Через месяц у него кончалась виза, и он должен был знать, что Пэрис намерена делать. Она давно ждала и боялась этого вопроса. Но вот он был задан, и надо было отвечать. Жан-Пьер хотел, чтобы она вышла за него замуж и уехала с ним во Францию, где он мог бы вернуться к прежней жизни. Но для Пэрис это означало бы бросить все, что стало ей дорого. А ей так нравилось работать у Бикса, нравилось жить в Сан-Франциско... Впрочем, Жан-Пьер не рвался уезжать, он был готов остаться. А остаться легально он мог, только став ее мужем. Тогда он получил бы грин-карту и мог здесь работать. Но Пэрис понимала, что не имеет права удерживать его подле себя навсегда. Это было бы несправедливо. Ему надо вернуться к тому, чем он всегда занимался, снова стать знаменитым фотографом в большом мире. Так или иначе, но жить в неопределенности дальше было нельзя.

Жан-Пьер твердил Пэрис, что любит ее и хочет видеть своей женой. В каком-то смысле она тоже этого хотела, но невольно задумывалась о будущем, о том, что случится, когда он повзрослеет. Пока что взрослым назвать его еще было нельзя. Почти взрослым — да, но не совсем: мальчишество в нем то и дело прорывалось наружу. От этого она чувствовала себя мамашей. И не была уверена, что хочет стать его женой.

Пэрис попросила время на размышления. В том, что она его любит, сомнений не возникало. Вопрос был — насколько? Пэрис хотела быть с ним честной до конца и считала, что он заслуживает женщину, у которой таких сомнений не появляется.

Прошло три недели, и Пэрис наконец приняла решение. Как-то в начале апреля они отправились на прогулку в парк и очутились на лужайке перед Дворцом искусств. Они сели на траву и стали смотреть на уток. Пэрис любила бывать здесь, особенно вдвоем с Жан-Пьером. Впрочем, ей везде было с ним хорошо. И вот сейчас она своими руками должна была разрушить собственное счастье...

Пэрис произнесла свой вердикт шепотом. Сердце у нее разрывалось, а для Жан-Пьера это была настоящая бомба.

— Жан-Пьер, я не могу стать твоей женой, — сказала она. — Я тебя люблю, но я не могу. Будущее так неопределенно... А ты заслуживаешь намного больше, чем я могу тебе дать. Хотя бы ребенка.

«И не могу позволить, чтобы ты сам оставался ребенком», — мысленно добавила она. Проблема заключалась в том, что ей был нужен взрослый человек, а с Жан-Пьером в этом вообще нельзя было быть уверенной. Он мог и вовсе не повзрослеть. По крайней мере в обозримом будущем.

Весь вечер Жан-Пьер хранил молчание. И спать лег внизу. Ему больше не хотелось ни спать с ней, ни прикасаться к ее коже, ни о чем-то просить. Наутро он упаковал вещи.

В тот день Пэрис не пошла на работу, и, прощаясь, они оба плакали.

— Я люблю тебя. Я всегда буду тебя любить, — бормотал Жан-Пьер. — Если захочешь прийти — я буду тебя ждать. Если захочешь, чтобы я вернулся, — позови, я примчусь.

О большем нельзя было и мечтать, и все это она собственноручно отвергла. Пэрис казалось, она сошла с ума. И все-таки она поступала правильно. Для них обоих. Только платила за это очень дорогую цену...

Было невыносимо больно, но Пэрис вытерпела, потому что была убеждена в своей правоте. Она любила его. Слишком сильно, чтобы допустить ошибку. Ее любви хватило, чтобы отпустить его на волю. Это было большее, что она могла ему подарить, и Пэрис считала, что он это заслужил.

Всю неделю она не ходила на работу, а когда наконец появилась в офисе, то была похожа на смерть. Впрочем, она это уже проходила, это состояние было ей хорошо знакомо. На сей раз она даже не стала звонить Анне Смайт. Просто стиснула зубы и жила дальше.

В тот день, когда исполнилось два года после ухода Питера, Пэрис невольно думала о своей двойной утрате. Но сейчас она понимала, что извлекла еще один горький урок. И больше никому не отдаст своего сердца. Никогда. Питер унес с собой большую его часть. Жан-Пьер забрал остальное.

Глава 27

Ребенок у Питера с Рэчел родился седьмого мая — на следующий день после дня рождения Вима и через три дня после Пэрис.

Пэрис была убита горем, и ей было все равно. Почти. Только где-то в самом потаенном уголке души еще теплился интерес к другим людям. И она вспоминала счастливые мгновения своего материнства, когда они с Питером вдвоем нянчили детей. Тогда жизнь для нее только начиналась. Сейчас же она чувствовала, что больше ей нечего ждать от судьбы. Все краски жизни померкли, и вокруг себя Пэрис видела лишь блеклый, невыразительный пейзаж. Ее чувства выражались теперь одним словом — «безнадежность».

Детям она не стала рассказывать подробности и вообще старалась не упоминать имя Жан-Пьера. Разумеется, они чувствовали, что с ней неладно, но не знали, как утешить. Всякий раз после разговора с матерью Мэг беспомощно поворачивалась к Ричарду и в конце концов решила позвонить Биксу.

— Что, в самом деле, происходит? У мамы голос совершенно убитый, но она твердит, что у нее все в порядке. Меня очень беспокоит ее состояние.

— Да, с ней не все в порядке, — к ужасу Мэг, подтвердил Бикс. — Но мне кажется, ей просто надо это пережить. Думаю, здесь все одно к одному: ваш отец, его новый ребенок, а тут еще Жан-Пьер... Навалилось на нее все.

— Как мне ей помочь?

— Никак. Ей надо самой через это пройти. Она выкарабкается. У нее это уже получалось.

Но на сей раз выкарабкиваться оказалось труднее, и времени на это ушло куда больше. Хотя Пэрис казалось, что хуже, чем когда ушел Питер, быть уже не может. Хуже могла быть только смерть. Но она пока не умерла. Единственное, что еще поддерживало в ней хоть какой-то интерес к жизни, была подготовка к свадьбе Мэг с Ричардом, которая намечалась на сентябрь. Ожидалось три сотни гостей, и вся организация лежала на них с Биксом. Мэг все доверила им и предоставила Пэрис решать все вопросы самой.

Настал июнь. Жан-Пьер уехал два месяца назад. Пэрис устала бороться и однажды всю ночь просидела в гостиной, глядя на телефон. Наконец она сказала себе, что, если и наутро желание позвонить ему не пройдет, она позвонит. И сделает все, что он попросит. Если он еще что-то от нее хочет. Выносить эту муку она была больше не в силах. Она слишком долго была одна и скучала по нему так, как не могла и представить.

В восемь часов утра она набрала номер. В Париже сейчас было пять вечера. Сердце бешено билось; Пэрис готовилась к тому, что сейчас услышит его голос, и гадала, удастся ли ей попасть на сегодняшний рейс. Если он скажет, что ждет, она полетит на крыльях. Может быть, все ее опасения насчет разницы в возрасте в конечном итоге ерунда?..

Трубку сняла женщина. Судя по голосу — совсем юная. Пэрис понятия не имела, кто это может быть, и попросила к телефону Жан-Пьера. Она говорила по-французски, Жан-Пьер ее многому научил. Девушка ответила, что его нет дома.

— Вы не знаете, когда он будет?

— Скоро, — сказала девушка. — Он поехал в детский сад за моей дочкой. Я что-то приболела.

— Вы у него живете? — осмелилась спросить Пэрис. Она не считала себя вправе влезать в его личную жизнь, но ей нужно было знать.

— Да, мы с дочкой у него живем. А вы кто?

— Знакомая из Сан-Франциско, — туманно ответила Пэрис.

Она чуть не спросила, какие между ними отношения, но тут же одернула себя. Это было бы уже слишком. Да и зачем? И так все ясно. Они живут вместе, времени Жан-Пьер не теряет. Пэрис понимала, что не вправе его винить. Она нанесла ему очень глубокую рану, и обоим теперь требовался душевный бальзам, чтобы прийти в себя. Он ничего ей больше не должен.

— В декабре наша свадьба, — объявила девушка.

То есть через полгода...

— Поздравляю, — помертвелым голосом произнесла Пэрис.

У нее было такое ощущение, словно ее насквозь прошила торпеда. Идти с Жан-Пьером под венец должна была она! Но она не могла этого сделать. И у нее были на то веские причины, даже если Жан-Пьер и не считал их таковыми. Такие же веские, как у Питера, когда он уходил от нее. Может, так человек и должен поступать, не оглядываясь на окружающих? Цена любви...

— Хотите, я запишу для него ваш телефон? — предложила девушка.

Она не сразу нашла в себе силы ответить.

— Нет, спасибо, не нужно. Я перезвоню. Не говорите ему, что я звонила, пусть будет сюрприз. Спасибо.

Пэрис положила трубку и долго сидела у телефона. Сначала Питер, теперь Жан-Пьер. Ушел навсегда и даже живет с какой-то девушкой. Интересно, как это у них получилось? Любит ли он ее или сошелся от отчаяния?

Неважно. Он сам себе хозяин. Они больше не принадлежат друг другу. То, что между ними было, Пэрис запомнилось как чудо. Чудом оно и было. Но любое чудо позже воспринимается как трюк. Иллюзия, фокус. То, чего не бывает в реальной жизни, как бы ты этого ни хотел.

Пэрис оделась и пошла на работу. При виде ее Бикс покачал головой. На этот раз он не стал ей советовать опять начать встречаться с мужчинами. Ее состояние к этому не располагало, и у него были подозрения, что это пройдет не скоро.

До свадьбы Мэг оставался всего месяц, а у Пэрис еще даже не было платья, хотя дочь уже давно сшила себе подвенечный наряд. Платье было сшито по эскизу Бикса и выглядело великолепно — из белого гипюра, с длинным шлейфом. А жизнь Пэрис в последние четыре месяца сводилась к тому, что она четко выполняла свою работу. Пэрис никуда не ходила, общалась только с сыном и дочерью, и то словно по обязанности. Вим опять уехал на лето, на этот раз по программе обмена с Испанией, а Мэг безвылазно сидела в Лос-Анджелесе: до свадьбы оставалось всего четыре недели.

Лишь в конце августа Бикс снова услышал смех Пэрис. Это была ее реакция на рассказанный кем-то анекдот. От неожиданности Бикс вздрогнул и стал озираться. Он не сразу поверил, что это смеется Пэрис. Впервые за четыре месяца она стала похожа на себя. Бикс даже не заметил, в какой именно момент это произошло.

— Это ты? — спросил он, внимательно посмотрев на нее.

— Кажется. Пока не уверена.

— Смотри больше не уходи. Когда тебя нет, мне тебя страшно не хватает.

— Можешь мне поверить, больше я этого не сделаю. Я просто не могу этого допустить. Больше никаких мужчин, хватит!

— Да? Теперь женщинами займешься?

— Больше никем заниматься я не собираюсь — ни мужчинами, ни женщинами.

— Не возражаю, — ответил Бикс. Он был рад за нее.

— Господи, мне же нужно купить платье к свадьбе!

Пэрис вдруг охватила паника. Она словно очнулась ото сна. Предыдущие четыре месяца она ходила как зомби, а ведь у нее дочь выходит замуж.

Бикс бросил на нее робкий взгляд и отпер шкаф. У него уже было готово для нее платье. Если понравится, пусть будет ей подарок от шефа, если нет, он его кому-нибудь отдаст. Платье из бежевого гипюра с бледно-розовым жакетом-фигаро из тафты должно было красиво оттенить ее золотистые волосы.

— Надеюсь, подойдет. Ты здорово похудела.

Не в первый раз. Два года назад было то же самое. Только еще хуже. Но теперь Пэрис чувствовала себя возрожденной к жизни и не собиралась больше ни в кого влюбляться. Это слишком больно. Наверное, так бывает всегда, когда любишь. Может, это цена, без которой нельзя?.. Пэрис теперь ни в чем не была уверена, но ее это перестало волновать. Она была рада, что снова живет. Рада чувствовать себя нормальным человеком.

— Заберу домой и спокойно примерю, — сказала она. — Бикс, ты чудо!

Остаток дня они провели в проработке последних деталей. Все было предусмотрено. Бикс, как всегда, проделал титаническую работу, причем практически в одиночку. Пэрис тоже старалась изо всех сил, только сил у нее в последнее время было маловато — все ушло вместе с Жан-Пьером.

Вечером дома она померила платье и, увидев себя в зеркале, невольно улыбнулась. В этом платье она была молода и прекрасна. Бикс, как всегда, оказался на высоте. Пэрис не сомневалась, что свадьба у Мэг получится сказочная.

Сказку омрачал один-единственный кошмар: там будут Питер и Рэчел. С малышкой. И мальчиками Рэчел. Чудесная семья! Только она будет одна... Странно, но эта мысль не принесла ей привычной боли. Пэрис вдруг поняла, что уже примирилась с таким статусом, хотя для этого ей пришлось проделать долгий путь. Разрыв с Жан-Пьером она восприняла иначе, чем уход Питера. Он не был ей навязан извне, объявлен как смертный приговор. Она сама приняла решение. И за последовавшие четыре месяца пришла к выводу, что лучше ей быть одной. Конечно, раньше она иначе представляла себе свою жизнь, но так сложилось. Такая у нее планида.

Теперь Пэрис ни секунды не сомневалась, что может быть счастливой и без мужчины. Правда, однажды она уже приходила к такому заключению, а потом все опять пошло вкривь и вкось. Но теперь она будет начеку. В последние два месяца она много думала, и у нее родился план.

Пэрис знала, чего хочет. Она не могла пока сказать, как к этому отнесутся ее дети, но сейчас ей было неважно, что скажут другие. Она приняла решение и даже провела кое-какие изыскания. После свадьбы Мэг она позвонит в несколько мест и узнает, что и как. Но Пэрис уже заранее знала: это именно то, что ей нужно. Единственно правильный для нее путь. Это было то, что она умеет делать лучше всего и от чего у нее не разобьется сердце. Она пока не знала, как этого достичь, но не сомневалась, что если ей суждено, то все получится. Пэрис не нужен был мужчина. Ей был нужен ребенок.

Глава 28

Свадьба Мэг удалась на славу — элегантная, красивая, с большим вкусом и не слишком вычурная. Одним словом — незабываемая. Мэг хотела, чтобы праздник был устроен на воздухе, и выбор пал на один загородный клуб. Впоследствии Пэрис и Бикс признавали, что это была одна из лучших их свадеб, а о чем еще может мечтать мама невесты?

В последние дни Пэрис много разговаривала с Питером по телефону — они вместе прикидывали расходы, поскольку решили платить пополам, но все их разговоры носили сугубо деловой характер. И всякий раз у Пэрис перехватывало дыхание, и она с ужасом думала, как же они встретятся на свадьбе. Ведь одно дело — положить трубку и продолжать свои дела, и совсем другое — видеть его лицо.

Они не виделись целых два года — с того дня, как вместе привезли Вима в университет. Да и разговаривали с тех пор всего несколько раз. И вот теперь придется оказаться лицом к лицу не только с Питером, но и с Рэчел и ее детьми, не говоря уже об их малышке. При одной этой мысли у Пэрис все внутри переворачивалось.

В день свадьбы у нее было столько хлопот, что она почти перестала об этом думать. Проводив Мэг в комнату для невест, Пэрис еще раз придирчиво осмотрела ее и осталась довольна. В платье, которое придумал ей Бикс, Мэг была похожа на фею — окутанная воздушным облаком фаты, с маленькой жемчужной диадемой и нескончаемым шлейфом. Именно так Пэрис себе это и представляла. Незабываемый день! День, когда дочь выходит замуж за любимого человека, который отвечает взаимностью и готов сделать все, чтобы она была счастлива. Разница в возрасте давно перестала тревожить Пэрис, она видела, что лучшей партии, чем Ричард, Мэг не найти.

Она прошла в дальний конец церкви уточнить кое-какие детали и заметила стоящего в сторонке Питера. Он дожидался Мэг, чтобы вести ее под венец. Пэрис невольно вспомнила день своей свадьбы, двадцать шесть лет назад. Она никогда не думала, что будет вот так отмечать свадьбу кого-то из детей — встретившись с мужем после двух лет разлуки и зная, что у него теперь другая жена.

— Здравствуй, Питер, — сухо произнесла Пэрис и по его взгляду поняла, что он взволнован ее появлением.

Питер был не просто взволнован — он был ошеломлен. Пэрис казалась еще прекраснее, чем он помнил. Розовый жакетик из тафты нежно обхватывал ее плечи и шею, а бежевое гипюровое платье подчеркивало стройность фигуры. Он хотел сделать ей комплимент, но не мог найти нужных слов.

— Здравствуй, Пэрис, — сказал он наконец. — Потрясающе выглядишь.

На мгновение Питер даже забыл, что они здесь ради Мэг. Он, как и Пэрис, вспоминал день их свадьбы и думал о том, как все у них развалилось. Он был счастлив с Рэчел, обожал свою малышку, но сейчас настоящее отошло на второй план, уступив место воспоминаниям. Он словно перенесся назад во времени и вдруг порывисто обнял ее.

Пэрис почувствовала, что в них обоих всколыхнулись прежние чувства. Она отстранилась и посмотрела ему в лицо.

— Ты тоже замечательно выглядишь, — сказала она. Он всегда ей нравился. Она была уверена, что будет любить его до конца дней. — Но ты еще Мэг не видел.

Однако сердце Питера в этот момент принадлежало не Мэг, а Пэрис, их совместным радостям и горестям, всему, что они потеряли. Питер не знал, что сказать. Он понимал, что никогда и ничем не сможет искупить свою вину перед ней. Одно дело было знать это на расстоянии, и совсем другое — стоять с ней лицом к лицу. Он был не готов к такому наплыву эмоций, к такому страшному раскаянию, которое испытывал сейчас, глядя в прекрасные глаза Пэрис. В ее взгляде читалось прощение. Однако сам он уже не был уверен, что когда-нибудь сможет простить себя, и это было намного хуже. Сейчас, при виде Пэрис, это казалось и вовсе невозможным. С каким достоинством она держится, как она ранима и горда одновременно... Сердце его устремилось к ней, но Питер не знал, что сказать. Он надеялся только, что со временем у нее все наладится и она когда-нибудь будет счастлива.

— Через пару минут они будут готовы, — сказала Пэрис и отошла.

Вим проводил ее на отведенное ей место в первом ряду, и Пэрис успела заметить, что точно за нею сидят Рэчел и ее двое мальчиков. Она сделала над собой усилие, чтобы не придавать этому значения, но мысленно пожалела, что ее не посадили на несколько рядов дальше.

Вим сел рядом, и через несколько мгновений заиграл органист, возвещая о начале брачной церемонии.

Подружки невесты медленно двинулись по проходу. Следом шла Мэг под руку с отцом, и у Пэрис перехватило дыхание. Вокруг раздался восхищенный шепот — невеста была чудо как хороша: сама красота и невинность, надежда и вера. Она с такой любовью смотрела на Ричарда, что у Пэрис на глаза навернулись слезы. Такой и должна быть настоящая свадьба!

Возвращаясь по проходу, Питер с нежностью взглянул на Пэрис, и ей вдруг захотелось взять его за руку. Но она понимала — нельзя. Питер бесшумно занял свое место сзади, рядом с молодой женой, и Пэрис с трудом сдержалась, чтобы не разрыдаться. Вим с тревогой взглянул на мать. Мэг еще утром предупредила его, чтобы был особенно внимателен с мамой, поскольку она обязательно распереживается.

Вим погладил маму по руке, и Пэрис сквозь слезы улыбнулась ему. Какая она счастливая мать! Какой у нее хороший, внимательный сын...

После венчания родители невесты вместе с молодыми и свидетелями стояли у входа в церковь и принимали поздравления от гостей. На какое-то мгновение Пэрис вновь ощутила себя женой Питера, но тут же поймала на себе пристальный взгляд Рэчел. У молодой женщины было странно виноватое выражение лица — ничего похожего на триумф, которого Пэрис так опасалась. Женщины вежливо кивнули друг другу, и Пэрис вдруг почувствовала, что готова простить разлучницу. Она понимала, что ничто не заставит Питера отступиться от принятого решения: ведь он сам этого хотел. От них с Рэчел тут мало что зависит.

Теперь Пэрис была уверена, что в ее жизнь вмешалась судьба, это она отняла у нее все, что она любила, — за исключением, слава богу, детей. Жестокость жизни... И все же она верила, что когда-нибудь судьба преподнесет ей подарок. Пэрис пока не знала, что это будет, но уже чувствовала, что скоро узнает, и, когда это случится, она обретет новую свободу. А пока что она будет стараться стать сильной и достойной. Рэчел и Питер, даже Бикс и Жан-Пьер — все это этапы уготованного ей пути. Пэрис знала, что наступит день, когда она поймет, почему это с ней произошло.

Но сейчас женщина, ради которой ее оставил Питер, вдруг показалась ей малозначительной. Если Пэрис и завидовала ей, то не из-за Питера, а из-за ребенка, который у них родился. Пэрис, словно завороженная, смотрела, как кто-то протягивает Рэчел младенца и как та прижимает девочку к себе. Ей было всего четыре месяца. Пэрис сейчас больше всего мечтала о такой вот малышке. Больше она ни на что не рассчитывала. Если ей больше не суждено найти любовь мужчины, то пусть хотя бы ее полюбит ребенок. Старшим детям Пэрис об этом ничего не говорила, но она прямо-таки жаждала завести маленького и надеялась, что это сбудется.

Она перестала смотреть на Рэчел и повернулась к Мэг и Ричарду. Пэрис в жизни не видела более счастливой пары. Новоиспеченный зять, который выглядел намного старше тещи, заключил ее в объятия и принялся благодарить за все, что она для них сделала, а главное — за то, что в свое время поддержала их в этом важном решении. Он был ей искренне признателен и вообще проникся к ней большой теплотой.

— Пэрис, если что — всегда можете на меня рассчитывать, — шепнул он, и она поверила ему.

Они с Ричардом уже успели подружиться — не просто как родственники, а как давние и близкие знакомые, — и Пэрис не сомневалась, что Мэг будет за ним как за каменной стеной. Повезло девочке! Впрочем, она это заслужила. Пэрис знала, что Мэг будет Ричарду хорошей женой и любящей матерью детям. Она взволнованно смотрела, как они отправляются в совместное плавание по жизни, и радовалась, что ей тоже отведена в этом некоторая роль. Она мысленно желала новобрачным всех мыслимых радостей до конца дней. И поменьше горя. Больше всего на свете ей хотелось, чтобы с ее девочкой жизнь обошлась милосердно.

Вскоре новобрачные и гости отправились в клуб. Бикс опытной рукой направлял торжество, от его глаз не ускользала ни одна мелочь. Все триста человек были рассажены за двумя длинными столами, на которых стояли карточки с именами. При входе две девушки сообщали гостям, кому куда следует пройти. Пэрис проверила карточки еще с утра. Для нее главное было — оказаться за столом как можно дальше от Питера, остальное ее не волновало. Хотя Пэрис уже два года жила в Сан-Франциско, друзей у нее было не так много, тем более что она работала с утра до ночи чуть не каждый день. Чаще всего у нее завязывались дружеские отношения с клиентами, но, как правило, они поддерживались лишь на время подготовки заказанного ими торжества. Кроме Бикса и Стивена, за ее столом сейчас оказались деловой партнер Ричарда и родители свидетельницы, с которыми Пэрис, как выяснилось, была знакома еще по Гринвичу, что существенно облегчило общение.

На свадьбу приехали Натали и Вирджиния, но у Пэрис пока даже не было времени с ними поболтать, утром они уже вылетали домой, так что в этом плане день для нее был потерян. К тому же Мэг решила, что им лучше сидеть в компании приехавших с Восточного побережья друзей Питера. Все равно у нее было слишком много забот, чтобы рассиживаться с друзьями и предаваться праздной болтовне.

Когда дело подошло к ужину, Пэрис уже валилась с ног. Она поздоровалась с тремя сотнями гостей, уладила небольшую ссору между фотографом и официантом, которую Бикс даже не заметил, и только тогда наконец перевела дух. Она повесила на спинку стула свой жакет и представилась соседу по столу — партнеру Ричарда.

— Простите, что совсем не уделяю вам внимания, — извинилась она с любезной улыбкой. — Вы уже с кем-нибудь познакомились?

Ее удивило, насколько он похож на Ричарда — только чуть старше, выше ростом и волосы темнее. Но он определенно приходился жениху родней, и Пэрис решила удовлетворить свое любопытство. Он рассмеялся в ответ на ее вопрос и сообщил, что его зовут Эндрю Уоррен и с Ричардом его связывает только то, что он тоже адвокат в сфере шоу-бизнеса. Пэрис спросила, чем конкретно он занимается, и Эндрю уточнил, что работает в основном с авторами, тогда как Ричард представляет интересы актеров и режиссеров, что намного почетнее, но и нервов требует больше.

— С поэтами и сценаристами дело иметь куда легче. В большинстве своем это публика весьма нелюдимая, так что я с ними почти не общаюсь, просто ношу туда-сюда их рукописи и читаю, что они там понаписали. Чем меньше они меня видят, тем им лучше. Большую часть времени я сижу дома и читаю их творения. Мне не приходится, как Ричарду, ездить на съемочные площадки, выуживать из трейлеров бьющихся в истерике актрис, ходить на премьеры. И мне моя жизнь очень нравится. Я сам тоже неудавшийся писатель, до сих пор иногда кое-что сочиняю.

Он производил впечатление интересного человека, но Пэрис слушала его вполуха. Ей то и дело приходилось выходить из-за стола, с кем-то говорить, и ей было неловко перед соседом — сегодня из нее был плохой собеседник. Но Эндрю это как будто не волновало, он с удовольствием общался с Биксом и Стивеном.

Заиграла музыка. Мэг пошла танцевать с Ричардом, Питер повел танцевать Рэчел, а Вим пригласил Пэрис. Вскоре в зал высыпали все гости, и веселье продолжилось. Когда Пэрис наконец добралась до своего места, ноги отказывались ее держать. Она весь вечер вертелась как белка в колесе.

— У вас, по-моему, и крошки во рту не было, — по-отечески заметил Эндрю.

У них наконец появилась возможность спокойно поговорить. Он рассказал, что у него две взрослые дочери, одна в Лондоне, другая в Париже, обе замужем, но детей пока не завели. Между делом упомянул о своей бывшей жене, которая во второй раз вышла замуж и живет в Нью-Йорке. Раньше они все там жили.

Пэрис вдруг вспомнила, что рассказывала об Эндрю Мэг. Его бывшая жена принадлежала к одному прославленному роду, а сейчас была замужем за губернатором Нью-Йорка. Этот Эндрю вращался в высших сферах, пока был женат, но сейчас вел вполне тихий образ жизни. Не из любопытства, а скорее по привычке Пэрис поинтересовалась, давно ли он развелся. Эндрю улыбнулся и сказал, что почти десять лет назад. Он говорил о разводе без сожаления и злобы, а о бывшей жене отзывался с большой теплотой.

— Девочки тогда уже были студентками, и мы решили, что развестись будет честнее, чем продолжать жить так, как мы жили. По работе мне приходилось часто бывать в Лос-Анджелесе, а она терпеть не может Калифорнию. В результате я переехал сюда, а она осталась в Нью-Йорке. Она привыкла вращаться в политическом истеблишменте и придает этому большое значение. Здесь все ей кажется поверхностным, киноиндустрию она на дух не выносит, и я с ней во многом был согласен. Но мне нравилась моя работа, и перспективы здесь были хорошие. Политика меня никогда не занимала, зато для нее это было все. Мы всегда были разные и со временем просто выдохлись. Стало трудно находить общий язык, и наши дорожки разошлись. Но мы сохраняем дружеские отношения, и ее новый муж мне очень симпатичен. Он идеально ей подходит — гораздо больше, чем я. Когда-то мы думали, что наша любовь будет длиться вечно, но не получилось. — Он рассказывал об этом с улыбкой. — Впрочем, у нас прекрасные отношения. Когда девочки еще учились, я всегда проводил отпуск с бывшей семьей. Наверное, губернатору это казалось безумием, но мы прекрасно проводили время. Кстати, в прошлом году мы с ним ездили на охоту в Шотландию. Нынешние семьи совсем не то, что раньше, — смущенно рассмеялся он и пригласил ее танцевать.

Танцевать Пэрис не хотелось, лучше было бы, конечно, отдохнуть и поболтать с Биксом и Стивеном, но она побоялась показаться невежливой.

— У вас, я вижу, вполне цивилизованный развод, — заметила она, кружась с Эндрю в медленном вальсе. — Боюсь, у меня бы так не получилось.

За весь день она так и не подошла к Рэчел — они только обменялись взглядами в церкви. Ни та, ни другая не жаждали общаться. В особенности Пэрис. Рана от ухода Питера еще не затянулась, а возможно, и никогда не затянется. Судя по всему, у Эндрю Уоррена все было иначе.

— Согласен, это довольно редкий случай. Не знаю обстоятельств вашего развода, но, думаю, сохранить добрые отношения удается лишь в том случае, если люди разводятся по взаимному и взвешенному решению. Мы оба были готовы расстаться, для обоих это был самый разумный выход. Я уверен, что с новым мужем она намного счастливее, чем была со мной. Нам вообще не следовало жениться, но мы это сделали и потом изо всех сил старались, чтобы из этого что-то получилось. В общем-то, все зря. Она вся в политике, я — наоборот. Она любит общество, я его терпеть не могу. Она была девушка из высшего общества, а я — сын бакалейщика. Правда, я сумел сделать из своей лавки целую розничную сеть, после чего весьма удачно ее продал. Но у меня не было таких возможностей, какими она обладала с детства. — От Мэг Пэрис знала, что Эндрю тем не менее весьма преуспел и сейчас очень богат и знаменит в своих кругах. — Она обожала лошадей, меня они приводили в ужас. Я хотел много детей, она — нет. Мы во всем были разные. Сказать по правде, ей со мной было невероятно скучно. — Он беззаботно рассмеялся. — Зато теперь мы друзья.

«Совсем без комплексов», — подумала Пэрис. Впрочем, слушала весьма рассеянно, в основном из вежливости. Она не могла представить себе дружбы с Питером. Теперь они были чужие люди, у которых общие воспоминания, во многом болезненные. Единственное, что она могла ему предложить, — это вежливая отстраненность, а большего Питер и не просил. У Эндрю с бывшей женой были совершенно другие отношения, и Пэрис было трудно это понять. Но поскольку муж его бывшей жены был реальным претендентом на Белый дом, это знакомство могло оказаться полезным.

— И вам не хотелось снова жениться? — вежливо поинтересовалась Пэрис, когда они вернулись за стол.

Она уже приготовилась выслушать что-то насчет того, что десять лет поисков не увенчались успехом, но он снова ее удивил.

— Хотелось, но я быстро понял, что мне это не нужно. Я встречал множество замечательных женщин, которые стали бы прекрасными женами. Вот насчет себя я не столь уверен. Я очень скучный человек. Все время сижу и читаю чужие рукописи. Я не хочу, чтобы рядом со мной хороший человек умер от тоски. Если верить моей бывшей жене Элизабет, жить со мной не более интересно, чем смотреть, как сохнет краска. Я решил никому больше не портить жизнь.

Пэрис подумала, что это чувство, очевидно, знакомо многим разведенным людям. Он рассуждал здраво, и она прониклась к нему симпатией. В нем чувствовалась основательность, которая так импонировала ей в ее новоиспеченном зяте. Она не воспринимала Эндрю как потенциального ухажера, но решила, что из него выйдет отличный друг, а учитывая новое родство, не сомневалась, что их дорожки будут часто пересекаться.

— В моем возрасте жениться уже не обязательно, — продолжал он. — Я очень рад за Мэг и Ричарда, но мне уже пятьдесят восемь, на молодую женщину мне уже сил не хватит. Да и чувствовал бы я себя рядом с ней по-дурацки. Ричард моложе меня на десять лет, у него еще есть запал. Он мечтает о детях, хочет начать жизнь сначала. Я же живу по инерции: общаюсь с дочерьми, когда хочется — вижусь с друзьями. Мне не нужно начинать все с нуля. Меня моя жизнь вполне устраивает.

Эндрю производил впечатление самодостаточного человека, не старался ни на кого произвести впечатление, и это очень понравилось Пэрис. Он поинтересовался ее работой, она рассказала, потом в разговор вмешался Бикс и поведал несколько смешных историй о Пэрис и их заказчиках. Эндрю сказал, что это, должно быть, страшно интересно.

— Вам, наверное, нравится работать вместе?

Тут подошел Ричард и пригласил Пэрис на танец, а Эндрю продолжил разговор с Биксом.

— Вы сейчас говорили с моим лучшим другом, — сообщил Ричард, еще раз поблагодарив за чудесную свадьбу. — Он отличный мужик. Я сто раз говорил Мэг, что вас надо с ним познакомить, но она решила, он не в вашем вкусе. Эндрю такой тихий, его и не слышно. Но зато он умеет дружить как никто. А его бывшая жена, мне кажется, скоро станет первой леди.

— Мэг мне об этом говорила. Мы с ним чудесно поболтали. Надеюсь, Бикс не очень напугает его жуткими историями обо мне, пока мы тут танцуем, — улыбнулась Пэрис.

На самом деле ее это мало беспокоило. Она не собиралась производить на Эндрю впечатление — ей сразу стало ясно, что с ним можно чувствовать себя совершенно свободно и ничего не стесняться. Это очень импонировало Пэрис, и она понимала, что готова с ним подружиться. Как все-таки хорошо, что она ни с кем больше не собирается встречаться. Да и Эндрю, кажется, не испытывал к ней особого интереса: он с таким же вниманием беседовал с Биксом и Стивеном. Это ей в нем тоже нравилось.

Когда Ричард проводил ее на место, Эндрю отошел к другому столу с кем-то пообщаться, а Бикс стал говорить, какой он интересный человек. Но Пэрис лишь отмахнулась и сказала, что готова согласиться, хотя ее он, к счастью, нисколько не волнует.

— Только не говори, что это очередной Малкольм Форд! — раздраженно воскликнул Бикс. — После Жан-Пьера ты стала просто невыносимой. Обнесла себя неприступной стеной... Если тебя не привлекает этот человек, значит, у тебя развилось отвращение к красивым, умным и воспитанным мужчинам. Малкольм Форд — один из умнейших, обходительнейших и симпатичнейших ребят из всех, кого я знаю. И если бы у тебя хватило ума с ним поближе познакомиться, хотя бы поговорить, вместо того чтобы связываться с этим французским малолеткой, ты бы уже давно была замужем, Пэрис, — выговаривал он со строгим видом.

— Да не хочу я замуж! — беспечно объявила она, совершенно довольная собой.

— Я не помешал?

Эндрю вернулся на свое место, а Бикс закатил глаза и заявил, что она просто невыносима.

— Ничего подобного. Я просто не хочу больше выходить замуж.

— Это печально, — заметил Эндрю. — Не стану с вами спорить, но когда брак удается, это прекрасно.

Трудно, конечно, так сложить головоломку, чтобы все кусочки совпали. Но когда совпадают, это самое большое счастье. Взгляните на Мэг и Ричарда.

— Мэг еще молодая, — рассмеялась Пэрис. — Вы же сами сказали: для этого требуется много сил. Не уверена, что у меня они есть. И даже скорее уверена, что нет.

— Вот и у меня та же проблема, — улыбнулся Эндрю, а Бикс застонал.

— Вам обоим нужно принимать витамины. Если бы все так относились к браку, мы бы остались без работы.

Он многозначительно посмотрел на Пэрис, и все рассмеялись. Слова Бикса были не лишены смысла: львиная доля его бизнеса строилась на свадьбах.

— Брак — это для молодых, — стояла на своем Пэрис.

— Для молодых душой, — уточнил Бикс.

— Брак — не для слабаков, — добавил Эндрю, и все опять рассмеялись.

— Хорошо сказано! — подхватил Стивен.

Молодежь без устали танцевала, Бикс и Пэрис освободились только в три часа утра. Питер с Рэчел уже давно уехали — Рэчел надо было в отель кормить ребенка, да и мальчики устали. Пэрис была рада, что ей не пришлось общаться с бывшим мужем. Ей нечего было ему сказать. Слишком много воды утекло, и выслушивать его благодарности ей было ни к чему. Пэрис требовалось лишь одно: залечить раны, которые еще болели. Но от этих ран не умирают, теперь она это знала.

На свадьбе произошла только одна неловкость. Когда Мэг, по обычаю, вышла на середину зала, чтобы бросить букет, призванный определить, кто выйдет замуж следующей, она сделала одну глупость — вызвала в числе прочих собственную мать. Пэрис чувствовала себя нелепо в окружении молоденьких девушек, приготовившихся ловить букет в знак уважения к старинной традиции. Она и не думала ни о каком замужестве и поэтому небрежно подняла руки и отвернулась, не собираясь ловить злосчастный букет. И тут цветы ударили прямо ей в грудь, как мяч: дочь постаралась и направила букет точно в цель. Пэрис машинально схватила букет — она побоялась, что, если цветы упадут на пол, это может быть плохой приметой для Мэг. И вот она стояла посреди зала с цветами в руке, с растерянным видом, а все вокруг радостно кричали, и дочь с нежностью смотрела на нее со своего места. И почти сразу, как и полагается по обычаю, Ричард бросил подвязку в кружок холостяков, которые, как и Пэрис, не очень рвались ловить свое «счастье». Но цветы были у нее, и так, с букетом, она и покинула свадьбу.

— Что будешь с ними делать? — спросил Бикс, кивнув на цветы.

В ответ Пэрис пожала плечами и улыбнулась:

— Сожгу, наверное.

— Напрасно. Между прочим, я рассчитываю, что ты еще встретишься с Эндрю. Он сказал, что у него в Сан-Франциско двое клиентов и он довольно часто здесь бывает. Ты должна его куда-нибудь сводить.

— Куда? Ты меня нещадно эксплуатируешь! Нет у меня времени еще и гостей куда-то водить.

«Или желания нет», — мысленно добавила она. Он, конечно, симпатичный, этот Эндрю, но симпатичных полно. Никто ей не нужен. Хватит с нее мужчин, это решено — и баста!

— Если ты в ближайшие дни ничего не предпримешь, я попрошу Сидни устроить тебе очередное свидание с незнакомцем. Нельзя же запираться на замок до конца дней!

Бикс не шутил. Уже полгода, как уехал Жан-Пьер, а Пэрис все укреплялась в своей решимости остаться одной. Бикс считал это бездарной тратой времени.

— Я не запираюсь. Мне и так хорошо, — объявила Пэрис.

— Именно это меня и беспокоит. Неужели ты не чувствуешь одиночества?

— Бывает. Но это меня не огорчает. Иногда надо и одной побыть. — Пэрис вздохнула, вспомнив, что только что выдала замуж дочь. — Конечно, я хотела бы быть замужней женщиной. Но начинать все это заново я не хочу. Наверное, я просто обожглась. Пока сообразишь, что ничего у тебя не выйдет, ты уже увяз по уши и спасения нет. Пойми, Бикс, еще раз я этого не переживу. Слишком высоки ставки. А в моем возрасте шансы на успех почти равны нулю. Даже в лотерее они выше.

— Так... Пожалуй, ты созрела для очередного свидания, — задумчиво изрек Бикс.

— Не нужно мне никакое свидание! Впрочем, это может оказаться и занятным, особенно если ты доверишь это Сидни.

Пэрис не могла отделаться от воспоминаний об отвратительном скульпторе из Санта-Фе. Бикс тоже частенько ей о нем напоминал.

— Нельзя оставаться одной до конца дней, — печально констатировал Бикс. — Ты красивая женщина, хороший человек... Это дорогого стоит!

Ему была невыносима мысль, что Пэрис может остаться одна навсегда, но изменить положение дел было нелегко. И она явно не собиралась ему в этом помогать.

— Меня восхищает твоя детская вера в то, что можно найти иголку в стоге сена, — ответила Пэрис. — Только вот с годами этот стог все растет, а иголка делается все тоньше... Да и глаза у меня уже не те. Проще поставить крест.

— Ага. А потом сплясать с закрытыми глазами и получить занозу в пятку, — философски заметил Бикс.

— Тот тип из Санта-Фе был занозой длиной в три метра.

Она рассмеялась, Бикс улыбнулся, и тут как раз Стивен подогнал машину.

Дома Пэрис поставила букет в воду. Она была тронута этим поступком Мэг. И надеялась, что примета окажется безобидной. Да и вообще, она же его не поймала в буквальном смысле. Просто букет в нее попал, а это не считается. Так что можно не волноваться.

Но букет был очаровательный.

Глава 29

Как и было решено, в первый же рабочий день после свадьбы дочери Пэрис начала осуществлять задуманное. Она взяла на работу визитки с телефонами и принялась звонить.

По первому номеру ответили, что интересующий ее человек в отъезде и вернется только в середине октября. Второй человек перезвонил в обед, как раз когда Пэрис расправлялась с йогуртом и яблоком. Это была женщина-адвокат, Элис Харпер, голос у нее оказался молодой и полный энтузиазма. Пэрис сообщила о цели своего звонка, и они договорились встретиться в пятницу утром.

Контора Элис Харпер располагалась в тихом жилом районе, персонал состоял из секретарши и молодого адвоката. Обладательнице молодого голоса, к удивлению Пэрис, оказалось за шестьдесят. Она была юристом, специализировалась на усыновлении и тепло поприветствовала Пэрис. Секретарша тут же принесла посетительнице чай.

— Начнем по порядку, — предложила Элис с любезной улыбкой.

У нее было милое лицо без всякой косметики, короткие курчавые волосы и живые проницательные глаза. Ее работа предполагала постоянную оценку людей — как матерей, желающих отдать своего ребенка, так и приемных родителей. Успех целиком зависел от внимания и наблюдательности — ведь надо было отсечь людей с психическими отклонениями и таких, кто только думал, что им нужен ребенок, а на самом деле совсем не был к этому готов. Кроме того, у женщин бывали ложные мотивы — вроде попытки склеить разваливающийся брак. Не менее внимательно она присматривалась и к матерям, дабы исключить ситуацию, когда девушка в последний момент решает все-таки оставить малыша.

Элис отключила телефон и повернулась к Пэрис.

— Так почему вы решили усыновить ребенка?

— По целому ряду причин, — осторожно начала Пэрис.

Ей хотелось быть честной. Она тяжело шла к этому решению, но сейчас была практически уверена, что это то, что ей нужно. Именно в этом желала убедиться и Элис Харпер.

— Видите ли, мне кажется, что материнство — это то, что у меня получается лучше всего. Я больше всего горжусь своими детьми. Они у меня замечательные. Не думайте, будто я считаю, что это моя заслуга, просто они у меня такие. Но для меня всегда было самым большим счастьем ощущать свою причастность к ним, и сейчас, когда они уже самостоятельные, мне очень тяжело.

— Вы замужем?

Элис Харпер уже видела, что никакого мужа на горизонте не наблюдается, и все-таки задала этот вопрос. Надо было убедиться в том, что муж отсутствует не потому, что решил не участвовать в этой затее. В таком деле требовалась причастность обоих партнеров, если их действительно было двое.

— Нет, я одна, — ответила Пэрис. — Была замужем в течение двадцати четырех лет. Теперь разведена. Я уже два с половиной года одна. Муж меня бросил. — Ей было нелегко говорить об этом, но она решила ничего не скрывать. — Ушел к другой. Они поженились, сейчас у них уже ребенок.

— И это отчасти повлияло на ваше решение?

— Возможно. Но не могу сказать, что это сыграло решающую роль. Думаю, главным было то, что я сама хочу ребенка. Выходить замуж я не собираюсь, а остаться одной до конца дней тоже не хочу. Если честно, я надеюсь, что это позволит мне еще лет восемнадцать-двадцать стоять у плиты, возить кого-то на секции и кружки — то есть делать то, что я обожаю. Я двадцать с лишним лет этим занималась и была счастлива. Мне этого действительно не хватает.

— А почему вы не хотите снова выйти замуж? — осторожно спросила Элис. — Вы же не можете знать наперед, что этого никогда не случится.

— Мне кажется, я это знаю точно, — твердо сказала Пэрис. — По моим наблюдениям, вероятность того, что я найду себе достойного человека, близка к нулю. Но это и неважно.

Это была почти правда, но все же не совсем, и Пэрис сама это знала. Она была бы рада выйти замуж, но убедила себя в том, что это нереально.

— А откуда такая уверенность? — Адвокат была заинтригована и хотела удостовериться, что у Пэрис устойчивая психика и она не в депрессии. — Вы красивая женщина. По-моему, вы могли бы привлечь любого мужчину, какого захотите.

— Привлечь — может быть. Но завязывать серьезные отношения... Это слишком трудно, — улыбнулась Пэрис.

— Но и с ребенком нелегко, — возразила Элис, и Пэрис рассмеялась.

— С ребенком, по крайней мере, не нужно знакомиться неизвестно с кем. Ребенок не станет изменять, он не боится привязанности, не страдает оригинальными сексуальными привычками, не станет грубить — по крайней мере лет до тринадцати. Чтобы завести ребенка, мне не нужно играть в теннис или гольф, ходить на кулинарные курсы, и он не напьется на первом же свидании. Уж лучше я еще два или три года буду менять памперсы, но заманить меня на свидание вслепую больше никому не удастся. Если честно, я готова лет десять отсидеть в тюрьме, или пусть у меня ногти сдерут с пальцев, лишь бы не это!

Элис посмеялась и сочувственно покачала головой.

— Что ж, возможно, вы и правы. Я уже стала забывать, как это бывает. Вы мне немного освежили память. Я уже шестнадцать лет в повторном браке. Может быть, вас утешит, что я познакомилась со вторым мужем примерно в вашем возрасте. Я упала с лестницы и очутилась в травматологии со сломанной рукой, а у него был сломан палец на ноге. И с тех пор мы вместе. Но я помню, что отношение к свиданиям с незнакомыми мужчинами у меня было точно таким же. А кстати, сколько вам лет?

— Сорок восемь. В мае исполнится сорок девять. А что, это может нам помешать? Я не слишком стара?

— Нет, не слишком, — ответила адвокат, тщательно подбирая слова. — Конечно, вы чуточку старше, чем обычно бывает в таких случаях, и вы одиноки. Если биологическая мать захочет отдать ребенка в полную семью, вы уже не подойдете. Но у вас другие преимущества: вы, судя по всему, уже состоялись в родительском качестве, у вас богатый опыт.

Правда, в этом еще предстояло убедиться, для чего требовалось пригласить лицензированного социального работника. Но Элис решила, что объяснит это позже.

— У вас опыт, — повторила она, — вы можете обеспечить ребенку хороший уход, у вас нет материальных проблем и развито чувство ответственности. Многим биологическим матерям безразлично, есть в семье отец или нет, а ваш возраст тем более не помеха. Со временем вы увидите, что они, как правило, не задают много вопросов. Вопросы обычно задают приемные матери. Самое худшее, что может случиться, это если такая мать в последний момент вдруг заявит, что передумала. После того как мы вас проверим — а это будет сделано непременно — и представим подходящей девушке, все будет зависеть от личной симпатии или антипатии. Во многом, как ни горько, усыновление сродни ухаживанию.

Пэрис усмехнулась:

— По крайней мере в конце вас ждет вознаграждение. А в случае с ухаживанием вам зачастую уготовано горькое разочарование.

— Такое впечатление, что вам не везло с мужчинами, — улыбнулась Элис. — Впрочем, у нас у всех так. Одно утешение — что в конце концов мы находим себе достойного человека. Точь-в-точь как с усыновлением.

Она растолковала Пэрис всю процедуру. У нее имелось множество предложений, в том числе и из-за границы. Был один больной ребенок, но Пэрис сразу сказала, что одной ей не потянуть, на что Элис понимающе кивнула. Пэрис также отметила, что предпочла бы американского ребенка. Брать малыша из-за границы слишком хлопотно. Она не хотела два месяца проторчать в отеле где-нибудь в Пекине или Москве в ожидании, пока совершатся все бюрократические процедуры. Она хотела продолжать обычную жизнь и ходить на работу, а тем временем подходящий малыш, глядишь, и найдется.

Элис сочла ее доводы резонными. Теперь требовалось обследование социального агентства, как делается всегда в случае конфиденциального усыновления. Пэрис узнала, что ей придется заполнить кипы бумаг, подписать кучу документов, сдать отпечатки пальцев, предоставить справки об отсутствии судимости, о состоянии здоровья и всю прочую информацию о себе.

— Детям вы уже сообщили? — поинтересовалась Элис.

— Нет пока. Сын еще студент, а дочь только что вышла замуж. Мы с ними теперь редко видимся, так что, думаю, возражать они не станут. На них это никак не отразится.

— Этого нельзя знать наверняка. Даже взрослые дети порой возражают против появления у родителей приемного ребенка. Ревности все возрасты покорны.

Пэрис это показалось невероятным, но у адвоката явно было больше опыта в таких делах.

— Что мне делать сейчас?

Разговор взволновал Пэрис. Она все больше убеждалась в правоте принятого решения, и ей не терпелось осуществить задуманное.

Элис сказала, что с матерями, желающими отдать ребенка в другую семью, тоже ведется скрупулезнейшая работа. Прежде всего надо удостовериться, что биологическая мать действительно решила от него отказаться. Кроме того, следует убедиться, что в семейном анамнезе все в порядке, получить официальный отказ от отца ребенка, чтобы позднее не возникло проблем, выяснить, подходят ли друг другу приемная мать и малыш. И, конечно, проверить биологическую мать на пристрастие к алкоголю и наркотикам.

— Мы дадим вам пакет документов, — сказала Элис и поднялась. — Вы начнете их заполнять. Через неделю-другую я с вами свяжусь. Я хочу, чтобы агентство безотлагательно принялось за изучение вашей ситуации, чтобы, если ребенок появится быстро, мы могли сразу его для вас взять. Иными словами, требуется боевая готовность.

— А что, это в самом деле может произойти так скоро? — удивилась Пэрис. Она-то думала, это растянется на месяцы, если не на годы.

— Всякое бывает. А может случиться и наоборот. Если реально смотреть на вещи, в среднем это занимает год. Как правило. Если повезет — полгода. Но думаю, есть все основания надеяться, что через год вы уже будете возиться с памперсами.

Пэрис улыбнулась. Прогноз обнадеживал, и сама женщина была ей очень симпатична. Пэрис ни минуты не сомневалась, что вверила себя в надежные руки. Элис ей порекомендовала Сидни — на юристов у нее был более тонкий нюх, чем на потенциальных мужей.

Пэрис оставила Элис свой рабочий и домашний телефоны, попрощалась и уехала. Она была очень взволнована предстоящими переменами в своей жизни, но по-прежнему считала, что поступает правильно. Единственное, что ее тревожило, — это реакция Мэг и Вима: Элис заронила в ней некоторые сомнения. И все-таки Пэрис надеялась, что дети воспримут новость с пониманием, только она не хотела обсуждать ее по телефону. Но Мэг с Ричардом на три недели укатили в Европу в свадебное путешествие, так что в любом случае придется подождать.

Вернувшись на работу, Пэрис обнаружила, что в ее отсутствие звонил Эндрю Уоррен. Только этого не хватало! Ей не хотелось вступать в ним в какие-то романтические отношения. Он был приятный человек, но она слишком серьезно воспринимала ухаживание. И в этом плане он ее не интересовал.

Записка была написана рукой Бикса, и Пэрис заглянула к нему.

— Что он хотел? — спросила она без особого энтузиазма.

— Спрашивал, не сможешь ли ты пожертвовать ему свою почку, — отшутился Бикс. — Что ты так недоверчиво смотришь? Он сказал, что на следующей неделе приедет сюда повидаться с клиентом и хотел бы пригласить тебя на ленч.

— А я не хочу, — отрезала Пэрис и бросила записку в корзину.

— Не будь такой занудой! — возмутился Бикс. — Симпатичный же мужик. Не понимаю, чем ты рискуешь?

— Невинностью и самоуважением. Мне и то и другое дорого.

— Ну и ладно, если не захочешь с ним обедать, я сам схожу. А кстати, где ты все утро пропадала?

Обычно Пэрис сообщала, куда едет, но в этот раз только предупредила, что задержится, без подробностей.

— К зубному ходила.

Бикс знал ее как облупленную и сразу понял, что она говорит неправду.

— Сколько же у тебя зубов? Ты очень долго отсутствовала.

— Сидела в очереди.

Звонить Эндрю Уоррену Пэрис не стала. «Он, конечно, симпатичный, но это все бесперспективно, — решила она. — Мэг говорила, они часто общаются; вот поеду в Лос-Анджелес, тогда и повидаемся». Никаких оснований поддерживать более тесный контакт Пэрис не видела. Не нужен ей новый друг. У нее уже есть Бикс.

Как и обещала, Элис Харпер позвонила через неделю. Пэрис к тому времени уже отвезла ей в контору значительную часть анкет. Осталось сдать отпечатки пальцев и проверить на компьютере ее чистоту перед законом, но это она намеревалась сделать в ближайшие дни. Своим сообщением Элис застала ее врасплох.

— Пэрис, кажется, у нас для вас есть кандидатура.

У Пэрис забилось сердце. Господи, ведь это же не какое-нибудь свидание! Это — навсегда, как если бы она сама родила ребенка! Пэрис испытывала те же чувства, какие были у нее, когда она ждала результата теста на беременность в самом начале супружества. В счастливейшие годы ее жизни. И вот теперь они словно возвращались. Только Питера с ней уже не было...

— Расскажите, какая она, — попросила Пэрис и прикрыла дверь кабинета.

Бикс заметил это и понял, что она что-то скрывает: Пэрис никогда не закрывала от него дверь. Только бы она не нашла себе другую работу! Он не представлял, что будет делать без нее.

— Ей восемнадцать лет, она студентка колледжа, родом из Милл-Вэлли, из респектабельной семьи. Здорова, но хочет продолжать учебу, а с отцом ребенка она рассталась. Спортсменка, поэтому не сразу поняла, что беременна. Обнаружила уже на пятом месяце.

— А сейчас какой у нее срок?

— Семь месяцев. По расчетам, первого декабря должна родить. Наркотиков не употребляет, а с тех пор, как узнала о беременности, и спиртного в рот не берет. До этого позволяла себе только пиво и вино в небольших количествах. Она в теннисной команде факультета и ведет исключительно здоровый образ жизни. Ее проверяли на наркотики, все чисто. Судя по фотографиям — очень хорошенькая, блондинка, глаза голубые, немного на вас похожа. Завтра я еду с ней знакомиться. Отцу двадцать два, он только что закончил Стэнфорд, работает в Нью-Йорке. Диплом с отличием, настоящий умница. Наркотиков тоже не признает. Они два года встречались, а полгода назад расстались. Думаю, оба жаждут поскорее все забыть. Вас им сам бог послал.

— А как она отнеслась к моей кандидатуре? Ее не смутило, что я одна и намного старше? — робко спросила Пэрис.

Она вдруг поняла, что в каком-то смысле ходить на свидание намного легче: там не так много поставлено на карту.

— Она намерена побеседовать еще с двумя супружескими парами. Так что пока ничего обещать не могу. Давайте дождемся результатов вашего обследования социальной службой. Вы уже сказали детям?

— Дочь еще две недели будет в свадебном путешествии. Как только вернется, я сразу же ей скажу.

— Хорошо. Посмотрим, что у нас с вами получится.

В субботу Элис позвонила Пэрис домой. Та сидела у камина и читала книжку. Почему-то ей вспомнился Жан-Пьер, и навалилась тоска. Пэрис гадала, как он там, и молилась, чтобы все у него было хорошо.

— Мать ребенка хочет с вами познакомиться, — сообщила Элис. — И с теми двумя парами, о которых я говорила. Вы завтра не заняты?

Так, настал час смотрин!

— Нет, я свободна, — ответила Пэрис дрогнувшим голосом.

Вечером она договорилась поужинать с Вимом, а больше никаких планов у нее не было. В последние дни жизнь вообще была на удивление спокойной — в отличие от предыдущих месяцев.

Элис назвала ресторан в центре города, и они условились о встрече. Мать ребенка должна была прийти одна. Договорились на два часа.

На другой день Пэрис появилась в назначенном месте ровно в два, и тут же вошла та, кого она ждала. Красивая девушка, с великолепной фигурой спортсменки, живот маленький и аккуратный, почти незаметный, несмотря на большой срок. И удивительно похожая на Мэг.

Их посадили за столик в углу. Девушке явно было неловко, и Пэрис сама начала разговор. Когда она поинтересовалась ее самочувствием, девушка смущенно улыбнулась:

— Чувствую себя полной дурой. Сразу надо было догадаться. Но у меня цикл все время скачет, вот я и прозевала.

Она сказала, что ее зовут Дженнифер, и рассказала, как расстроены ее родители, в особенности отец. Она у них единственная, свет в окошке. Пэрис хотела спросить, уверена ли она в своем решении, но вспомнила, что Элис предостерегала ее от этого. Девушка сама сказала, что ребенок был не запланирован, а потом заговорила о своем парне. Оказалось, что они сильно поссорились и видеть друг друга не хотят. Во всяком случае — пока.

— А если снова сойдетесь? — негромко спросила Пэрис. — Не получится так, что вам захочется вернуть ребенка?

С юридической точки зрения, после подписания бумаг у них не будет на это права, но Пэрис все же хотела удостовериться. Она не была уверена, что устоит, если ее станут уговаривать вернуть ребенка. Кроме того, Элис предупредила, что усыновление можно аннулировать в судебном порядке. Так что это были вполне обоснованные страхи.

— Нет, не получится. Я не хочу сейчас ребенка. В следующем году мне ехать учиться в Европу, потом получать диплом... Ребенок свяжет меня по рукам и ногам. Я просто не смогу обеспечить ему уход, а отец с матерью не захотят.

Девушка рассуждала вполне здраво, она отдавала себе отчет, что не сможет обеспечить малышу должного внимания. Да она и сама еще была ребенком. Ровесница Виму. Пэрис не могла представить своего сына отцом.

Они проговорили два часа, и, прощаясь, Дженнифер сказала, что Пэрис ей очень понравилась.

Расставшись с Дженнифер, Пэрис поехала домой и стала готовиться к приходу сына. Они провели мирный семейный вечер. Пэрис сгорала от нетерпения поделиться с ним своей новостью, но боялась, что Мэг обидится, если она скажет Виму первому. Лучше уж объявить им обоим разом.

В понедельник она опять разговаривала с Элис, и та сказала, что пока все складывается удачно.

Положив трубку, Пэрис с улыбкой до ушей вышла из кабинета и заметила, что Бикс чем-то расстроен.

— Что случилось? — встревожилась она.

— Это ты мне скажи! Пэрис, что с тобой происходит? Ты или завела роман, или ищешь другую работу. А поскольку первое ты отрицаешь, остается второе. Всякий раз, как я прохожу мимо твоего кабинета, ты закрываешь дверь или загадочно улыбаешься, как Чеширский кот.

Он был не на шутку огорчен, и Пэрис устыдилась.

— Бикс, прости! Если ты вдруг задумаешь от меня избавиться, тебе придется применить силу. Никуда я не ухожу.

Она хотела его успокоить, но он еще больше запутался и растерянно провел рукой по волосам.

— Тогда что происходит?

Пэрис улыбнулась в точности как он сказал — улыбкой Чеширского кота.

— Происходит кое-что замечательное. Так мне, во всяком случае, кажется. Бикс, я собираюсь усыновить ребенка! — торжественно объявила она.

Бикс лишился дара речи. Потом недоверчиво помотал головой:

— О господи... Только не это!

— Только не думай, что я сошла с ума. Я вплотную занимаюсь этим делом уже две недели, а решение созрело у меня давно. Я только хотела сначала выдать замуж Мэг. А вчера я познакомилась с матерью ребенка.

— И когда же ты это надумала?

— С полгода назад. После Жан-Пьера. Я больше не хочу повторять ошибку. И одна оставаться не хочу. Если вдуматься, Бикс, это как раз то, что мне нужно.

— Тебе — может быть, а мне — уж точно нет. Дети знают?

— Пока нет. Когда Мэг вернется, я им скажу.

— И когда ожидается этот ребенок?

— Первого декабря.

— Так. Значит, Рождество пролетает. Интересно, когда ты собиралась поставить меня в известность?

— Как только буду знать наверняка. Может, с этим конкретным ребенком ничего и не выйдет, хотя было бы жаль. Девочка симпатичная, положительная и, кстати, очень похожа на Мэг и на меня. Но даже если выгорит, я тебя в рождественской круговерти не оставлю. Конечно, я попрошу у тебя месячный отпуск по уходу за ребенком, но могу отгулять его в январе, когда разгребем дела. Я тебе сообщу, когда решу, и мы все распланируем.

Он продолжал в недоумении смотреть на нее, а Пэрис, напротив, хранила невозмутимое спокойствие. По всему было видно, что она абсолютно убеждена в своей правоте. У нее не было ни малейших сомнений относительно принятого решения.

— Пэрис, ты хорошо подумала? Мне твое решение кажется безумием.

— Поверь мне, все правильно. Я впервые за два с половиной года делаю что-то осмысленное, если не считать работы у тебя. Я вполне смогу совмещать и то и другое. Когда у меня были Мэг и Вим, я сидела дома, но многие женщины рожают и продолжают работать.

Теперь она чувствовала себя достаточно опытной, чтобы совмещать работу с уходом за ребенком. Ее такая перспектива нисколько не смущала. Она все продумала.

— Ну как? — улыбнулась она. — Поздравишь меня или нет?

Пэрис сияла, но Бикс не мог разделить ее радости.

— Нет уж, лучше я призову Сидни с ее свиданиями вслепую. Если бы я знал, чем кончится твой разрыв с Жан-Пьером, я бы заставил тебя выйти за него или пристрелил, едва он к тебе приблизился. Мне твоя затея кажется сумасшествием. Пэрис, тебе нужен муж, а не ребенок!

Отчасти Бикс был прав. При удачном раскладе она бы не отказалась от обоих. Но пока этого не получалось.

— Ребенка мне вполне хватит. Муж мне не нужен. У меня уже был один — и чем это кончилось?

— И ты готова поставить крест на мужчинах как таковых? Это же безумие, Пэрис!

— Если мне суждено кого-то встретить, это произойдет. Может, я свалюсь с лестницы и сломаю руку, — загадочно произнесла она, и Бикс окончательно вышел из себя.

— При чем тут лестница?!

— Моя адвокат именно так познакомилась со своим нынешним мужем. У нее был перелом руки, а у него — ноги, так они и узнали друг друга.

— Класс, — вздохнул Бикс.

Пэрис обрушила на него столько информации, что он был не в силах ее переварить. Когда она вернулась к себе, Бикс достал флакончик с валиумом, хотел открыть, но потом что-то буркнул себе под нос и положил лекарство на место. Он успокоил себя тем, что Пэрис, по крайней мере, не собирается увольняться.

Но усыновить ребенка? Это, пожалуй, ненамного лучше.

Глава 30

Элис позвонила только через неделю, когда до возвращения Мэг оставалось всего ничего. Однако новости у нее были неважные. Мать ребенка, Дженнифер, остановила свой выбор на одной из супружеских пар, и Пэрис сама удивилась, что так расстроилась при этом известии. Она чувствовала себя отвергнутой.

— Так бывает довольно часто, — негромко сказала Элис. Она вполне понимала, что сейчас испытывает Пэрис. — Нужный вариант найдется сам собой, вот увидите. У меня есть для вас еще предложение. Я знаю, вы хотите взять ребенка прямо из роддома, но на всякий случай хочу предложить вам другой вариант. Спросить никогда не мешает. У нас есть девочка четырех лет из русского детдома. Мать алкоголичка, кто отец, неизвестно, но СПИДа нет. Она с двух лет в приюте. У нее брат и сестра, а русские стараются родных не разлучать, но тех двоих взяли, а она осталась. Ее должна была удочерить одна семья из Феникса, но от них вчера пришел отказ. У отца оказалась опухоль мозга, так что они теперь не смогут взять ребенка. У меня в компьютере есть фотография девочки, могу прислать ее вам по электронной почте. С виду она умненькая, хотя я понимаю — это не совсем то, что вы хотели.

Пэрис хотела сразу сказать «нет», но вдруг подумала: «А что, если эту девочку посылает мне судьба?»

— Я могу подумать? — осторожно произнесла она.

— Да, конечно. Я вас не тороплю.

Когда пришел снимок, Пэрис удивилась, какое милое личико у этого ребенка. Она сидела и неотрывно смотрела на экран, когда вошел Бикс и заглянул ей через плечо.

— Это кто?

— Четырехлетняя русская девочка из детдома. Предлагают удочерить. Та девушка меня отвергла.

— О боже! — простонал Бикс. — Пэрис, скажи, что это сон! Если не прекратишь заниматься этой ерундой, я на тебе сам женюсь!

Ее затея с усыновлением приводила его в ужас, а непоколебимое спокойствие просто пугало. Он никогда не видел ее настроенной так решительно.

— Это не ерунда. И замуж я не хочу. Могу, конечно, для тебя сделать исключение. Только... как же быть со Стивеном? Нам тогда придется его усыновить?

Бикс уставился на нее. Это был кошмарный сон.

— Мне нужно принять валиум.

— Может быть, вызвать врача?

— Издеваешься? — Он рассмеялся. — Кому и нужен врач, так это тебе!

— Благодарю покорно, я здорова.

Через два часа Пэрис перезвонила адвокату и сказала, что решила не брать девочку и все-таки предпочитает новорожденного.

— Я так и думала. На всякий случай спросила. Между прочим, кажется, намечается еще одна мамаша. Когда что-нибудь прояснится, я вам позвоню.

В выходные из свадебного путешествия вернулись Мэг и Ричард. Пэрис пригласила их к себе, но они оказались заняты. И Пэрис с Биксом с головой ушли в подготовку Хэллоуина.

Семейный сбор состоялся только в начале ноября. Дети решили отметить с ней День благодарения заранее, поскольку на сам праздник они летели к отцу в Нью-Йорк. Ричард вспомнил, что Эндрю рассказывал, как безуспешно звонил Пэрис, и та смутилась.

— Да, было дело. Неудобно вышло. Я ему так и не перезвонила.

— Мне показалось, он боится, что чем-то вас обидел, — заметил Ричард.

— Ничего подобного, просто... Мне действительно очень неловко. Если он еще раз позвонит, я с ним обязательно поговорю, обещаю.

— Я передам.

После этого все сели за стол и принялись за традиционный ужин по случаю Дня благодарения. Однако стоило Пэрис сообщить, что она надумала взять на воспитание ребенка, как у всех вытянулись лица. И сын, и дочь испытали настоящий шок.

— Что?! — воскликнула Мэг. Впервые в жизни она отказывалась понимать мать. Какая уж там поддержка! — Мам, это безумие! Тебе поздно заводить ребенка!

— Ну почему? Это вполне возможно, хотя кое-какие сомнения у меня тоже имеются, — призналась Пэрис. — Но я же не собираюсь рожать, я хочу взять ребенка на усыновление. А заботиться о малыше я вполне в состоянии. И в более старшем возрасте рожают детей из пробирки.

— Но у них есть мужья! — выкрикнула Мэг и повернулась за поддержкой к мужу.

Ричард пока хранил молчание, зато Вим был просто в ужасе. Ему казалось, что вся семья сошла с ума. Родители в разводе, отец женился на молоденькой, теперь у него шестимесячный ребенок и двое приемных сыновей, а мать собралась брать кого-то из приюта. Дурдом какой-то!

— Одинокие женщины, как и мужчины, сплошь и рядом берут чужих детей, — невозмутимо заявила Пэрис.

— И пускай себе! — Мэг вела себя совершенно по-детски. — Мне кажется, это очень глупо. Господи, мам, зачем тебе чужой ребенок?

— Затем, что мне одиноко, — тихо ответила Пэрис, и дети уставились на нее. — Вы уже взрослые, у вас своя жизнь. А у меня ее нет. Если не считать работу. Обо мне заботиться вы не обязаны, и я этого не прошу, упаси

345

бог. Я хочу сама устроить свою жизнь, стать кому-то нужной. Хочу иметь малыша, любить его, заботиться о нем, чтобы он был со мной, пока тоже не вырастет. Это не значит, что я больше не люблю вас, конечно, люблю! — поспешно добавила она. — Но я не хочу остаться одна.

Воцарилась мертвая тишина, Ричард с сочувствием посмотрел на Пэрис и обнял молодую жену.

— У твоей мамы есть право делать то, что она считает лучше для себя, — негромко сказал он. — Не так легко жить одной. Ей трудно. А ребенок скрасит ей одиночество.

— Но почему ты не хочешь выйти замуж? — жалобно произнесла Мэг.

— Потому что не могу. Не получается, — ответила Пэрис. — И я не намерена сидеть и ждать, пока явится мессия и сделает меня счастливой. Это было бы жалкое зрелище. Я должна взять на себя ответственность за свою жизнь.

Ричард одобрительно улыбнулся Пэрис. Чем лучше он узнавал свою тещу, тем больше она восхищала его.

— А если у меня родится ребенок? — обиженно продолжала Мэг. — Ты даже не сможешь мне помогать, ведь у тебя у самой будет малыш.

Пэрис улыбнулась. Дочь еще сама была ребенком, а Вим и подавно. Элис оказалась права. С детьми вышло не так гладко, как она рассчитывала.

— Конечно, я буду нянчить твоего ребенка, солнышко. И буду по-прежнему любить вас обоих. И всех ваших деток. Но мне необходимо что-то предпринять, чтобы наполнить свою жизнь смыслом. Ребенок мне кажется самым подходящим вариантом.

— А по-моему, это очень глупо, — вступил в разговор Вим. — Ведь с детьми столько мороки!

Он успел почувствовать это на примере сводной сестры. Девочка все время кричала, а стоило к ней подойти, как она тут же срыгивала, так что Рэчел даже заволновалась. Да, мама задумала что-то несусветное.

— Поживем — увидим. Если я что-то решу предпринять, непременно поставлю вас в известность. Недавно у меня один вариант сорвался. Точнее — два. От второго я сама отказалась, а в первом случае отказали мне. Очень может быть, что теперь придется долго ждать.

— Как долго? — спросила Мэг с таким лицом, словно ее только что приговорили к расстрелу.

— Может быть, целый год.

Мэг взмолилась про себя, чтобы за это время мама передумала.

В воскресенье вечером, перед тем как распрощаться, Ричард улучил минуту поговорить с Пэрис наедине:

— Пэрис, за Мэг не волнуйтесь. Она свыкнется. И Вим тоже. Это ваша жизнь, вам и решать. Я лично вами восхищаюсь. В нашем возрасте взвалить на себя такую ношу — это достойно похвалы.

Он был всего на год старше ее и смотрел на вещи иначе, чем его молодая жена.

— Благодарю за поддержку, но лучше бы вы этого не говорили, — улыбнулась Пэрис. — А если Мэг родит?

Она жаждала внуков и по разговору поняла, что это вполне может произойти.

— Это другое дело, — ответил Ричард. — Я не такой смелый, как вы. Я бы ни за что не рискнул взять чужого ребенка. Вас это не смущает? — напрямик спросил он.

Пэрис покачала головой. Какой у нее хороший зять! Настоящий друг.

— Меня это нисколько не смущает.

Разъехались все одновременно, в воскресенье вечером. Выходные выдались напряженные, но Пэрис не сомневалась, что страсти улягутся. Ричард обещал помочь с Мэг, а может, и с Вимом.

Интересно, как бы отнесся к ее идее Питер? Пэрис не могла рассчитывать, что он поможет ей склонить детей на свою сторону. У него своя жизнь, свои проблемы, малышка, к которой старшие дети пока относятся настороженно, тем более что они еще и Рэчел не приняли. Разумеется, они относились к ней с предубеждением. Сильная женщина, которая разлучила родителей, — в их глазах счет изначально был не в ее пользу.

Глава 31

На неделе снова позвонил Эндрю Уоррен. Сказал, что прилетел в Сан-Франциско помочь со сценарием одному своему клиенту, которому никак не удавалось доработать сюжет, и пригласил Пэрис на ленч. Она вспомнила данное Ричарду обещание и согласилась. Из вежливости. В конце концов, он партнер и друг ее зятя, и Пэрис не хотелось показаться грубой, хотя работы было невпроворот — близилось Рождество. Она чуть было не отменила встречу, когда нагрянул новый клиент, но Бикс взял его на себя и пригрозил собственноручно вытолкать ее на улицу. Ему был очень симпатичен этот Эндрю Уоррен, и он был убежден, что и Пэрис его полюбит, если даст ему шанс.

Они встретились в кафе-кондитерской на Сакраменто-стрит. Заведение было стильное, но главным его преимуществом, с учетом ситуации, являлась быстрота обслуживания. Пэрис было неловко признаться, что у нее совсем мало времени, но Эндрю это нисколько не смутило.

— Для меня радость уже то, что я вырвался из дома этого клиента. Он целый месяц просидел над чистым листом бумаги и поклялся не выходить из четырех стен, пока не разродится. Я при нем вроде санитара в психбольнице. Все идет к тому, что мне придется самому сочинить за него этот сценарий.

— А сумеете? — удивилась Пэрис.

Он рассмеялся и допил кофе.

— Не сказал бы. Но если понадобится — осилю. Вообще-то я уже подумываю, не взбодрить ли его электрошоковой дубинкой.

— Хорошая мысль!

Пэрис засмеялась и стала рассказывать, какие они готовят рождественские вечеринки. Эндрю нравилось слушать о ее работе.

— Не представляю, как вам это удается. Когда у меня гости, мы заказываем еду из китайского ресторана и едим ее прямо из коробок.

— А вы обращайтесь к Биксби Мейсону, — пошутила она. — Мы за вас все сделаем.

— Не сомневаюсь. Судя по свадьбе Мэг, вы творите настоящие чудеса.

— Стараемся. — Пэрис любезно улыбнулась и с облегчением подумала, что обещание исполнено, больше можно с ним не встречаться.

Потом он сказал, что пора возвращаться к незадачливому сценаристу, а Пэрис заторопилась в офис. Они неплохо провели время. Эндрю был очень похож на Ричарда, и Пэрис понимала, почему они партнеры. Оба без комплексов, большие умницы, без лишних амбиций, прекрасные специалисты. Оба не скупятся расходовать свой талант, что говорит о щедрой натуре. Лучшего мужа для Мэг нельзя было и придумать. Или друга для себя. Со временем.

Как только Пэрис вернулась на работу, позвонила Элис Харпер.

— У меня для вас интересный вариант, — объявила она.

Пэрис сразу напряглась. Ее только что закончили терзать агенты из социальной службы, и теперь она была в полной боевой готовности.

— Мамаша чуточку старше обычного. И замужем. Ей двадцать девять лет, у нее уже четверо детей. Они из Ист-Бей, муж работает инженером в лаборатории. Они живут в стесненных обстоятельствах. И, судя по всему, у мужа случился роман с соседкой. Теперь он ее бросает. По сути — уже бросил. Ребенка этого она вообще-то не хотела. Мне кажется, муж с ней грубо обходился, но в наркомании и алкоголизме никто не замечен. Мать — женщина верующая и хочет, чтобы малыш попал в хорошие руки. Говорит, что, если оставит ребенка, ей будет просто нечем его кормить. Они и так-то бедствуют, ее сестра даже решила взять у них младшую девочку, а сама мама остается с тремя мальчишками. Одиннадцать, девять и семь. Она переезжает с ними на Восток к матери.

Пэрис была потрясена. Какая трагедия! Разбитая семья, неизбывное горе... Она с трудом представляла себе, как можно разлучить родных братьев с сестренкой и отдать ее на воспитание в другой дом.

— А если ее положение поправится? Она не затребует ребенка назад?

— Она говорит, муж ее изнасиловал. Она еще год назад просила о разводе, но он не воспринял ее всерьез. Похоже, порядочная скотина. Изнасиловал жену, она забеременела, а он взял да и связался с другой. Она хочет пристроить ребенка и начать жизнь с чистого листа на новом месте. Вчера подала на развод. Едва ли ее можно осуждать, — добавила Элис.

Тридцать лет она слышала подобные истории, почти за каждым случаем усыновления стояла жизненная драма.

— Мне импонирует в ней то, что она старше и отдает себе отчет в своих поступках. Эта женщина знает, что такое растить ребенка, и понимает, что в ее силах, а что — нет. Она просто не справится. Вас ей сам бог послал.

«А ее — мне», — подумала Пэрис.

— Когда должен родиться ребенок? — спросила она.

— В том-то и загвоздка. Через две недели. Кстати, это девочка. Мать делала УЗИ, ребенок здоровенький.

Пэрис с самого начала говорила адвокату, что предпочла бы девочку, тем более что в семье нет мужчины и мальчика будет трудно растить. Впрочем, от мальчика она бы тоже не отказалась. Но две недели... Это была неожиданность. Детям она сказала, что потребуется год.

— Так что же, будете знакомиться?

— Я... да, конечно.

Пэрис знала: если это то, что ей нужно, она по каким-то признакам поймет. Пока дурных предчувствий у нее не было.

Элис перезвонила через полчаса. Знакомство с матерью ребенка было назначено на завтра, в семь часов вечера, в кофейне в Сан-Леандро.

Когда на следующий день Пэрис закончила все дела и заторопилась к выходу, ее перехватил Бикс.

— Если бы я не знал, что ты такая мужененавистница, я бы решил, что ты спешишь на свидание.

— У меня действительно свидание. С матерью ребенка. В Сан-Леандро.

Пэрис была взволнована и полна надежд.

— Тусуешься в шикарных заведениях, — посмеялся Бикс.

В городе были пробки, и дорога заняла полтора часа, но Пэрис выехала заранее и в кофейню вошла вовремя. Вскоре появилась и мать будущего ребенка — измученная блондинка, буквально падающая с ног, но довольно красивая и, судя по разговору, неглупая. Она год проучилась в колледже и надеялась когда-нибудь поступить на работу в детский сад. Но пока нужно было кормить детей, а муж, судя по всему, попался отъявленный негодяй. Сейчас у несчастной было одно желание: родить и сесть в самолет. Лететь отсюда куда глаза глядят. Она сказала, что дочку сестра привезет ей, когда она немного встанет на ноги. Но пока положение было очень тяжелым, и, если оставить пятого ребенка, старших ей не прокормить. Муж недавно потерял работу, стало быть, на алименты тоже рассчитывать не приходится. А все текущие деньги он тратит на ту, другую.

Пэрис захотелось усадить ее в машину, забрать всех ее детей и увезти отсюда подальше. Но это было невозможно. Да и не за тем она пришла. Эта женщина пришла поговорить о ребенке, который появится через две недели.

Пэрис рассказала о своей семье, о Мэг и Виме, о том, где и как живет и кем работает. Однако, как и предупреждала Элис, матери ребенка это все было малоинтересно. Она ждала от Пэрис одного — подтверждения, что та в самом деле хочет взять ее ребенка. Ей нужен был человек, готовый вытянуть ее из той трясины, в какой она оказалась. Надо было скорее встать на ноги и поднимать детей. Отдать этого ребенка означало для нее получить шанс на выживание для себя и остальных детей. Ей было неважно, что Пэрис живет одна и уже немолода. Она с первой секунды прониклась к ней доверием. А Пэрис, как только ее увидела, сразу поняла, что это будет тот самый ребенок, который предназначен для нее.

Пэрис заказала ужин, но ни одна из них к еде не притронулась. После нескольких минут разговора она взяла будущую маму за руки, ласково на нее посмотрела, и обе расплакались. Это и был их уговор, дальнейшее обсуждение стало излишним.

Будущую мать звали Эми. От нее теперь требовалось только одно — родить ребенка и передать его Пэрис. Об остальном позаботится приемная мать и ее адвокат.

— Спасибо вам, — прошептала Эми, не выпуская рук Пэрис.

Они просидели в кофейне до девяти, делясь сокровенными планами и рассматривая фотографии. В семейном анамнезе у Эми никаких серьезных заболеваний не было, только один из детей страдал сенной лихорадкой, а в психическом плане все были здоровы. Алкоголизма и наркомании тоже не значилось. Пэрис она попросила только об одном: присылать ей раз в год фотографии девочки. Встречаться с ней она не собиралась.

И она, и муж готовы были подписать бумаги об отказе, и ребенок целиком оказывался на попечении агентства по усыновлению. А через четыре месяца малышка официально станет называться дочерью Пэрис. После того как Эми с мужем подпишут отказ, бумаги будут зарегистрированы в Сакраменто, и ни он, ни она претендовать на ребенка не смогут. Эми больше тревожило, не передумает ли Пэрис, но та заверила, что об этом не может быть и речи. Решение принято, теперь остается только ждать. И сообщить детям.

Пэрис возвращалась в город, и настроение у нее было в точности такое, как в тот день, когда она узнала о своей первой беременности. В таких случаях в голове всегда возникают тревожные мысли: а вдруг что пойдет не так, но главное ощущение — это волнение и радость. Тогда она, помнится, бегом влетела в дом и бросилась к Питеру на шею: «Я беременна!» То же самое Пэрис испытывала и теперь, только порадоваться вместе с ней было некому.

Она оставила Эми все свои телефоны и попросила позвонить сразу, как начнутся роды.

Утром, когда Пэрис собиралась на работу, ей позвонила адвокат. Пэрис затаила дыхание. Вдруг Эми передумала? Или муж решил вернуться?

— Она согласна, — просто сказала Элис. — А вы?

— Мне она очень понравилась, — ответила Пэрис, и на глаза ее опять навернулись слезы. У нее было такое впечатление, будто господь создал их с Эми сестрами, но потом разлучил и вот теперь опять свел вместе.

У Пэрис оставалось две недели, чтобы купить все, что нужно для малышки. А Элис она сказала, что сегодня же выпишет чек, чтобы Эми могла купить себе все необходимое. Роды покрывались страховкой, но придется оплатить няню для старших детей на то время, что она будет в роддоме. Кроме того, Пэрис вызвалась оплатить ей перелет с детьми на Восточное побережье после рождения девочки. Ей казалось, что она обязана это сделать.

— Сегодня же пришлю чек, — волнуясь, пообещала она.

— Не беспокойтесь. Она никуда не денется. Она в вас нуждается, — благоразумно заметила Элис.

— А я — в ней, — призналась Пэрис.

И это была правда, она сама не ожидала, что так будет.

Перед уходом на работу Пэрис позвонила Мэг и Виму и сообщила свою новость.

Вим безучастно произнес:

— Как хочешь.

И добавил, что главное, чтобы мама была счастлива. Тон у него был вполне искренний. Пэрис поблагодарила сына и расплакалась. Большего подарка нельзя было и ожидать.

— Ты уверен, солнышко? — на всякий случай переспросила она.

— Да, мам. Я все равно считаю это глупостью, но, если ты так хочешь, я не против.

Пэрис была растрогана до глубины души.

— Я тебя люблю! — с жаром произнесла она.

— Я тебя тоже.

А с Мэг разговор и вовсе прошел как по маслу. Та, оказывается, долго обсуждала проблему с мужем и, судя по всему, начинала понимать свою мать. Если Пэрис в самом деле не собирается замуж, как ей жить одной? В общем, Мэг готова была ее поддержать. Беспокоило ее только одно: не всякий мужчина захочет связывать себя ребенком, если вдруг Пэрис изменит свое решение относительно сильного пола. Правда, Ричард на это заметил, что он, хоть и ровесник ее матери, совсем не прочь иметь детей. И даже больше того, они с Мэг уже стали предпринимать к тому некоторые попытки.

Короче говоря, Пэрис и от дочери получила благословение и помчалась на работу поделиться своей радостью с Биксом.

— У меня будет ребенок! — с порога закричала она.

И осеклась, увидев, что Бикс не один, а с бухгалтершей. К счастью, клиентов еще не было.

— Когда? — спросил Бикс.

На носу было двадцать два рождественских мероприятия.

— Через две недели.

Пэрис лучилась радостью, а Бикс впал в полуобморочное состояние.

— Не волнуйся. Отпуск я возьму только в январе. Найду няню и вообще все устрою. Почему бы тебе, кстати, не пойти ко мне в няньки? — выпалила она, и Бикс застонал.

— Может, позовешь по этому случаю гостей? Я бы мог организовать все по высшему разряду.

Он был в панике, но считал своим долгом поддержать Пэрис в такой трудный момент.

— Попозже, когда родится. Но все равно спасибо. Отметим после Рождества.

Бикс судорожно рылся в столе.

— Что ты потерял?

— Валиум. Как бы в больницу не загреметь. И когда ждете?

— Пятого декабря, — улыбнулась Пэрис.

— О нет! Это же день свадьбы Эдисонов!

— Я там буду. Если понадобится, то с ребенком на руках.

Пэрис рассчитывала сразу нанять няню, иначе с рождественскими торжествами ей не справиться. А в январе возьмет отпуск и сама будет ухаживать за девочкой. Оставалось придумать имя, но это не срочно, сейчас есть другие заботы.

Она стала спешно составлять список дел, а Бикс наконец нашел свой валиум и подошел к ее столу.

— Пэрис, ты уверена, что этого хочешь? Ведь этого не изменишь! — зловеще произнес он.

— Я знаю. В отличие от всего остального.

Глава 32

В понедельник перед Днем благодарения Пэрис вновь позвонил Эндрю Уоррен. Он сказал, что в выходные опять будет в городе, где у него очередная консультация с клиентом. И в ожидании новых творений своего подопечного он будет рад с ней еще раз пообедать. Праздничный вечер Пэрис собиралась провести у Бикса и Стивена, поскольку дети летели к отцу в Нью-Йорк, а на выходные у нее никаких особых планов не было.

— С удовольствием, — согласилась она. — Может, ко мне приедете? На ужин.

Она была не прочь для разнообразия постоять у плиты. И для Эндрю это было проще. До сдачи рукописи оставались считаные дни, и оставлять «гениального автора» надолго он не мог. Надо было все время стоять над ним с плеткой.

— Вы всегда так делаете или это выходит за рамки ваших обязанностей? — поинтересовалась Пэрис.

— Далеко за рамки. Но он симпатичный парень, талантливый до невозможности. Почему бы не помочь, если можешь? У меня все равно на выходные никаких планов нет.

Эндрю сказал, что праздник проведет с друзьями, поскольку обе дочери находятся в Европе, а лететь к ним времени нет. Он спросил, как проводит праздник Пэрис, и она рассказала, добавив, что с Биксом и Стивеном всегда весело. После чего было решено, что она будет угощать его ужином в пятницу, в сугубо неофициальной обстановке, форма одежды — джинсы.

На поверку у Бикса со Стивеном оказалось далеко не так весело, как она ожидала, хотя Стивен зажарил роскошную индейку, и Бикс, как всегда, со вкусом накрыл на стол. Но Пэрис оказалась единственной приглашенной, а Стивен, похоже, подхватил грипп. Он неважно выглядел, очень мало ел и сразу после ужина лег.

Помогая Биксу убирать со стола, Пэрис вдруг заметила, как по его щекам катятся слезы.

— Что случилось? — встревожилась она и внезапно догадалась. У Стивена нашли СПИД. — Нет... Господи, не может быть!

К сожалению, ее догадка подтвердилась.

— Пэрис, если с ним что-то случится, я не переживу! Я просто не могу без него жить!

Бикс рыдал, и Пэрис его, как могла, утешала.

— Может, до этого и не дойдет, — говорила она, стараясь внушить ему оптимизм, хотя оба понимали, сколь жестокой порой бывает жизнь. — Ты просто должен делать все, что в твоих силах, чтобы облегчить ему страдания.

В том, что Бикс сделает для Стивена все от него зависящее, она не сомневалась.

— Он на прошлой неделе начал лечение, от которого ему по-настоящему плохо. Говорят, со временем станет лучше, но пока он чувствует себя отвратительно.

— Может, уговорить его взять отпуск?

— Сомневаюсь, что он согласится.

Бикс вытер слезы и продолжил ставить посуду в моечную машину. Пэрис не знала, как еще его утешить.

— Я постараюсь тебя по возможности разгрузить...

— И как же ты собираешься это сделать? — спросил он с расстроенным выражением.

— Вчера я нашла очаровательную няньку.

Как странно было снова хлопотать о няньках, о режиме кормления и пеленках. Ответственность и неудобства ее не смущали. Наоборот, Пэрис охватывало нетерпение. Завтра она накупит всего-всего. До предполагаемых родов оставалось всего восемь дней. Рожать Эми собиралась в Беркли, и Пэрис оставалось только дождаться звонка и рвануть на тот берег. Она обещала присутствовать при родах и очень надеялась, что они будут не столь скоротечными, как у Джейн. Если с девочкой все будет в порядке, уже через восемь часов Пэрис сможет ее забрать. Единственное, чего у нее пока не было, — это имени для ребенка.

Но пока все ее внимание было обращено на Бикса. Перед уходом они наведались к Стивену. Тот спал, и Пэрис показалось, что он сильно похудел и как-то разом состарился. И она, и Бикс понимали, что при удачном раскладе он еще может жить и жить, но бороться со СПИДом в любом случае будет нелегким делом.

Ночью, уже в постели, Пэрис опять думала о них и молилась за Стивена. Она знала, как они привязаны друг к другу, такие отношения редко встретишь. Но жизнь полна превратностей и неожиданностей. Два с половиной года назад она познала это на себе.

Пэрис уснула беспокойным сном, и ей приснился ребенок. Ей снилось, что она рожает сама, а рядом стоит Эми и держит ее за руку. Вот ребенок появляется, кто-то берет его, и она кричит. Пэрис проснулась и поняла, что во сне они с Эми поменялись ролями. Она снова задумалась о тяготах жизни. Как все непросто... У Бикса со Стивеном, у Эми... Но при всех невзгодах всегда есть место чистоте, надежде и любви. Этот ребенок словно олицетворял собой все хорошее, что есть в жизни, всю радость, какую несет с собой новая жизнь.

Странно, как посреди горя всегда пробивается светлый луч — надежда, что ничто не напрасно.

Наутро Пэрис, как и планировала, отправилась по магазинам. Купила ванночку и пеленальный стол, кое-какую детскую мебель, расписанную розовыми бантиками и бабочками. Накупила платьиц, пижамок, кофточек, все — как для маленькой принцессы. Потом отправилась в другие магазины, за более приземленными вещами.

Пэрис забила машину доверху, так что почти лишила себя заднего обзора, и вернулась как раз вовремя, чтобы успеть перенести покупки в гостевую спальню второго этажа. Завтра она все разберет и разложит по местам. Торопиться некуда, впереди полно времени.

В пять часов она взялась за готовку. Эндрю Уоррен обещал приехать к шести — или чуть позже, если его сценарист вдруг разродится.

Пэрис поставила мясо с картошкой в духовку и нарезала большую миску салата. По дороге она купила крабов и решила, что это будет прекрасная закуска к белому вину. Бутылку она уже поставила в холодильник.

Эндрю приехал ровно в шесть. Было заметно, что он рад ее видеть. В джинсах, голубой водолазке и мокасинах у Пэрис был совершенно домашний вид. Она не стала щеголять перед ним нарядами, он же ей не ухажер — просто друг. Эндрю, судя по всему, был настроен так же. На нем была старенькая кожаная куртка, серый джемпер и джинсы.

— Ну, как продвигается дело? — спросила Пэрис с улыбкой.

Он закатил глаза и рассмеялся.

— Не приведи господи иметь дело с писателями, у которых творческий кризис! Когда я уходил, он говорил по телефону со своим психотерапевтом. А вчера вечером и вовсе в больницу угодил — с нервным припадком. Похоже, все-таки придется его убить.

Однако Эндрю был наделен завидным терпением. И приготовился нянчиться с клиентом до победного конца. Сценарий писался для крупнобюджетного фильма с участием двух мегазвезд, чьи интересы представлял Ричард. Семейный бизнес!

Они устроились в гостиной, и Эндрю сказал, что ему понравился ее дом, уютный и светлый, в ясный день все залито солнцем. Он потягивал вино и заедал орешками, а Пэрис включила музыку.

— Чем сегодня занимались? — непринужденно поинтересовался Эндрю.

— По магазинам ездила, — ответила она, не вдаваясь в подробности.

Кроме детей и Бикса, об усыновлении еще никто не знал. Пэрис не хотела пока трезвонить об этом на всех углах. К чему ей комментарии от едва знакомых людей? Эндрю был ей симпатичен, но они пока мало знали друг друга. Впрочем, о Мэг он отзывался с большой теплотой, чем тронул материнское сердце. Он считал их с Ричардом прекрасной парой, и Пэрис была с ним абсолютно согласна.

В половине восьмого они сели ужинать, Эндрю ел и нахваливал; крабы оказались его любимой едой, ростбиф тоже получился что надо.

— Я давно не готовила, — поскромничала Пэрис. — Себе почти ничего не варю — то на работе допоздна, то так валишься с ног, что уже ничего не хочется.

— Судя по всему, вы с Биксом себя не жалеете.

— Что верно, то верно, но мне это нравится. И ему тоже. Следующий месяц будет сумасшедшим, так всегда в праздники. Начиная с понедельника мы практически каждый вечер заняты.

«А с появлением ребенка станет еще тяжелее», — добавила она про себя. Ей уже хотелось, чтобы роды немного задержались. Но она прекрасно знала, что дети появляются на свет когда им заблагорассудится, и Джейн тому наглядное доказательство. Хорошо хоть, в этот раз роды принимать не придется.

— А вы не думали взять небольшой отпуск? — спросил Эндрю.

Пэрис про себя улыбнулась:

— Если только ненадолго... После праздников собираюсь немного отдохнуть — месяц, не больше. Для меня и это много.

— А я мечтаю об отпуске длиной в год. Снять квартиру в Париже или Лондоне, а может, просто поездить по Европе... Снять виллу где-нибудь в Тоскании или Провансе — для меня это звучит как райская музыка. Я то и дело говорю об этом Ричарду, а он грозится, что у него тогда произойдет нервный срыв — с его актерами и актрисами не соскучишься, только писателей ему еще не хватало.

Пэрис уже поняла, что их агентство имело хорошую репутацию, и неудивительно, что у них в клиентах числится столько своенравных особ. Такова уж специфика их работы, как вечеринки для них с Биксом — со всеми их прелестями в виде капризных хозяек, истеричных невест, хамоватых официантов и тому подобным.

Затем разговор зашел о детях и о прошлых браках. Эндрю жалел, что его семейная жизнь не удалась, но на бывшую жену зла не держал, и это восхищало Пэрис. Она устала от всех разведенных, ненавидящих своих бывших супругов так, что ни на что другое сил уже не остается. Она знала, что всегда будет тосковать по Питеру, но желала ему только добра. Пусть ей и хотелось бы что-то изменить, но жизнь идет своим чередом. Не сразу, но она к этому пришла.

Поскольку Эндрю посетовал, что ему предстоят ночные бдения, Пэрис заварила крепкий кофе, и в этот момент зазвонил телефон. Она сняла трубку, будучи почти уверена, что это Мэг, но голос оказался другой. Пэрис не сразу узнала Эми.

— С тобой все в порядке? Ничего не случилось? — заволновалась Пэрис.

— Я в больнице. — В голосе Эми слышалась неловкость.

— Уже? Как же это произошло?

— Сама не знаю. Занималась мальчишками... Дочку сегодня сестра забрала.

У Пэрис мелькнула мысль, что Эми, наверное, расстроилась из-за разлуки с девочкой. Ведь для Эми это в любом случае тяжелая утрата, хоть и добровольная. А может, она просто морально созрела родить, зная, что ребенку теперь обеспечен дом и уход? Порой психика творит с организмом необъяснимые вещи.

— А что врачи говорят?

— Говорят, рожаю. Раскрытие уже четыре сантиметра, схватки каждые пятнадцать минут. По-моему, вы еще успеете.

— Так... А где ты, в каком отделении?

Пэрис схватила карандаш и принялась записывать. Потом у Эми началась новая схватка, и они оборвали разговор. И только тут до Пэрис дошло, что на самом деле происходит. Ее ребенок рождается на свет! Пройдет несколько часов, и она снова станет мамой.

Пэрис повернулась к Эндрю Уоррену, который озабоченно следил за разговором.

— У меня вот-вот будет ребенок! — объявила она без всяких предисловий, как если бы он был в курсе происходящего.

— То есть как? Сейчас?!

— Да!.. Мы рожаем, понимаете?

Эндрю ничего не понимал и пребывал в полном замешательстве.

— Кто это звонил?

— Мать ребенка. Ее зовут Эми.

362

Тут Пэрис сообразила, что надо спокойно все объяснить — ведь ей сейчас придется выставить гостя за дверь: она хотела сразу ехать в больницу.

— Я беру приемного ребенка, — сказала она и улыбнулась.

«Какая она красивая! — вдруг подумал Эндрю. — Но сейчас не время для комплиментов, она их вряд ли услышит». Так или иначе, она ему очень нравилась.

— Правда? Потрясающе! Я очень рад за вас. Теперь заживете веселее.

— Спасибо. Только роды на неделю раньше срока. Слава богу, я все нужное сегодня купила. — Она была страшно возбуждена. — Так, мне надо ехать в больницу!

Эндрю улыбнулся. Он находил во всем этом что-то невероятно трогательное. Пэрис была как ребенок в ожидании Санта-Клауса с подарками.

— Куда? В какую больницу?

— В Беркли, клиника Альта-Бейтс.

Пэрис поискала глазами сумочку, потом пихнула туда записку с номером палаты.

— Сами поведете? — спросил Эндрю.

— Конечно.

— Лучше не надо. Пэрис, позвольте я вас отвезу. Поедем на вашей машине, а оттуда я возьму такси. Не думаю, что вам стоит вести машину в таком состоянии. А кроме того, вы вот-вот станете мамой, вам нельзя сидеть за рулем, — пошутил он.

Пэрис была тронута. Она и сама чувствовала, что за руль сейчас лучше не садиться.

— Вас это не затруднит?

— Нисколько. Я с куда большей радостью помогу вам родить ребенка, чем своему чокнутому клиенту — родить сценарий. Это намного приятнее.

Он был действительно рад за нее, рад тому, что тоже может поучаствовать. Через несколько минут они выехали, и по дороге Пэрис рассказала ему, как к ней пришло это решение.

— Да, вы, я вижу, кардинально решили вопрос с мужчинами, — заметил Эндрю.

Об этом она ему тоже рассказала.

— Уж поверьте, после нескольких свиданий вслепую вы бы тоже так решили.

Пэрис описала ему скульптора из Санта-Фе, и Эндрю расхохотался.

— Я тоже редко общаюсь с женщинами, — признался он. — Точнее, в последнее время совсем не общаюсь. Это так скучно — рассказывать и расспрашивать, кто, да что, да когда. Что тебе нравится, что нет, где ты бывал, где нет... А потом вдруг выясняется, что она садомазохистка, кормит любимого удава кроликами, и ты перестаешь понимать, как тут оказался. Наверное, вы правы. Может, мне тоже ребенка взять?

— Будете ходить в гости к моей девочке, — горделиво улыбнулась Пэрис, и Эндрю взглянул на нее с нежностью.

— А можно завтра, когда вы уже будете с ней дома, я вас навещу? Мне правда хочется на нее взглянуть. Я себя чувствую полноправным участником процесса родовспоможения.

— Так и есть, — согласилась Пэрис.

Через несколько минут они подъехали к больнице, и Эндрю сказал, что сам поставит машину на стоянку.

— Удачи! — шепнул он.

Пэрис не забыла сунуть в машину детское сиденьице, теперь можно будет везти малышку домой с комфортом. Эндрю попросил позвонить ему на мобильный, если понадобится помощь, и протянул визитку с номером. Пэрис поцеловала его в щеку.

— Эндрю, большое вам спасибо. Вы мне очень помогли. Между прочим, я вам первому призналась. И спасибо, что не обозвали меня сумасшедшей.

Пэрис вдруг поняла, что для нее его мнение является своего рода критерием — она испытывала глубокое уважение к этому человеку.

— Вы сумасшедшая, — улыбнулся он, — но в хорошем смысле. Это праведное безумие. Надо, чтобы его совершали как можно больше людей. Уверен, вы будете счастливы — и вы, и малышка.

— Мне так жаль ее маму, — вздохнула Пэрис.

Эндрю кивнул. Он с трудом представлял себе, что чувствует мать, вынужденная отдать кому-то своего ребенка. Он обожал своих дочерей, и ситуация, в которой оказалась Эми, представлялась ему мучительной.

— Согласен с вами. Надеюсь, все пройдет гладко, — сказал Эндрю.

Пэрис вышла из машины, и он проводил ее глазами.

— Позвоните, когда родится! Буду ждать у телефона. Хочу знать, на кого она похожа.

— Конечно, на меня! — радостно засмеялась Пэрис, помахала рукой и вошла в здание.

Эндрю медленно поехал на стоянку, улыбаясь чему-то непонятно. Насчет своей тещи Ричард не заблуждался. Фантастическая женщина!

Глава 33

Пэрис тут же проводили в предродовое отделение. Она поднялась на лифте и через минуту очутилась в палате у Эми. Роды уже вовсю развивались, ждать осталось недолго. Это ведь был пятый ребенок, да и первых она рожала довольно быстро. Правда, Эми пожаловалась, что ей никогда не было так больно. Может, из-за того, что она знала: этот ребенок — последний.

— Ну, как дела? — сочувственно произнесла Пэрис.

— Порядок, — ответила Эми, стараясь держаться мужественно, но уже в следующий миг громко застонала.

Пэрис переоделась в больничный костюм, без которого в родильный зал ее бы не пустили, и подошла к кровати. Монитор показывал, что сердце плода бьется нормально, но та кривая, на которой фиксировалась сила схваток, зашкаливала. Выходящая из аппарата лента выглядела как сейсмограмма мощного землетрясения.

— Ого! Вот это схватки, — удивилась Пэрис, выслушав пояснения акушерки.

Она взяла Эми за руку, и та благодарно взглянула на нее. Она была совершенно одна, когда начались схватки, и ей пришлось самой вызвать такси. Муж находился у соседки, а мальчишек она забросила к подруге. Тоскливо рожать в одиночку, и она была рада присутствию неравнодушного, заинтересованного человека.

У Пэрис хватило присутствия духа привезти с собой бумаги, необходимые, чтобы ребенка вручили ей. О предстоящем удочерении клинику уже оповестила Элис Харпер. Все было в порядке. Оставалось только дождаться ребенка.

Эми старалась изо всех сил. И организм ее прекрасно слушался. Через час раскрытие достигло десяти сантиметров; казалось, все идет хорошо, но бедняжка Эми корчилась от боли. Она твердо решила не прибегать к обезболиванию. Пэрис спорить не стала, хотя сама в свое время согласилась на эпидуральную анестезию и считала, что нет смысла так мучиться. Но Эми твердила, что для ребенка так лучше. Наверное, хотела сделать малышке прощальный подарок.

Через какое-то время подошел врач, посмотрел Эми и сказал, что пора в родильный зал, — и начались потуги. Пэрис шла рядом с каталкой и держала Эми за руку. Когда они прибыли на место, акушерка попросила ее встать в головах и немного приподнять роженицу. Пэрис было тяжело и неудобно, но у Эми дела, кажется, пошли лучше. Однако ребенок все не показывался, и Эми непрерывно стонала. Пэрис не знала, чем еще помочь, и пыталась отвлечь ее разговором, но вдруг Эми страшно закричала, и врач объявил, что ребенок наконец показался.

— Ну-ну, Эми... молодец... Ну, еще, еще тужься!

Теперь кричали все хором, а у Эми по лицу катились слезы. Пэрис подумала: «Неужели и я так же страшно рожала?» Но это было так давно, она уж и не помнила.

Наконец показалась макушка маленькой головки, Эми поднатужилась сильней, и ребенок вышел. Эми разрыдалась, девочка запищала, а у Пэрис по щекам покатились слезы. Врач перерезал пуповину и протянул ребенка маме.

— Смотри, какая красавица, — шепнула Пэрис. — Ты молодчина.

Эми закрыла глаза, и ей наконец сделали укол, от которого она впала в дремотное состояние.

Девочка была крупная, целых четыре килограмма, хотя у Джейн ребенок был еще больше. Но Эми рожала дольше и тяжелее. В четыре утра ее наконец увезли из родильного зала в палату, на другой конец этажа. Медики знали, что ребенок пойдет к приемной матери, и старались вести себя с Эми как можно тактичнее.

Девочку забрали в детское отделение, чтобы помыть и зафиксировать в карте баллы по шкале Апгар; Пэрис тем временем дежурила возле Эми, которая спала под воздействием лекарства. Она еще не проснулась, когда малышку принесли. Завернутая в розовое одеяльце с крохотным чепчиком на голове, девочка водила глазками и держалась очень бодро. Медсестра протянула ее новой маме, Пэрис взяла сверток и прижала к себе.

— Привет, маленькая моя...

У малышки были розовые щёчки и голубые, как у всех младенцев, глаза; на макушке топорщился беленький пушок. Она была как живая кукла. Так, на руках у Пэрис, она и уснула, словно знала, что это теперь её мама.

— Как её зовут? — прошептала сестра.

— Хоуп, — ответила Пэрис, не отрывая взгляда от девочки.

Ей только что пришло в голову это имя, которое означало «Надежда», и сейчас оно уже казалось единственно возможным.

— Хорошее имя, — улыбнулась сестра.

Пэрис смотрела на ребёнка и не могла поверить, что у неё начинается новая жизнь. Она вдруг подумала, что, если бы Питер не оставил её, она бы никогда не испытала этой счастливой минуты. Вот он, подарок судьбы, она его наконец нашла! Два с половиной года она была лишена радости; если судьба и подавала ей какие-то знаки, то они терялись за бедами и страданиями. Теперь все несчастья позади. Судьба подарила ей этого спящего младенца.

Она просидела так несколько часов, пока Эми не очнулась от тяжёлого сна. Почти одновременно с ней встрепенулась и девочка. Пэрис дали бутылочку с глюкозой, чтобы она покормила ребёнка, а Эми сделали специальный укол для предотвращения лактации.

Все утро они проговорили. Ребёнка осмотрел педиатр и сказал, что, если Пэрис не терпится, отпустит их домой в шесть часов вечера. Эми предстояло провести в больнице ещё сутки.

Пэрис вышла в коридор и позвонила с мобильного телефона Элис Харпер, чтобы обрадовать её известием о рождении девочки. Та посоветовала ей выписать ребёнка, как только позволят медики.

— А как же Эми? Мне так жаль бросать её здесь одну...

— Пэрис, не волнуйтесь за нее. Врачи о ней позаботятся. Эми знает, что делает. Она этого хочет. Не осложняйте ей жизнь.

Пэрис тяжело вздохнула. Она вдруг поняла, что каждой из них отведена своя роль, своя судьба и жаловаться грех. Но ей почему-то стало очень одиноко. Она позвонила Биксу и сообщила новость. Тот сразу забыл о своем извечном брюзжании и бросился ее поздравлять.

Потом Пэрис набрала номер Эндрю Уоррена. При этом она испытывала какое-то дурацкое чувство: ведь они были едва знакомы. Но он же просил ему сообщить. Пэрис доложила, как прошли роды и сколько весит ребенок, сказала, что девочка очень хорошенькая, и даже попыталась описать мордашку. Она сама не заметила, что плачет.

— Какое чудесное имя вы ей дали, — негромко проговорил Эндрю.

— Да, мне тоже нравится, — согласилась Пэрис. — И ей очень идет.

«Надежда»... Этим все было сказано. Прошлого больше нет, былые раны затянулись. Судьба наконец преподнесла ей свой подарок.

— Ключи от машины я оставил в справочном окне, — сообщил Эндрю. — Когда домой едете?

— Сказали, что в шесть часов нас отпустят.

Пэрис еще не вполне оправилась от радостного потрясения, да и спать ей совсем не пришлось. Она не представляла себе, как довезет малышку домой, — просто пока не думала об этом.

— А можно я за вами приеду?

— Вы уверены, что это вас не затруднит?

Бикс ей своей помощи не предложил, да она на это и не рассчитывала. Стивен капитально слег, так что Бикс был нужен дома. Да он бы все равно не поехал, поскольку не выносил больниц и к младенцам относился с прохладцей. Это ее проблема. К тому же и машина здесь. Пэрис не ожидала, что Эндрю вызовется ей помогать.

— Сочту за честь, — без намека на иронию заявил он. — Буду на месте в пять тридцать — вдруг вас пораньше выпишут.

— Спасибо вам.

Эта ночь укрепила их дружбу. Самая важная ночь в жизни Пэрис и ее маленькой дочки.

Эндрю еще раз ее поздравил, после чего Пэрис стала звонить Мэг и Виму. Те очень удивились, что все произошло так быстро, но каждый пообещал в ближайшее время ее навестить. Потом Пэрис отправилась в детское отделение, чтобы забрать девочку. Там она с изумлением узнала, что ребенка отнесли Эми в палату, поскольку мама проснулась и попросила об этом.

Пэрис забеспокоилась. Что, если Эми передумает — сейчас, когда она уже полюбила малышку всей душой? Ведь даже с юридической точки зрения Эми пока ее мать.

Пэрис с опаской вошла в палату и увидела, что Эми держит дочку на руках и что-то ей тихонько говорит — очевидно, что-то очень важное. Эми прощалась с девочкой навсегда.

Затаив дыхание, Пэрис подошла к кровати, Эми подняла глаза и решительно протянула ребенка ей:

— Я тут немного присмотрела за вашей девочкой.

Одной фразой было сказано все. Глаза Пэрис наполнились слезами, и она взяла Хоуп на руки. А вскоре пришел и социальный работник со всеми документами, которые Эми полагалось подписать.

После обеда и Пэрис, и малышка почти все время спали. В пять часов ей сказали, что девочку можно забирать. Пэрис прошла в детское отделение и отдала сестре привезенную для девочки одежду — верхнюю и нижнюю рубашечки, чепчик и одеяльце. У нее не было времени выбирать вещи так тщательно, как когда-то для Мэг, но главное сейчас было то, что они вместе едут домой.

Ребенка переодели, и Пэрис прошла в палату к Эми с девочкой на руках. Она хотела дать ей попрощаться и была удивлена, насколько невозмутимой выглядела Эми, притом что действие лекарств давно закончилось.

— Хочешь подержать? — предложила она, но та помотала головой.

Эми была грустна, но спокойна. Она долго и внимательно смотрела на ребенка, потом взглянула на Пэрис и одними губами прошептала:

— Спасибо вам.

— Это тебе спасибо, Эми... Да хранит тебя господь. Береги себя. Я буду всегда тебя помнить.

Как странно было идти по коридору с чужим ребенком на руках! Нет, не с чужим. Теперь это был ее ребенок, и в этом заключалось самое настоящее чудо. Эта дивная девочка — ее дочь! По щекам ее опять покатились слезы. Почему-то Пэрис чувствовала себя похитительницей, ворующей младенца у матери. Но все смотрели на нее с улыбкой, желали счастья, а внизу их уже дожидался Эндрю.

— Правда, красивая? — со смущенной улыбкой произнесла Пэрис, и он кивнул.

Эндрю уже подогнал машину и помог Пэрис устроить ребенка на детском сиденье. Она вдруг почувствовала, что он также очарован случившимся чудом, и взглянула на него с благодарной улыбкой. Восемнадцать часов назад они приехали сюда — почти незнакомые мужчина и женщина. Они вместе пустились в эту авантюру. И вот теперь они друзья, и с ними вместе едет крохотный новый человечек. Невозможно было выразить словами, что значил для нее этот момент.

Всю дорогу Пэрис то и дело поворачивалась к малышке и смотрела на нее с бесконечной любовью, признательностью и удивлением. Как же ей повезло! Недаром она столько ждала.

Глава 34

Если бы было можно, Пэрис всю ночь просидела бы с ребенком на руках, но усталость взяла свое, и в конце концов она уложила малышку в кроватку и сама тоже легла спать. Время от времени она в тревоге просыпалась и проверяла, все ли в порядке с девочкой. Ей все не верилось, что это произошло, что это не сон. Но это была явь.

Эндрю уехал только в одиннадцать, после того, как помог ей устроиться. Он сам собрал кроватку и даже постелил простынку, чтобы Пэрис не отвлекалась от ребенка.

— Ловко у вас получается, — улыбнулась Пэрис.

— Большой опыт. Мне всегда нравилось возиться с детьми.

Судя по всему, он и теперь делал это с удовольствием.

Эндрю пообещал до отъезда в Лос-Анджелес еще раз заскочить. Его писатель наконец осилил то, что от него требовалось, и Эндрю мог спокойно лететь.

Утром в воскресенье Пэрис навестили Бикс со Стивеном, причем Бикс захватил с собой фотокамеру и сделал, наверное, миллион снимков. Он впервые видел Пэрис такой счастливой и при всем своем равнодушии к детям вынужден был признать, что малышка очаровательная. Стивен тоже восторгался «идеальной формой носа и подбородка».

В четыре часа снова заехал Эндрю.

— Чувствую себя именинником, — заявил он. — Таких выходных у меня еще никогда не было.

— Спасибо, что поработали для нас шофером, — улыбнулась Пэрис. — И что разделили нашу радость.

— Считайте, что я ваш аист.

Оба рассмеялись.

Эндрю пробыл всего несколько минут, поцеловал ребенка в темечко и откланялся.

Он обещал в ближайшие дни позвонить, и Пэрис не возражала. В одну ночь этот человек стал ей другом. Не кавалером, не любовником, не поклонником и даже не кандидатом на все перечисленные роли. Просто другом, что было куда более ценно.

Наутро от него принесли огромный букет цветов с карточкой, на которой было написано: «Поздравляю с Хоуп. С любовью, Эндрю». А Бикс прислал свое фирменное «блюдо» — гигантского медведя из розовых роз. Он велел ей взять два отгула, но в среду Пэрис была нужна на работе, так что пора было призывать няню, которую она наняла на месяц вперед.

К среде, когда настало время выходить на службу, Пэрис уже совершенно освоилась с новой жизнью. Она уже знала, когда малышка спит, а когда бодрствует, какую марку детского питания любит больше других, в какой позе быстрее засыпает. Гостевая спальня была целиком отдана мисс Хоуп, а перед сном Пэрис переносила ее колыбель к себе и ставила рядом с кроватью.

Все в их маленьком мире шло прекрасно. Всю неделю, где бы они с Биксом ни работали, он непременно говорил клиентам: «Посмотрите на Пэрис! Хороша, правда? А ведь у нее в пятницу родилась дочка!» Все в ужасе смотрели на нее, и она снова и снова объясняла, как все было. К концу недели ее стол оказался завален подарками. Весь мир приветствовал малышку Хоуп.

В субботу Пэрис опять работала, а в воскресенье утром позвонил Эндрю и напомнил, что девочке исполнилось девять дней.

— Хотел еще вчера позвонить, поздравить ее с днем рождения, но закрутился. У моего очередного сценариста съехала крыша: взял и ушел прямо со съемочной площадки. Пришлось улаживать.

Он спросил, как прошли последние дни, Пэрис рассказала, а он сообщил, что, скорее всего, прилетит на той неделе, но обязательно ее предупредит.

Затем позвонила Мэг и спросила, как дела у девочки. Они с Ричардом и Вимом собирались провести с Пэрис Рождество и заодно познакомиться с сестренкой. До праздника оставалось всего три недели, Пэрис не терпелось представить свое чудо старшим детям. Теперь все их сомнения остались позади, и Вим, и Мэг были очень рады за маму — во всяком случае, они так говорили. Пэрис не сомневалась, что стоит им увидеть крошку, как они ее сразу полюбят. Разве можно устоять перед этим розовым комочком?

Весь месяц она крутилась как белка в колесе, разрываясь между работой и ребенком, и чувствовала себя как в легкоатлетической эстафете. Несмотря на наличие няни, ночью она сама вставала к девочке и к Рождеству уже валилась с ног.

За два дня до праздника приехал Эндрю, у него была встреча с клиентом. Пэрис открыла ему дверь с девочкой на руках.

— Вид усталый, — констатировал он и протянул ей коробку, в которой оказался целый комплект: детское платьице, чепчик и куколка в такой же одежде.

— Вы нас балуете! А я, признаться, действительно очень устала.

Пэрис не могла дождаться января. Ее согласилась подменить Джейн, которая снова была беременна. Бикс жаловался, что его окружают женщины с детьми. Вообще его жизнь в последнее время заметно осложнилась — Стивену нездоровилось с самого Дня благодарения.

Каждый день Пэрис испытывала искушение позвонить Эми, узнать, как у нее дела, но Элис не велела. Из уважения к ее опыту Пэрис была вынуждена уступить. И наслаждаться ниспосланным ей даром небес. Все формальности были улажены, Эми все подписала без звука.

Эндрю собирался в Лондон, где с обеими дочерьми должен был провести Рождество. А затем они поедут кататься на лыжах в Альпы. Швейцария — это звучало так романтично. Эндрю обещал вернуться сразу после Нового года.

— Если вы не против, я бы хотел вас навестить, когда приеду. Хоуп, наверное, вырастет — не узнаешь.

Это было, конечно, преувеличение — ведь ему предстояло отсутствовать всего две недели. Но что-то в его интонации заставило Пэрис насторожиться. Она не знала, что ответить. Ей хотелось видеть в нем друга, и не более, но он, кажется, имел в виду что-то другое.

Эндрю, казалось, почувствовал ее сомнения и поспешил объясниться:

— Я знаю ваше отношение к ухаживанию и должен сказать, что вполне с вами солидарен, Пэрис. Но если я дам вам слово вести себя хорошо, не показывать вам фотографии своих фаллических изваяний, приеду трезвый и не буду заказывать бобы — может, вы согласитесь сходить со мной в ресторан? На официальное свидание?

Он так тщательно выбирал слова, что Пэрис стало смешно.

— Неужели я вас так напугала? — усмехнулась она.

— Да нет, не напугали. Вы просто проявляете разумную осторожность, я это хорошо понимаю. Вам здорово досталось, и ваше недоверие вполне объяснимо. Но если я вас чем-нибудь огорчу — сразу скажите.

— Например? Тем, что балуете мою девочку? Посылаете мне цветы? Возите меня в больницу и обратно? Очень обидно, нечего сказать! — Она серьезно посмотрела на него. — Я просто боюсь все испортить. Я слишком ценю нашу дружбу и не хочу, чтобы наши отношения переросли в нечто иное.

Эндрю надеялся как раз на обратное, но он не хотел ни брать ее хитростью, ни пользоваться ее слабостью, ни тем более пугать. Он хотел быть ей другом, но не только. Она ему очень нравилась, он восхищался ее мужеством и жизнестойкостью.

— Я же уже сказал, что буду вести себя хорошо. Так как, обещаете мне свидание после Европы? Официально вас спрашиваю.

Пэрис улыбнулась:

— Обещаю.

— Прекрасно. Я вам позвоню из Европы. — Он поцеловал ее в щеку и уже с порога крикнул: — Берегите Хоуп!

Оставшись одна, Пэрис снова засомневалась, правильно ли поступает. Как бы потом не пожалеть. Она ведь поклялась, что никогда больше не будет встречаться с мужчиной — и вот пожалуйста, ей снова неймется! Но ведь восемь месяцев прошло. Не хватит ли?..

Так или иначе, в Эндрю Уоррене было что-то особенное. Из всех мужчин, с которыми она встречалась после развода, ни один не был так достоин любви и, главное, уважения.

Он позвонил сначала из аэропорта, потом из Лос-Анджелеса, а на следующий день — из Лондона. К этому моменту ее родня уже была в сборе. Мэг с восторгом нянчила сестренку, Ричард щелкал фотокамерой, а Вим снисходительно улыбался, когда Пэрис просила быть поосторожнее с малышкой. Все признали, что девочка очаровательна, да Пэрис и сама это знала. Хоуп был уже почти месяц, и она делала смешные гримасы, похожие на улыбку. Пэрис сказала сыну, что скоро она начнет улыбаться по-настоящему.

Мэг бережно положила девочку в кроватку и повернулась к матери с какой-то особой, очень женственной улыбкой, какой Пэрис никогда у нее не видела.

— Будет мне хорошая тренировка, — сказала она и бросила многозначительный взгляд на Ричарда.

— Как это? — не поняла Пэрис. Она очень устала, и нюансы от нее ускользали.

— Мам, мы ждем ребенка, — объявила Мэг, и Пэрис кинулась ее обнимать со слезами на глазах.

— Вот это новость! Поздравляю. Вас обоих. Когда ждете?

— Срок — четвертого июля.

— Очень патриотично! — рассмеялась Пэрис и расцеловала дочь и зятя.

Вим застонал и рухнул на диван.

— У вас что, эпидемия? — в отчаянии воскликнул он. — У всех дети!

— Смотри ты не заведи! — предупредила Пэрис, и все рассмеялись.

Когда после праздничного застолья Пэрис вошла в гостиную, она застала Вима с малышкой на руках, а Мэг лежала рядом на диване и мирно посапывала. Все дети были с ней, все трое! Замечательное получилось Рождество. И все благодаря Хоуп.

Глава 35

Решение взять в январе отпуск оказалось самым мудрым. У Пэрис появилось время побыть с ребенком, почитать, нагуляться с коляской. Иногда она навещала Бикса в офисе и всякий раз жалела его при виде горы бумаг на его столе. Она даже виделась с друзьями. Ей нравилась ее новая жизнь, но начинало тянуть и на работу. Только не сейчас, попозже.

Эндрю Уоррен взял двухнедельный отпуск и приехал ее навестить. Они съездили в Напа-Вэлли, пообедали в Сономе, вдоволь нагулялись по живописным окрестностям. Девочка, конечно, была с ними. Странно, но Пэрис не покидало ощущение, что она снова замужем. Между ними установились очень непринужденные отношения — то ли дружба, то ли роман, — и обоим это нравилось.

Несколько раз Эндрю водил ее в ресторан, он называл это «официальными свиданиями».

— А что же тогда все остальное? — смеялась Пэрис.

— В остальное время мы друзья, — пояснил Эндрю. — Свидание засчитывается только тогда, когда я веду тебя в ресторан. Согласна?

— Отлично. Как раз то, что я хотела.

Когда Эндрю уходил, она начинала скучать. Он был необыкновенно нежен с ребенком, и с ним было хорошо. Когда отпуск у Эндрю закончился, он продолжал прилетать на выходные и ночевал во флигеле — иногда вдвоем с Вимом, поскольку спален там было две. Пэрис не делила с ним постель — она просто была к этому не готова. Их «свидания» продолжались всего месяц, хотя они довольно много общались во время его отпуска — ведь тогда он бывал у нее каждый день.

Но в Валентинов день их платоническим отношениям пришел конец. Эндрю повел ее ужинать в чудесный ресторан, и домой они вернулись только в полночь. Эндрю неожиданно вручил ей изящный кулон с бриллиантом, а Пэрис подарила ему дурацкие часы на ремешке из крокодильей кожи, которые Эндрю тут же надел на руку.

Они проговорили целый час и в результате плавно перекочевали в спальню. То, чего Пэрис так настойчиво избегала на протяжении многих месяцев, вдруг оказалось проще простого. Они предались любви как два давно знакомых и близких человека, и не нужно было спрашивать, нет ли у него другой женщины. Все произошло так естественно, что Пэрис сама удивилась. Как будто они всегда были близки.

Потом они уснули в объятиях друг друга, но их разбудил ребенок. Пэрис пошла подогреть бутылочку, Эндрю стал кормить малышку, и они снова уснули уже втроем, с девочкой посередине. У Пэрис было такое чувство, словно она вернулась домой после долгого отсутствия. Три года прошли для нее в одиночестве и печали, и вот наконец она нашла человека, которого уже и не чаяла найти. Она давно перестала искать, перестала верить, что он есть на земле. Но иголка в стоге сена в конце концов отыскалась. То же мог сказать о себе и Эндрю. За всю жизнь он не чувствовал себя таким счастливым.

Весна любви накрыла их с головой. Все выходные Эндрю проводил в Сан-Франциско; при каждой возможности он удирал из конторы, брал с собой пухлую рукопись и приезжал к Пэрис и Хоуп. Мэг и Вим обожали Эндрю, а его дочери, когда навещали их в начале лета, прониклись не меньшей симпатией к Пэрис. Все фрагменты головоломки совпали, даже лучше, чем когда с ней был Питер. И это было самое странное. Пэрис и не вспоминала, что когда-то была замужем за другим человеком. Ей казалось, она всегда была с Эндрю.

Когда Мэг пришло время рожать, Пэрис взяла двухнедельный отпуск. Бикс заверил ее, что справится, тем более что Стивен теперь чувствовал себя намного лучше. Он явно шел на поправку.

Пэрис с Хоуп были у Эндрю в Лос-Анджелесе, когда у Мэг, точно в срок, начались роды. Пэрис поехала в больницу вместе с дочерью и зятем, а Эндрю остался с девочкой.

Роды были долгие и трудные, но Мэг держалась молодцом. Ричард не отходил от нее ни на шаг и очень ее поддерживал. Пэрис находилась с ними в родильном зале. Она не собиралась присутствовать при родах — не хотела им мешать, — но Мэг настояла, а Ричард не возражал. Когда их мальчик явился миру, Пэрис невольно прослезилась, а родители были на седьмом небе от счастья. Малыш получился очаровательный. Прекрасный, крепкий карапуз. У него уже было имя — Брэндон. Брэндон Боулен. Мэг дала матери его подержать и с измученной улыбкой смотрела на новоявленную бабушку.

— Мам, как я тебя люблю... Спасибо, что ты у меня такая! — вымолвила она не без усилия.

От нахлынувших чувств Пэрис расплакалась. Потом она позвонила Эндрю и снова прослезилась. Ночью она лежала рядом с ним в постели и никак не могла заснуть. Эти младенцы явно на нее как-то действовали. Ей уже сорок девять, а она все так же радуется малышам, как двадцать пять лет назад.

— Знаешь, что я подумала? — сказала она, прижимаясь к нему в темноте. — Наверное, для Хоуп будет не очень хорошо расти одной. Может, мне взять еще одного?

Эндрю долго смотрел на нее и молчал.

— Ты об этом так долго думала? Она не будет одна. У нее уже есть племянник, всего на восемь месяцев младше. Вот и будут вместе играть.

— Да, верно, — согласилась Пэрис.

Об этом она как-то не подумала. Впрочем, они ведь будут жить в разных городах, так что часто видеться не придется. Это совсем не то же самое, что расти в одном доме.

— А может, нам и вправду тряхнуть стариной и родить своего? — нерешительно произнесла она.

Эндрю много раз ей это предлагал, уверяя, что в наши дни и не такое возможно, наука многому научилась, да и в университете у него есть друзья. Но до сих пор Пэрис отмахивалась, и детально они пока это не обсуждали.

— Это было бы прекрасно, но пока у меня есть другая идея. Что, если нам сыграть свадьбу и на целый год укатить в Европу?

Пэрис была поражена. Она знала, что Эндрю давно об этом мечтал, но он никогда не говорил, что хочет совершить такое путешествие с ней.

— А Бикса, что же, бросить?

— Ну да, на год. Когда вернемся, сможешь снова пойти к нему работать, если захочешь. А можем и взять его с собой, — поддразнил он.

— Он обрадуется. — Пэрис села на постели и внимательно посмотрела на него. — Правильно я поняла, что ты делаешь мне предложение?

Она была искренне удивлена: ей казалось, что им и так хорошо вместе.

— Да, — тихо ответил Эндрю. — И что скажешь?

Пэрис снова прижалась к нему и крепко поцеловала.

— Это значит — да? А ты можешь произнести это словами? Я хочу знать наверняка.

— Да! — объявила она и улыбнулась. — Я стану твоей женой, но только с условием: я буду у тебя одна.

Эндрю знал эту историю — у нее давно не было от него секретов.

— Эксклюзив? Пожалуй, я согласен. Ну, так как? Едем в Европу?

Пэрис кивнула. Ей нравилась эта затея. Поможет Биксу кого-нибудь подготовить себе на смену, чтобы не оставлять его одного, пока она не вернется.

Впрочем, в том, что она вернется на работу, уверенности у Пэрис не было. Кто знает, что они решат, пока будут в Европе? Эндрю уже пятьдесят девять, он все время грозится уйти на пенсию и посвятить остаток дней путешествиям, и ей это очень нравилось, тем более что пока не надо было думать о том, чтобы отдавать ребенка в школу.

— А детям скажем? — улыбнулась она.

— Надо бы. Впрочем, я готов и тайно с тобой обвенчаться. — Он засмеялся, обнял ее и притянул к себе. — Пэрис, я тебя люблю. Ты себе не представляешь, как сильно я тебя люблю!

Они лежали рядом и говорили о своей любви. О том, что устроят себе скромную свадьбу — пусть будут только дети и самые близкие друзья. А потом они поедут в Европу, снимут дом в Париже или Лондоне, а может, виллу на море или яхту, чтобы плавать на ней все лето... Все это было очень заманчиво, но оба считали, что с таким же успехом можно и дома остаться. Главное — быть вдвоем.

На другой день они сообщили о своем решении Мэг и Ричарду, потом Пэрис позвонила Виму, который гостил у отца. Все пришли в восторг — в том числе и Бикс, хотя его реакции Пэрис несколько опасалась.

— Что я тебе говорил? Вот и нашла иголку в стоге сена. Выходит, не зря ты ходила на свои свидания!

— А вот и нет, — рассмеялась Пэрис. — С Эндрю я познакомилась отнюдь не на свидании. Мы с ним впервые встретились на свадьбе у Мэг.

— И все равно, согласись, свидания вслепую тебя многому научили.

— Чему, например?

— Расточать улыбки капризным клиентам и управлять нашей фирмой, когда вернешься.

— А ты что, уходишь? — Пэрис похолодела. Неужели Стивен так болен?

— Пока нет. Но когда ты вернешься из своего годичного отпуска, я бы тоже хотел отдохнуть. Мы со Стивеном давно мечтали отправиться в кругосветное путешествие. Может быть, тоже на год, мы еще не решили. Одно я знаю твердо, — добавил он счастливым голосом, — лучшее еще впереди!

— Да, это точно, — тихо проговорила Пэрис.

Свадьбу решили сыграть в августе, а к сентябрю уехать. На следующей неделе они вернулись в Сан-Франциско и обнаружили в гостиной нарядную коробку с узором в виде ландышей на крышке. Пэрис открыла, и внутри оказалась красивая антикварная серебряная шкатулка овальной формы с гравировкой. У Бикса всегда был безупречный вкус. Пэрис поднесла шкатулку к глазам и стала разбирать фигурную вязь, стилизованную под старину.

— Что пишут? — спросил Эндрю, любуясь вещицей.

— Пишут? — Она улыбнулась. — «Лучшее впереди!»

— Так и есть, — сказал Эндрю и поцеловал ее.

У Пэрис на глаза навернулись слезы. Жизнь и вправду повернулась к ней светлой стороной. Прошлое осталось позади, на смену ему пришло настоящее, прекрасное и счастливое. Грядущее всегда было покрыто неизвестностью, но Пэрис всей душой верила, что впереди их ждет только хорошее.

Литературно-художественное издание

Стил Даниэла

ИГРА В СВИДАНИЯ

Роман

Ответственный редактор *Л. Качковская*
Художественный редактор *Е. Фрей*
Технический редактор *Г. Этманова*
Компьютерная верстка *З. Полосухиной*
Корректор *Е. Дмитриева*

ООО «Издательство АСТ»
129085, г. Москва, Звездный бульвар, д. 21, строение 3, комната 5
Наш электронный адрес: **www.ast.ru**
E-mail: neoclassic@ast.ru
ВКонтакте: vk.com/ast_neoclassic

«Баспа Аста» деген ООО
129085, г. Мәскеу, жұлдызды гүлзар, д. 21, 3 құрылым, 5 бөлме
Біздің электрондық мекенжайымыз: www.ast.ru
E-mail: neoclassic@ast.ru

Қазақстан Республикасында дистрибьютор
және өнім бойынша арыз-талаптарды қабылдаушының
өкілі «РДЦ-Алматы» ЖШС, Алматы қ., Домбровский көш., 3«а», литер Б, офис 1.
Тел.: 8(727) 2 51 59 89,90,91,92, факс: 8 (727) 251 58 12 вн. 107;
E-mail: RDC-Almaty@eksmo.kz
Өнімнің жарамдылық мерзімі шектелмеген.

Өндірген мемлекет: Ресей
Сертификация қарастырылмаған

Подписано в печать 10.01.2017. Формат 84х108¹/₃₂.
Гарнитура «Newton». Печать офсетная. Усл. печ. л. 20,16.
Тираж 2 500 экз. Заказ 257

Отпечатано с готовых файлов заказчика
в АО «Первая Образцовая типография»,
филиал «УЛЬЯНОВСКИЙ ДОМ ПЕЧАТИ»
432980, г. Ульяновск, ул. Гончарова, 14

ISBN 978-5-17-100252-7

16+